Edicija

SAVREMENA SVETSKA PROZA

Knjiga br. 357

Naslov originala:
Sandie Jones
The Other Woman

Prvi put objavljeno u Velikoj Britaniji
Pan Books
Pan Macmillan
Objavljeno zahvaljujući Darley Anderson Literary, TV & Film Agency

Glavni i odgovorni urednik: Sanja Đurković
Urednik izdanja: Gordana Subotić
Lektura: Aleksandra Šulović
Tehnički urednik: Vesna Pijanović
Dizajn korica: Milica Mićević

www.evrobook.rs
redakcija@evrobook.com
marketing@evrobook.com
prodaja@evrobook.com

Sendi Džouns

IZMEĐU NAS

S engleskog prevela
Vesna Stojković

Beograd, septembar 2018
Prvo izdanje

Ajvi Rolf

Mojoj baki, koja me je uvek ohrabrivala da budem ono što želim.

Prolog

Izgleda divno u venčanici. Savršeno joj stoji i to je tačno ono što sam zamišljala da će odabrati: elegantna, neupadljiva i jedinstvena – baš kao ona. Srce mi se slama pri pomisli da njen dan nikad neće svanuti, ali ona to još ne mora da zna.

Razmišljam o gostima koji neće doći, ramovima bez fotografija, prvom plesu bez muzike, nenačetoj torti i osećam kolebanje. Ustajem. Nije trenutak za dvoumljenje.

Ima još mnogo posla, mnogo bola još treba naneti, ali ništa me neće odvratiti. Jednom mi nije uspelo, ali ovog puta ću to uraditi kako treba.

Previše toga je u igri i ne smem da pogrešim.

1.

Malo šta mi se nije dopalo na Adamu kad sam ga prvi put videla na drugom kraju prepunog bara u hotelu *Grosvenor* u Londonu, ako se izuzme njegov nedostatak empatije. Upravo sam bila izašla sa neverovatno dosadnog seminara „Budućnost regrutovanja" i ni on ni barmen nisu bili svesni koliko mi je bilo potrebno piće.

Imala sam osećaj da stojim za šankom čitavu večnost, teatralno mašući pohabanom novčanicom od deset funti, kad se, tik pored mene, progurao tamnokosi muškarac pružajući kreditnu karticu. – Da, da. Ovamo, druže – rekao je zvonkim glasom.

– Ovaj, izvini – rekla sam, malo glasnije nego što sam želela. – Ako nisi primetio, ja sam došla prva.

Slegnuo je ramenima i osmehnuo se. – Izvini, ali čekam već sto godina.

Stajala sam i otvorenih usta gledala kako su on i barmen značajno klimnuli glavom jedan drugom; nije morao da kaže ni reč, a pred njim se stvorila flaša peronija.

– Ne mogu da verujem – promrmljala sam dok me je odmeravao. Ponovo mi je uputio onaj osmeh i okrenuo se ka grupi muškaraca pored sebe da prenese njihove porudžbine.

– Mora da se šališ? – progunđala sam i pustila da mi glava padne na ruke dok sam čekala. Bila sam sigurna da ću se pošteno načekati dok dođem na red.

– Šta da vam donesem? – pitao je barmen. – Onaj momak tamo misli da volite roze, ali ja bih se opkladio da ste za džin-tonik.

Preko volje sam se osmehnula. – Ma koliko želela da dokažem da onaj momak tamo nije u pravu, plašim se da bi mi čaša rozea baš legla.

Krenula sam da mu pružim deset funti dok je spuštao čašu ispred mene, ali on je odmahnuo glavom. – U redu je – rekao je. – Izvolite, uz pozdrave od gospodina koji se progurao preko reda.

Nisam bila sigurna koga više volim: barmena, kojeg je, po mom mišljenju, trebalo unaprediti u glavnog somelijea, ili zaista ljubaznog tipa koji mi se osmehnuo s drugog kraja šanka. Eh, šta radi vino rumeno.

Zajapurila sam se dok sam podizala čašu da mu nazdravim a zatim krenula ka kolegama sa seminara okupljenim u uglu, svako sa svojim omiljenim pićem. Sedam sati ranije nismo se poznavali i činilo se da su svi jednoglasno odlučili da svako uzme piće za sebe ne mareći za ostale.

Gospodin Peroni očigledno nema takav dogovor sa svojim društvom, pomislila sam i osmehnula se kad sam videla kako naručuje turu za sve.

Popila sam gutljaj vina i osetila kako mi hladno piće golica jezik pre nego što je skliznulo niz grlo. Šta je to u tom prvom gutljaju što s nijednim sledećim ne može da se ponovi? Ponekad zateknem sebe kako odlažem taj prvi gutljaj samo da sačuvam taj osećaj.

Sad već zvučim kao nepopravljivi alkoholičar, ali zapravo pijem samo vikendom i zatupljujuće dosadnim sredama, pošto ceo dan provedem zatvorena sa dvesta službenika odeljenja za ljudske resurse. Tokom predavanja pod nazivom „Baš nas briga što nas niko ne voli" dobili smo korisnu informaciju da je nedavno istraživanje pokazalo kako zanimanje savetnika za odabir kadrova postaje sve omraženije; ispred nas su samo agenti za prodaju nekretnina. Volela bih da mogu da opovrgnem mrzitelje i dokažem da nismo svi nemoralni, neetički pregovarači. Ali dok gledam drske, bučne, kobajagi momke iz Sitija sa zalizanom kosom i neiskrenim pogledom, moram da priznam poraz.

Iako sam se ranije tog dana predstavila na „forumu", dok sam prilazila bučnoj grupi, osećala sam da to treba da uradim ponovo.

– Zdravo, ja sam Emili – smeteno sam rekla momku iz spoljnog kruga. Nisam baš želela da razgovaram s njim, ali morala sam da popričam s nekim dok pijem vino da ne bih izgledala kao paćenica. – Ja sam savetnica u *Fokneru* – nastavila sam.

Pružila sam ruku i on ju je prihvatio pa žustro, pomalo vojnički, protresao. „Ovo je moj zamak i na mojoj si teritoriji", bila je njegova poruka, iako smo ceo dan učili kako da se postavimo baš suprotno.

– Budite otvoreni. Budite pristupačni – govornik broj dva izjavio je nešto ranije. – Poslodavci i zaposleni žele da rade sa ljubaznim licem.

Žele da osete da mogu da vam veruju. Da vi radite za njih, a ne obrnuto. Poslujte sa klijentima po *njihovim* uslovima a ne po sopstvenim, čak i ako vam to pomalo vređa ponos. Zato svakoj prilici pristupajte na poseban način i reagujte u skladu s njom.

Uvek sam se ponosila što radim baš tako, zato i jesam već sedam meseci zaredom bila najbolji savetnik u *Fokneru*. Bila sam sušta suprotnost onome što su ljudi očekivali: iskrena, uviđavna i neopterećena jurnjavom za klijentima. Sve dok imam dovoljno da platim kiriju, hranu i grejanje, ništa mi više ne treba. Naravno, po mojim rezultatima videlo se da razbijam. Klijenti su tražili da posluju isključivo sa mnom i donela sam više posla od bilo koga u svih pet ispostava naše firme. Ponude su samo pljuštale. Možda bi *ja* trebalo da se popnem na onu binu i pričam im kako se to radi.

Čovek iz manje poznate agencije u Liju na moru nevoljno je pokušao da me uključi u razgovor. Umesto da se predstave, odmeravali su me od glave do pete, kao da prvi put vide ženu. Jedan je čak zavrteo glavom i usporeno zviznuo. Prezrivo sam ga pogledala, pre nego što sam shvatila da je to Ajvor, ćelavi, debeli direktor firme sa jednom filijalom u Balamu, koji mi je, na nesreću, izigravao partnera u vežbi pre ručka. Iz usta mu je bazdelo na sinoćni kari, koji je, pretpostavljala sam, halapljivo jeo iz male posude od aluminijumske folije za jednokratnu upotrebu, koju je držao na krilu.

– Prodajte mi ovu olovku – zarežao je za vreme našeg zadatka „Kako prodati sneg Eskimu". Zgađeno sam se namrštila kad se u vazduhu osetio miris ustajale kurkume. Uzela sam od njega najobičniju *Bikovu* hemijsku olovku i počela da navodim njene prednosti: izvanredno plastično kućište, gladak vrh, dobar protok mastila. Zapitala sam se, ne prvi put, šta je smisao svega ovoga. Moj šef Nejtan uporno je tvrdio da su ovi seminari korisni: zahvaljujući njima uvek smo u toku.

Ako se nadao da ću biti motivisana i očarana novim načinima rada, odabrao je pogrešan dan. Da ne pominjem da su me spojili s pogrešnim čovekom.

Nastavila sam oduševljeno da hvalim olovku, ali kad sam podigla pogled, Ajvor nije ni pokušao da se usredsredi na hemijsku u mojoj ruci, već je zadržao pogled na dekolteu koji se nazirao iza nje.

– Hm – nakašljala sam se, pokušavajući da mu usmerim pažnju na naš zadatak, ali on se samo osmehnuo, kao da uživa u svojoj fantaziji. Nagonski sam povukla rubove košulje, zažalivši što nisam obukla rolku.

Pogled njegovih sitnih svetlih očiju i dalje je počivao na meni. – Beše Ema? – pitao je i koraknuo ka meni. Pogledala sam na bedž sa imenom, prikačen u visini moje leve dojke, kao da i sama proveravam.

– E-mi-li – rekla sam, kao da se obraćam malom detetu. – Zovem se Emili.

– Ema, Emili, to ti je isto.

– Ne, zapravo nije.

– Jutros smo nas dvoje bili par – ponosno je rekao ostalim muškarcima u grupi. – Baš nam je bilo zabavno, jelda, Em?

Osetila sam kako sam se naježila.

– Zovem se E-mi-li, ne Em – ogorčeno sam rekla. – I uopšte ne mislim da smo naročito dobro sarađivali.

– Ma, daj – odvratio je gledajući oko sebe, a samouverenost koja je izbijala iz njegovog glasa videla mu se i na licu. – Bili smo dobar tim. Sigurno si to osetila. – Zurila sam bezizrazno u njega. Nisam znala šta da kažem, a čak i da jesam, ne bih badava trošila reči. Odmahivala sam glavom dok su ostali s nelagodom gledali u pod. Ne sumnjam da će ga, čim se budem okrenula, tapšati po leđima zbog dobro obavljenog posla.

Pokupila sam se sa svojim dopola ispijenim pićem i stala na kraj prepunog šanka. Posle samo dva minuta bilo mi je jasno zašto tu niko nije stajao. Osoblje me je svaki čas udaralo koščatim laktom ili odgurivalo ramenom užurbano uzimajući piće i vraćajući čaše. – Ovo je *naš* prostor – frknula je jedna devojka, ispijenog i koščatog lica. – Oslobodite ga.

– Izvinite – prošaputala sam, ali ona je bila previše važna da bi me saslušala. Ipak, pomerila sam se malo kako bih oslobodila „njen prostor" i potražila telefon u tašni. Ostala su mi još samo tri gutljajčića ili jedan veliki gutljaj vina. Još najviše četiri minuta i idem.

Proveravala sam mejlove, u nadi: a) da mi niko neće dosađivati i b) da ću izgledati kao da čekam nekoga. Pitala sam se šta smo radili pre mobilnih telefona i njihove dalekosežne mreže informacija. Da li bih stajala ovde i listala *Fajnenšal tajms* ili, još bolje, osetila potrebu da zapodenem razgovor sa nekim ko bi se mogao pokazati zanimljivim? U oba slučaja, gotovo sigurno bih bila bolje obaveštena. Šta onda tražim na Tviteru i gledam šta radi Kim Kardašijan?

Progunđala sam sebi u bradu kad sam čula nekog kako dovikuje: – Emili, jesi li za još jedno piće? *Jel' on to mene zeza?* Zar nije shvatio poruku? Pogledala sam u Ajvora, ali on je bio udubljen u razgovor. Diskretno sam se osvrnula oko sebe, postiđena što će onaj ko je to rekao videti da sam zbunjena. Pogled mi se na trenutak zaustavio na Peroniju, koji se široko osmehivao, otkrivajući pravilne bele zube. Osmehnula sam se setivši se saveta koji mi je mama davno dala. „Zubi su veoma važni, Emili", rekla je pošto je upoznala mog poslednjeg dečka Toma. „Uvek možeš verovati čoveku s lepim zubima." Kako da ne! Meni je važnije da se čoveku osmehuju i oči, kao recimo kod ovog tipa. Počela sam da zamišljam kako ga skidam i ne shvatajući šta radim. Primetila sam da tamno odelo, bela košulja i malo olabavljena kravata stoje kao saliveni na tom zgodnom telu. Zamišljala sam njegova široka ramena, snažna leđa i uzan struk. Trouglaste je građe. Ili možda nije. Teško je reći šta se krije ispod odela; možda gomila stvari koje navode na greh. Nadala sam se da sam u pravu.

Vrat je počelo da mi obliva rumenilo dok je s iščekivanjem zurio u mene, sklanjajući kosu u stranu. Slabašno sam mu se osmehnula, a onda okrenula glavu za devedeset stepeni, u potrazi za glasom.

– To znači *da* ili *ne*? – ponovo se oglasio, ovog puta bliže. Gospodin Peroni se progurao tako da mi je sada bio prvi komšija. Čudnog li izraza, pomislila sam, nesvesna da on sada stoji tik do mene.

– Koliko si popila? – Nasmejao se dok sam zurila u njega, mada mi nije promaklo da je izbliza još viši.

– Izvinite, učinilo mi se da me je neko pozvao po imenu – odgovorila sam.

– Ja sam Adam – predstavio se.

– Oh! Emili – rekla sam, pružajući ruku, koja se istog trena oznojila. – Ja sam Emili.

– Znam, piše ti prilično krupnim slovima na grudima.

Spustila sam pogled i osetila kako crvenim. – A, znači ništa od flertovanja?

Nakrivio je glavu, a oči su mu vragolasto blesnule. – Ko kaže da flertujemo?

Nisam imala pojma da li flertujemo ili ne. Udvaranje mi nikad nije bila jača strana. Ne bih znala odakle da počnem. Ako mu je bilo do flertovanja, onda flertuje sam sa sobom.

– U čemu je fora sa bedžom sa imenom? – gospodin Peroni, iliti Adam, pitao je najkoketnije što to jedan muškarac ume.

– Učestvujem na prestižnoj konferenciji – rekla sam mnogo smelije nego što sam se osećala.

– Ma nije valjda! – Osmehnuo se.

Klimnula sam glavom. – Samo da znaš da sam najbolja u svojoj branši. Među najbolje plaćenim stručnjacima u toj oblasti.

– Au! – Osmehnuo se. – Znači, učestvuješ na seminaru za prodavce toalet-papira? Video sam tablu kad sam ulazio.

Uzdržala sam se da se ne osmehnem. – Zapravo, to je tajni sastanak agenata MI5 – prošaputala sam, zaverenički gledajući oko sebe.

– I zato su vam napisali ime preko grudi? Da budu sigurni da niko neće otkriti ko ste.

Pokušavala sam da ostanem ozbiljna, ali su mi se uglovi usana izvili. – To je moje tajno ime – rekla sam, potapšavši se po jeftinoj plastici. – Moj konferencijski pseudonim.

– Tako dakle, agentice Emili – rekao je, zavrnuo rukav i progovorio u svoj sat: – Da li je onda i gospodin na tri sata takođe agent? – Čekao je da shvatim, ali nisam imala pojma kuda da gledam. Okretala sam se na sve strane, očajno pokušavajući da na svom unutrašnjem kompasu nađem tri sata. Nasmejao se, uhvatio me za ramena i okrenuo ka Ajvoru, koji je žustro gestikulirao nekom kolegi, čežnjivo gledajući u ženu u uskim crnim pantalonama od kože. Srećom, ona nije bila svesna da je guta pogledom. Stresla sam se.

– Netačno – odgovorila sam i stavila ruku na uvo. – Nije ni agent ni gospodin.

Adam se nasmejao kad sam prihvatila igru. – Možemo li da ga svrstamo među neprijatelje?

– Tačno. Smakni ga ako želiš.

Začkiljio je, pokušavajući da na bedžu pročita ime zločinca. – Ajvor? – pitao je.

Klimnula sam glavom.

– Ajvor Begaj? – Pogledao me je čekajući reakciju. Trebalo mi je malo, zapravo dosta vremena da shvatim, a on je sve vreme samo stajao i gledao me.

2.

Nisam tražila dečka. Nisam ni znala da želim da budem s nekim dok se Adam nije pojavio. Moja cimerka Pipa i ja smo bile srećne i zadovoljne što idemo na posao, vratimo se kući, jedemo na poslužavnicima, a onda se prežderemo čokoladom dok gledamo epizodu za epizodom *Bekstva iz zatvora*. Tih nekoliko sati bismo uživale kao u raju, ali onda bih ujutro stala na vagu i proklinjala sebe to sam nabacila četiri kilograma preko zime. Tako je svake godine – a ne pomaže ni to što nikad ne idem u teretanu, koju plaćam sedamdeset dve funte mesečno. Ne mogu više da uđem u farmerke broj dvanaest koje sam nosila prošlog leta, ali pre ću kopati po prodavnicama kako bih našla neki komotniji par u toj veličini u koji mogu da se uvučem nego da kupim četrnaesticu. Celo leto sam odbijala to da prihvatim i *još uvek* sam se zavaravala da će mi se tokom obećanog miholjskog leta motivacija sigurno vratiti.

Izađem s vremena na vreme, posebno kad legne plata, ali ni izlasci nisu ono što su nekad bili. Možda zato što sam starija, ili što su svi ostali mlađi, ali ne vidim smisao u tome da stojiš u krcatom pabu i laktaš se do šanka svaki put kad želiš da naručiš piće. Iako sam se žestoko opirala, Pipa me je odvukla na nekoliko svirki, nažalost ne i u *O2*. Ona više voli podzemne pećine, gde bendovi, sa čijom je većinom članova izgleda spavala, mlate po bini i bodre publiku da radi isto što i oni. Ja sam od onih što stoje sami pozadi, sa skrivenim slušalicama iz kojih trešte *Najveći hitovi iz mjuzikala*.

Bogu hvala na Sebu, mom najboljem prijatelju i muškoj verziji mene. Odavno bih se udala za njega da verujem da postoje bilo kakvi izgledi da ga preobratim u heteroseksualca, ali avaj, moram se zadovoljiti time da se uveče zatvorimo u zvučno izolovanu kabinu za karaoke i nadmećemo za najbolje stihove iz *Jadnika*. Upoznali smo se tokom mog, kako ga on zove, „frizerskog perioda". Nezadovoljna sekretarskim poslom, upisala sam se na večernji kurs za frizere i kozmetičare. Očigledno sam se zanosila da ću postati ženski Niki Klark,* sa pomodnim salonom u centru Mejfera i slavnim klijentima koji moraju da rezervišu mesecima unapred. Provela sam tri meseca čisteći metlom tuđu kosu i dobila ekcem na rukama od farbe sa natrijum-hidroksidom. Često se tako zagrejem za nešto pa se zaletim da to ostvarim, a onda se uvek ispostavi da sam bila zavedena spoljašnjim sjajem. Kao onda kad sam se upisala na kurs domaćinstva na lokalnom koledžu. Nikad mi nije bila namera da naučim da napravim lepo jastuče ili gulim pet slojeva sa stare komode sa fiokama. Ne, ja ću biti nova Keli Hopen** i zaobići sav onaj težak rad i osnove koje učenje nove veštine podrazumeva. Otići ću pravo u Njujork, gde će me Čendler iz *Prijatelja* odmah angažovati da dizajniram prostrano potkrovlje. Suvišno je reći da jastučić nikad nije završen, a svi uzorci tapeta i tkanine koje sam nabavila nikad više nisu ugledali svetlo dana.

Seb je prošao sa mnom kroz bar četiri promene karijere i uvek me je zdušno podržavao, uveravajući me da sam „stvorena za to". Ali kako bi koja faza došla i prošla, a ja jadikovala na sofi kako sam nesposobna, ubedio bi me da zapravo to i nije bilo za mene. Ali sada sam konačno našla svoj poziv. Došao je malo kasnije nego što sam planirala, ali moj posao je da prodajem ljude. Znam šta radim i dobra sam u tome.

– Znači, on je IT analitičar? – Seb je sumnjičavo ponovio dok smo sutradan sedeli u Soho skveru i delili sendvič i činiju salate iz *M&S*-a. – Šta god to značilo.

Oduševljeno sam klimala glavom, ali u sebi sam se i sama to pitala. Ja sam postavljala ljude od krvi i mesa na konkretne poslove: prodavce u prodavnice, sekretarice u kancelarije, zubne tehničare u ordinacije. IT sektor je potpuno druga priča, čudovište od industrije koje mi u *Fokneru* ostavljamo stručnjacima.

– Mora da je baš vickast – rekao je Seb, očajnički pokušavajući da ostane ozbiljan. – Šta je uradio? Očarao te megabajtima?

Nasmejala sam se. – Ne izgleda onako kao što bi očekivao.

---

* Niki Klark, engleski stilista i medijska ličnost, vlasnik poznatih frizerskih salona. (Prim. prev.)

** Poznata dizajnerka enterijera, poreklom iz Južne Afrike. (Prim. prev.)

– Znači, ne nosi naočare i razdeljak na sredini?
Odmahnula sam glavom, smeškajući se.
– I ne zove se Judžin?
– Ne – promrmljala sam ustima punim hleba i pečene govedine.
– Visok je i tamnokos, sa lepim zubima.
– O, tvoja mama će se oduševiti.
Pljesnula sam ga po ramenu. – I ima baš seksi glas. Onako dubok i tajanstven. Kao Metju Makonahi, ali bez teksaskog naglaska.
Seb je upitno podigao obrve. – Što znači da nimalo ne liči na Makonahija.
Bila sam uporna: – Znaš na šta mislim. I velike šake... baš velike šake i lepo negovane nokte.
– Kog si mu đavola zagledala šake? – pitao je Seb zagrcnuvši se limunadom. – Provela si s njim samo petnaest minuta, a već si uspela da mu snimiš zanoktice?
Nestašno sam slegla ramenima. – Samo hoću da kažem da očigledno vodi računa o sebi, a to mi se sviđa kod muškarca. To je mnogo važno.
Seb je coknuo. – Sve je to lepo i krasno, ali na skali od jedan do deset, koliki su izgledi da ćeš ga ponovo videti?
– Iskreno? Jedan, eventualno dva. Prvo, rekla bih da ima devojku; drugo, mislim da je bio nacvrcan.
– Da li je bio pijan ili samo pripit?
– Teško je reći. Priređivali su nekom oproštajnu zabavu, čini mi se da je pomenuo kako su došli iz nekog paba u Sitiju, što znači da su već bili popili. Adam je delovao fino, možda je bio malo raščupan, ali opet, ja ne znam kako inače izgleda. Mada su jedan ili dvojica njegovih ortaka bili dobro natreskani – jedva su stajali na nogama.
– O, kladim se da su ih *Grosvenoru* dočekali raširenih ruku – rekao je Seb kroz smeh.
– Mislim da su ih zamolili da odu u isto vreme kad sam ja pošla kući – rekla sam napravivši grimasu. – Počeli su da pristižu imućni gosti, a šank je više ličio na Ulicu Magaluf nego na Park Lejn.
– Ne obećava, mala – rekao je Seb.
Namrštila sam se. – Ne, teško da će da mi se javi.
– Jesi li mu uputila onaj pogled? – pitao je.
– Kakav pogled?

– Znaš ti kakav. Onaj što poručuje „vodi me u krevet ili ćeš me zauvek izgubiti"? – Zatreptao je i oblizao usne nimalo zavodljivo, kao pas kad ga časte čokoladnim kuglicama. Jednom mu je neki moj udvarač rekao da imam „zavodljiv pogled" i „neverovatno pune usne" te od tada nije prestajao da me zeza. – I, jesi li?

– Ma, ućuti!

– Šta si obukla? – pitao je.

Namrštila sam se. – Usku crnu suknju i belu bluzu. Zašto?

– Pozvaće te. – Osmehnuo se. – Da si nosila onu haljinu nalik na šatorsko krilo koju si kupila na rasprodaji kod *Vislsa*, ne bi imala nikakve šanse, ali u uskoj suknji? Umerene do velike.

Nasmejala sam se i gađala ga sparušenim listom zelene salate. Svaka žena treba da ima jednog Seba. On daje surovo iskrene savete, koji me ponekad izbace iz ravnoteže i teraju me da preispitam ceo svoj život, ali danas sam u stanju da se izborim s tim i srećna sam što je on tu da proceni okolnosti jer je uvek u pravu.

– Dobro, kako ćeš da se ponašaš kada te bude pozvao? – pitao je vadeći zalutali list iz brade i bacajući ga u travu.

– *Ako* pozove – naglasila sam – ponašaću se kao uvek. Smerno i čedno.

Seb je prasnuo u smeh i zavalio se u stolici češkajući se po rebrima da pojača efekat. – Ti si smerna i čedna isto koliko sam ja muževan.

Bila sam u iskušenju da mu prospem ostatak salate iz činije na glavu dok se valjao od smeha, ali znala sam da bi se to moglo završiti pravim ratom uz gađanje hranom. Tog popodneva sam imala gust raspored i htela sam da svoju svilenu bluzu poštedim napada balzamiko preliva. Zato sam ga samo u šali ćušnula vrhom lakovane salonke.

– I ti si mi neki prijatelj? – rekla sam prkosno dok sam ustajala da krenem.

– Javi mi kad te pozove! – doviknuo mi je ne prestajući da se kikoće dok sam odlazila.

– Javiću ti *ako* pozove! – doviknula sam kad sam stigla do kapije koja vodi na trg.

Kasnije tog popodneva, usred sastanka mi je zazvonio mobilni. Moj klijent, kineski biznismen koji je uz pomoć prevodioca tražio osoblje za svoju kompaniju koja se širila, pokazao mi je da se javim. Učtivo sam se osmehnula i odmahnula glavom, ali nepoznat broj na ekranu probudio je moju radoznalost. Nakon trećeg zvona, pogledao me je preklinjući, bezmalo moleći da se javim.

– Izvinite – rekla sam i udaljila se iz kancelarije. Bolje bi bilo da je nešto važno.

– Emili Havistok – javila sam se nakon što sam prevukla prstom preko ekrana ajfona.

– Havistok? – ponovio je glas.

– Da, izvolite?

– Nije ni čudo što ti nisu stavili prezime na bedž. – Nasmejao se.

Oblilo me je rumenilo, koje se polako širilo preko obraza. – Bojim se da sam trenutno na sastanku. Mogu li kasnije da vas pozovem?

– Ne sećam se da si govorila tako prefinjeno. Ili tako razgovaraš preko telefona?

Nisam odgovorila, ali sam se osmehnula.

– Dobro, pozovi me kasnije – rekao je. – Inače, ovde Adam. Adam Benks.

Šta on misli, kome sve dajem broj telefona?

– Poslaću ti poruku – rekao je. – Za slučaj da ti ne ostane moj broj.

– Hvala, javiću se uskoro – rekla sam i prekinula poziv, ali ne pre nego što sam ga čula kako se smeje.

Do kraja sastanka nisam mogla da se priberem i uhvatila sam sebe kako pokušavam da ga završim ranije. Ali, s druge strane, nisam htela da ga brže-bolje pozovem i ispadnem nestrpljiva. Zato sam, kad mi je prevodilac rekao da bi moj klijent želeo da me provede po novim kancelarijama nekoliko spratova iznad, zahvalno prihvatila.

Za večerom, nedelju dana kasnije, morala sam da objasnim Adamu zašto mi je trebalo tri sata da mu se javim.

– Ti stvarno očekuješ da u to poverujem? – pitao je s nevericom.

– Kunem ti se. Nisam od onih što vole da tvrde pazar. Pustila bih te da se preznojavaš možda jedan sat. Ali tri? To je baš neučtivo. – Nasmejala sam se.

Oko očiju su mu se napravile bore dok se uzdržavao da se ne osmehne. – Stvarno si sve to vreme bila zaglavljena u liftu?

– Da, tri sata duga kao večnost, sa čovekom koji jedva da priča engleski i dva pametna telefona, od kojih, izgleda, nijedan nije bio dovoljno pametan da pozove pomoć.

Zagrcnuo se sovinjon blanom. – To ti je kineska tehnologija.

Do trenutka kad sam, mesec dana kasnije upoznala Adama sa Sebom, videli smo se osamnaest puta.

– Ti to ozbiljno? – zakukao je Seb kad sam mu treće veče zaredom rekla da ne mogu da se vidim s njim. – Šta misliš, kad bi mogla da me uglaviš?

– Hej, nemoj sad da budeš ljubomoran – zadirkivala sam ga. – Možda sutra uveče?

– Pretpostavljam ako te ovaj tvoj ponovo ne pozove na sastanak?

– Obećavam, sutra veče je rezervisano samo za tebe. – Mada sam se, još dok sam to izgovarala, osećala malčice ozlojeđeno.

– Dobro, šta ćemo da radimo? – pitao je dureći se. – Izbacili su film po onoj knjizi koja nam se oboma svidela.

– *Krive su zvezde*? – pitala sam bez razmišljanja. – Adam i ja idemo večeras da ga gledamo.

– Baš lepo. – Osetila sam razočaranje u njegovom glasu i odmah mi je došlo da samu sebe ošamarim.

– Ali nije problem – veselo sam rekla. – Ići ću ponovo sutra uveče. Knjiga je bila fenomenalna, znači, biće i film, zar ne? *Moramo* da ga pogledamo zajedno.

– Ako si sigurna... – rekao je Seb malo vedrije. – Nemoj previše da uživaš u njemu sa svojim dečkom.

Kamo lepe sreće! Bila sam i te kako svesna da se Adam vrpolji u sedištu i pogledava u telefon. – Srećna neka pričica – rekao je dok smo dva sata kasnije izlazili iz bioskopa.

– Lako je tebi – rekla sam, šmrcajući i krišom brišući nos maramicom. – Ja moram sutra kroz sve to ponovo da prolazim.

Stao je na ulici i okrenuo se ka meni. – Zašto?

– Zato što sam obećala Sebu da ću ići da gledam film s njim.

Adam je upitno podigao obrve.

– Dopala nam se knjiga pa smo se dogovorili da zajedno gledamo film čim ga snime.

– Pa sad si ga gledala – rekao je. – Obavila si to.

– Znam, ali ovo smo oboje čekali.

– Moram da upoznam tog Seba što hoće da mi te ukrade – rekao je privlačeći me uz sebe i dišući mi uz kosu.

– Da je strejt, pa da brineš – rekla sam kroz smeh. – Ovako nemaš razloga za brigu.

– Svejedno. Hajde da se nađemo jedno veče sledeće nedelje da popričamo o vrlinama i manama glupavog filma koji smo svi gledali.

Uštinula sam ga za mišicu, a on me je poljubio u teme. Kao da smo sto godina bili zajedno, a opet, zbog same njegove blizine kroz mene bi prostrujalo uzbuđenje zapalivši mi svaki nerv. Želela sam da taj osećaj traje večno.

Bilo je prerano, ali u meni je sve više rasla nada, skrivena od svih, da je ovo *nešto ozbiljno*. Nisam bila dovoljno hrabra, ili možda dovoljno glupa, da rastrubim celom svetu da je Adam „onaj pravi", ali sviđao mi se taj osećaj. S njim je bilo drugačije i molila sam boga da se nisam prevarila.

Bili smo opušteni kad smo zajedno, ne baš toliko da ostavim vrata kupatila otvorena, ali nisam ni dramila oko toga da li mi se lak za nokte slaže sa karminom. Doduše, malo momaka se zadržalo dovoljno dugo da stignu da se ne slažu.

– Sigurna si da nije prerano za sebometar? – pitao je Seb, brišući oči dok smo dvadeset četiri sata kasnije izlazili iz istog bioskopa. – Pa nije prošlo ni mesec dana?

– Baš ti hvala što veruješ u mene – rekla sam. Ponovo sam cmizdrila, ali pošto sam bila sa Sebom, nije bilo važno. Uhvatila sam ga pod ruku, sjedinjujući se s njim u tuzi zbog kraja filma.

– Neću da zvučim kao ptica zloslutnica, ali zar ne misliš da idete malo prebrzo da bi to potrajalo? Viđate se skoro svake večeri. Jesi li sigurna da se neće ugasiti brzo kao što je i počelo? Ne zaboravi, znam kakva si.

Osmehnula sam se iako me je žacnulo to što insinuira da bi ono što Adam i ja imamo mogla biti samo prolazna veza. – Nikad se nisam ovako osećala, Sebe. Moraš da ga upoznaš jer mislim da bi od ovog moglo da bude nešto. Važno mi je da ti se dopadne.

– Ali znaš da ćeš dobiti vrlo iskrenu procenu – nastavio je. – Jesi li spremna na to?

– Mislim da će ti se dopasti – rekla sam. – U suprotnom, pretvaraj se da ti se dopada.

Nasmejao se. – Postoji li neka tema koju treba da izbegavam? Kao onda kad si me pitala da se oženim tobom, ili kad si gađala gaćicama Tejk det?

Nasmejala sam se. – Ne, ništa nije zabranjeno. Možeš da kažeš šta god želiš. Ne želim ništa da krijem od njega.

– Čekaj – rekao je Seb, presamitivši se i krkljajući kao da povraća. – Eto. Sad je bolje. Gde smo stali?

– Ponekad si pravi davež. – Nasmejala sam se.

– Zato me i voliš.

– Ozbiljno, prilično je opušten, zato sumnjam da ćeš ga tako lako zbuniti.

Takav je Adam: ništa ne može da ga izvede iz takta – ladovina. U njegovom svetu sve je mirno i pod kontrolom, poput mora bez talasa. Ne razbesni se kad zaglavimo iza užasno sporog vozača. Ne psuje sve po spisku upravi železnice kad zbog lišća na šinama kasni voz i ne krivi društvene mreže za sve što ne valja u svetu. – Tome služe društvene mreže, ako ti se ne sviđa, zašto ih posećuješ? – pitao me je kad sam mu se žalila na školske drugarice koje objavljuju svaki put kad im dete podrigne, prdne ili izgovori neku reč.

Nijedna od onih beznačajnih sitnica zbog kojih bih se ja svaki čas nakostrešila njega, izgleda, nije doticala. Možda je samo pažljivo zaobilazio oscilacije i promene mog raspoloženja, pre nego što mi otkrije sopstvene, ali ja sam želela više. Želela sam da znam da je i on čovek od krvi i mesa.

Nekoliko puta sam pokušala da izazovem njegovu reakciju, makar samo da proverim da ima puls, ali nisam uspela da ga isprovociram. Kao da mu je dovoljno da samo tako kaska kroz život, bez cimanja i naprezanja. Možda nisam poštena, možda je jednostavno takav, ali s vremena na vreme volim da mi se neko suprotstavi, pa makar se raspravljali oko članka u *Dejli mejlu*. Ne bi bilo važno šta je u pitanju, bilo šta što bi mi dalo uvid u njegov svet. Ali ma koliko se ja trudila, na kraju bismo uvek pričali o meni, čak i kad sam ja bila ta koja postavlja pitanja. Nema sumnje da je ponekad to bila dobrodošla promena jer je prethodni tip sa kojim sam izlazila celu noć brbljao o svojoj opsednutosti video-igrama. Ali Adamovo neprestano izvrdavanje navelo me je da se zapitam šta ja *zapravo* znam o njemu.

Zato mi je trebao Seb. On je od onih koji tačno znaju kako da pristupe, da se probiju kroz složene slojeve ljudskog karaktera i dopru do nečije duše i ljudi mu se obično otvore samo nekoliko minuta pošto ga upoznaju. Jednom je pitao moju majku da li je moj otac jedini čovek sa kojim je bila. Odmah sam pokrila uši rukama i zapevala *la-la-la-la-la*, ali mama je priznala da se upustila u divnu vezu sa Amerikancem kojeg je upoznala malo pre nego što su ona i tata počeli da se zabavljaju. „Dobro, nije to bila veza o kakvima vi mladi danas pričate", rekla je. „Nismo se sastajali tajno, upražnjavali nedozvoljeni seks i bili u braku, tako da to nije bila veza u savremenom smislu te reči. Bilo je to samo lepo druženje dvoje ljudi koji su se lepo slagali."

Zinula sam. Osim šoka usled saznanja da je moja majka očigledno imala seks više od dvaput, kada smo začeti brat i ja, ispostavlja se i da je imala seks s još nekim muškarcem, osim s mojim ocem? Kao ćerka, retko otkriješ ove zlatne momente iz davno prošlih vremena, a dok trepneš, prekasno je da pitaš. Ali kad si sa nekim kao što je Seb, on iz tebe izvuče i najmanju sitnicu a da toga nisi ni svestan.

Narednog vikenda, Adam, Seb i ja dogovorili smo se da se nađemo u baru u Kovent Gardenu. Nisam htela da predložim da izađemo na večeru, da ne bi bilo usiljeno i neugodno, ali nadala sam se da će se veče tako završiti samo od sebe. Nismo popili ni prvo piće, a Seb je već pitao Adama gde je odrastao.

– Nedaleko od Redinga – odgovorio je. – Preselili smo se u Sevenouks kad mi je bilo devet godina. A ti?

Evo ga opet.

Ali Seb nije dozvolio da ga to odvrati. – Rođen sam u bolnici u Luišamu i ostao tamo sve do sada. Ne u bolnici, naravno, ali samo dve ulice niže, bočno od Ulice Haj. Pre nekoliko godina sam bio u Sevenouksu pošto je tip sa kojim sam se zabavljao tamo držao dizajnersku agenciju. Veoma je lepo. Šta te je navelo da se preseliš tamo iz Redinga?

Adam se nelagodno promeškoljio. – Ovaj, otac mi je umro. Mami je trebala mala pomoć oko mene i mog mlađeg brata a u Sevenouksu ima prijatelje. Nismo imali razloga da ostanemo u Redingu. Otac je godinama radio za *Majkrosoft*, ali kad je on umro... – začutao je.

– Da, i ja sam ostao bez oca – rekao je Seb. – Baš bedak.

Adam je tužno klimnuo glavom.

– Da li je tvoja mama još uvek sama ili ima nekog? – upitao je Seb, a onda se pokajao pa dodao: – Izvini, pretpostavljam da ti je mama još uvek živa?

Adam je klimnuo glavom. – Jeste, hvala bogu. Još uvek je u Sevenouksu i sama je.

– Teško je kad su sami, zar ne? – pitao je Seb. – Osećaš se odgovornim za njih, iako si ti dete a oni odrasli ljudi.

Adam je podigao obrve i klimnuo glavom. Nisam mogla ničim da doprinesem ovom razgovoru jer su mi, hvala bogu, roditelji još uvek živi, pa sam ponudila da donesem još jednu turu.

– Ne, ja ću – rekao je Adam bez sumnje jedva čekajući da pobegne od Sebovih nezgodnih pitanja. – Hoćemo ponovo isto?

Seb je klimnuo glavom.

– I...? – pitala sam čim nam je Adam okrenuo leđa.

– Vrlo lepo – rekao je Seb. – Vrlo lepo.

– Ali? – Osetila sam da sad dolazi „ali".

– Ne znam šta da ti kažem – rekao je, a mene je obuzela strepnja. – Ima tu nešto, ali ne mogu da odredim šta.

Te noći, nakon što smo vodili ljubav a potom ležali jedno pored drugog mazeći se, ponovo sam načela razgovor o njegovim roditeljima.

– Misliš da bih se dopala tvojoj majci? – pitala sam.

Okrenuo se na stranu i nalaktio. Svetlo je bilo isključeno, ali su zavese bile razmaknute pa je u sobu prodirala mesečina. Videla sam njegovu siluetu pored sebe i osetila njegov dah na licu. – Naravno da bi joj se svidela. Mislila bi da si savršena.

Nisam mogla a da ne primetim da je rekao: „mislila bi", a ne „misliće". Postoji velika razlika – jedno izražava pretpostavku, drugo nameru. Ta rečenica je mnogo govorila.

– Znači, ne planiraš uskoro da nas upoznaš? – pitala sam što sam nehajnije mogla.

– Viđamo se tek mesec dana. – Uzdahnuo je shvativši težinu pitanja. – Hajde da ne žurimo, da vidimo kako će da ide.

– Znači, dovoljno sam dobra da spavaš sa mnom, ali ne i da upoznam tvoju majku?

– Dovoljno si dobra i za jedno i za drugo. – Nasmejao se. – Hajde da idemo polako. Bez pritiska. Bez obećanja.

Osetila sam kako mi se grlo steže i okrenula se na drugu stranu. *Bez pritiska? Bez obećanja?* Šta je ovo? I zašto mi je bilo toliko važno? Mogla sam na prste obe ruke da izbrojim koliko sam ljubavnika imala. Svaki od njih mi je nešto značio, izuzev šeme za jednu noć na proslavi dvadeset prvog rođendana jedne drugarice, što je bilo tako užasno netipično za mene.

Iako sam i ranije bila zaljubljena i naložena, ne sećam se da sam se ikad osećala ovako sigurno. A tako sam se osećala pored Adama. Zbog njega sam osećala sve gore navedeno. Svaka stavka bila je štriklirana i prvi put sam se osećala potpuno, kao da su svi delići slagalice došli na svoje mesto.

– Dobro – rekla sam ljuta zbog svoje posesivnosti. Rado bih se njime pohvalila unuku brata od deda-strica polutetke svoje majke. On očigledno nije to osećao, što me je, uprkos svemu, zabolelo.

3.

Oglasila se sirena.

Pipa, koja se nagnula kroz prozor i krišom pušila cigaretu, doviknula je: – Stigao ti je dečko, u svojim otmenim kolima.

– Psst – odgovorila sam. – Čuće te.

– On je tri sprata niže. A *njega* je čulo pola ulice, jebote, tako da ne bih brinula zbog toga.

Ugurala sam se pored nje i mahnula mu kroz prozor. Odgovorio je zatrubivši, a Bil, komšija koji živi vrata do nas, podigao je pogled sa kola koja je prao. – Bez brige, Bile – doviknula mu je Pipa. – To je Emilin dasa.

Bil je slegao ramenima i vratio se svom poslu. Bio je komšija kakvog biste samo mogli poželeti: stražario je, ili žmurio na jedno oko, sve prema potrebi.

Pipa i ja nismo bile tipične žiteljke tog kraja; uglavnom su to bili mladi bračni parovi, u proseku sa dvoje-troje dece. Tvrdili su da vole Li, šaroliku enklavu između Luišama i Blekhita, ali smo i mi i oni znali da samo čekaju priliku da se uspnu uz tu vrlo visoku prečku na lestvici. Svi su hteli da žive u jugoistočnom Londonu, delu grada s neobičnim seoskim krajolikom i ogromnim otvorenim prostranstvima. Priča se da su žrtve kuge iz sedamnaestog veka sahranjene u Blekhitu, otud i njegovo ime, ali to ljude ne sprečava da tokom letnjih večeri tamo prave roštilj. Pipa i ja smo se mnogo puta pridružile masi pretvarajući se da živimo tamo i pripaljivale posudu od aluminijumske folije za jednokratnu upotrebu na brzinu kupljenu na benzinskoj pumpi. Uvek smo odlazile previše kasno da bismo zauzele najbolja mesta pored pabova i kad smo jednom konačno odlučile da rizikujemo sa britanskim vremenom, već je bilo prošlo četiri po podne a odeljak za roštilj u *Sejnsberiju* je bio opustošen.

– Opa, baš lepo izgledaš – primetila je Pipa.

Poravnala sam prednji deo uske haljine, mada nije imalo šta da se zagladi. – Misliš?

Skoro ceo sat sam birala šta da obučem, kolebajući se između opuštenog stila koji bih postigla u lepoj bluzi i belim farmerkama i nešto formalnijeg izgleda u struktuiranoj haljini. Nisam htela da ostavim utisak da se previše trudim, ali verovatno bi bilo gore kad se ne bih trudila dovoljno, tako da je tamnoplava haljina pobedila. Krep mi je bio skupljen u struku, širio se od kukova i padao tik ispod kolena. Izrez je bio mali, a tkanina mi je savršeno oblikovala grudi. Što bi moja majka rekla: „Ta ti je kô salivena".

– Jesi nervozna? – pitala je Pipa.

– Zapravo sam dobro – slagala sam. Nije morala da zna da sam provela još sat vremena fenirajući se, podižući kosu i puštajući je, pa tako ukrug. Odavno nije bila tako duga, pokrivala mi je ramena. Na svoju prirodno kestenjastu nijansu izvukla sam nekoliko pramenova da je malo osvežim. Na kraju sam je podigla i čvrsto zalizala pa izvukla dve lokne da mi padaju pored lica kako bih ublažila efekat. Frenč manikir koji sam uradila pre nekoliko dana još uvek se dobro držao i zadovoljila sam se neupadljivom, prirodnom šminkom. Ono što sam htela da postignem bilo je elegancija bez mnogo truda – uostalom, samo upoznajem majku svog dečka – ali, iskreno, manje sam se spremala za venčanje dobre prijateljice.

– Srećno – doviknula je kad sam stigla do ulaznih vrata. – Oduševiće se kad te vidi.

Poželela sam da me krasi njeno samopouzdanje.

Primetila sam Adama kako me gleda dok sam sa buketom u ruci išla stazom pomalo vrckajući. – Au, izgledaš prelepo – rekao je dok sam ulazila i naginjala se da ga poljubim. Potrajalo je malo duže nego što smo očekivali pa sam ga prekorila što mi je pokvario karmin.

– E pa, možda ćeš morati ponovo da ga staviš – rekao je, osmehujući se dok je brisao usne. – Imaš li i rezervne čarape? – Ruka mu je pošla između mojih nogu. – Za slučaj da ove pocepam.

Pogledala sam u Bila, koji je glancao haubu svog automobila i nestašno odgurnula Adamovu ruku. – Prestani. Jadničak je već imao infarkt. Ne želim da ga zbog nas drmne još jedan.

– Verovatno godinama nije video ovoliko akcije. – Nasmejao se.

Coknula sam i pažljivo spustila cveće na zadnje sedište. – Ti to hoćeš nekog da zadiviš, je li? – upitao je kroz smešak.

– Baš si vickast – rekla sam.

– Jesi li dobro? – Uzeo me je za ruku.

– Malo mi je muka – odgovorila sam iskreno. – Upoznala sam samo jednu mamu do sada.

Nasmejao se. – To izgleda nije najbolje prošlo, čim si sad ovde sa mnom.

Ćušnula sam ga. – Ovo je velika stvar. Ako joj se ne dopadnem, gotova sam. Verovatno me nećeš ni vratiti kući.

– Svidećeš joj se – rekao je i krenuo da mi razbaruši kosu.

Uhvatila sam njegovu ruku u vazduhu. – Da se nisi usudio. Znaš koliko mi je vremena trebalo da napravim frizuru?

– Dođavola, ovoliko se ne trudiš ni kad izlaziš sa *mnom*. Možda bi trebalo da te češće upoznajem sa svojom mamom. – Nasmejao se.

– Tebe više ne moram da zadivljujem – rekla sam. – Vrtim te oko malog prsta, baš onako kako želim. Sad moram da opčinim tvoju mamu. Ako nju budem pridobila, mogu da pokorim ceo svet. – Zlokobno sam se zacerekala.

– Rekao sam joj da si normalna pa bi ti bolje bilo da se tako i ponašaš.

– Rekao si joj da sam normalna? – dreknula sam, tobože buneći se. – To ti je kao da si rekao sa sam dosadna. Zar nisi mogao to malo da začiniš? – Gledala sam kako mu se licem širi osmeh. – Šta si još pričao o meni?

Razmislio je trenutak. – Da si duhovita, pametna i da praviš strava engleski doručak.

– Adame! – zavapila sam. – Jel' to sve? Tako me doživljavaš? Kao snabdevača kobasicama?

Oboje smo se nasmejali. – Misliš da ću joj se dopasti? Iskreno?

– Iskreno, mislim da će biti oduševljena. Nema šta da ti zameri.

Ako je to bio njegov način da mi kaže da me voli, prihvatam. Nije bilo savršeno, ali može da prođe. Još uvek to nije izgovorio kako treba, ali pošto nismo ni dva meseca zajedno, odlučila sam da potvrdu za to tražim u njegovim postupcima, kao recimo kad dođe do moje kancelarije tokom pauze za ručak i donese mi sendvič. Ili kao onda kad sam se prehladila pa je došao kod mene i ležao sa mnom u krevetu dok sam kijala i šmrktala. Valjda to vredi više od te dve glupe reči? Svako može da ih izgovori a da tako ne misli. Vodila sam se onim da su dela važna i pridržavaću se toga dok on, naravno, ne bude izgovorio besmrtno: „Volim te", a onda postupci više ništa neće značiti.

Izašli smo na A21 slušajući *Smut radio*, omiljenu stanicu njegove majke, kako mi je rekao. To će me ubaciti u pravo raspoloženje. Više bi mi prijalo da razmišljam o nečem drugom da skrenem misli sa susreta s njegovom majkom nego da u svoju glavu kanališem njene omiljene pesme.

– I, kakva je? – pitala sam.

Razmislio je trenutak, trljajući čekinjastu bradu. – Pretpostavljam kao i svaka majka. Miroljubiva domaćica, veoma odana i uvek spremna da zaštiti svoju decu. Nadam se da joj uzvraćam istom odanošću. Ne želim da čujem ništa loše o njoj. Ona je dobra žena.

Već sam osećala pritisak da joj se dopadnem, a njegov komentar ga je samo pojačao. I bože sačuvaj da se ona meni ne dopadne, nema mi pomoći. Morala sam da se potrudim da ovo uspe zbog nas oboje.

Bila sam zahvalna kad se na radiju začula „Summertime" Vila Smita i kad smo oboje zapevali, od reči do reči, do stiha „the smell from a grill could spark off nostalgia".

– Nije „grill". – Prasnuo je u smeh. – Nego „girl"!

– Ma daj, ne budi smešan – odgovorila sam. – Devojka? Miris devojke raspaljuje nostalgiju? Na roštilju su, ne stoje pored kobasica koje cvrče na rešetki i komentarišu miris neke devojke u prolazu, zar ne?

Pogledao me je kao da sam luda. – Kako miris roštilja može da raspali nostalgiju?

– Ne mogu da verujem da uopšte vodimo ovaj razgovor. Svi znaju da je u pitanju „grill".

– Potražićemo na guglu kad stignemo kod mame.

Svidelo mi se što je rekao „kod mame", a ne „*moje* mame". Osetila sam se više uključeno. – Ovaj *Smut radio* je pravo otkrovenje – rekla sam. – Nikad ne bih pomislila da tvoja mama voli *Big Willie Style*. Ko bi rekao?

Izraz na licu mu se promenio i u kolima se osetila hladnoća. – Pazi šta pričaš o mojoj majci – rekao je oštro. – Mislim da to nije baš primereno.

Nasmejala sam se, pretpostavivši da je prihvatio šalu. Mada je, dok sam gledala kako njegovo blago lice počinje da se mršti, trebalo da osetim da nije tako.

– Hej, što se odmah duriš? – Nasmejala sam se, čekajući da mu na licu zaigra osmeh, ali on je ostao ozbiljan.

– Pokaži malo poštovanja.

Prigušila sam smeh. – Pobogu, samo sam...

– Samo si šta? – frknuo je. Pokazao je na traku za preticanje, a mene je steglo u grudima dok sam u glavi zamišljala šta će se odvijati narednih pet minuta. Videla sam ga kako skreće kod sledećeg izlaza, ostavlja me na pločniku ispred stana i odlazi. Kako smo od šale došli do toga da se on ovako naroguši? Kako je za tako kratko vreme sve krenulo naopako?

Zglavci su mu pobeleli koliko je čvrsto stezao volan. Nežno sam spustila ruku preko njegove. – Izvini – pokušala sam, mada zapravo nisam znala za šta se izvinjavam.

– Da li želiš ovo ili ne? – pitao je blaže. – Jer možemo da otkažemo ako nisi spremna...

Rekao je kao da treba da se podvrgnem nekom testu. Možda je i trebalo.

– Izvini – tiho sam rekla. Nisam želela da zvučim tako pomirljivo, ali bila sam toliko zapanjena da nisam mogla da se uzdržim.

Prebacio je radio na *Kis FM* i ostatak puta vozili smo se u tišini.

4.

– Uvek sam se zaklinjala da neću biti od onih majki koje ovo rade, ali da ti pokažem samo još ovu.

Adam je zajaukao dok je njegova majka listala veliki kestenjastomrki foto-album u kožnom povezu položen na kolenu.

– O, prestani da kukaš – prekorila ga je. – Bio si mnogo slatka beba.

Potapšala je jastuk sa cvetnim dezenom na sofi pa sam sela pored nje.

– Pogledaj ovo. – Pokazala je prstom. – To su Adam i Džejms u našoj bašti, tamo u Redingu. Između njih je trinaest meseci razlike, ali ne možeš da odrediš ko je ko, zar ne? Bili su tako dobre bebe. Komšije su govorile kako su lepi i nikad ih nisi čuo da plaču. Samo da poželiš takvu decu.

Okrenula sam se ka Adamu, koji je coknuo i sa rukama u džepovima prišao do police s knjigama u uglu sobe. Nakrivio je glavu dok je čitao hrbate na dvadesetak albuma poređanih na policama, svaki pažljivo obeležen po godini.

– Divno je imati toliko fotografija – prokomentarisala sam. – Da možeš kao čovek da ih pogledaš.

– O, imaš pravo, draga. Niko ih više i ne izrađuje, zar ne? Samo ih uslikaju tim svojim telefonima i više nikad ne pogledaju. Šteta. Ovako bi fotografije trebalo da budu izložene. – Gladila je plastičnu foliju preko fotografije ozarenog četvorogodišnjeg Adama, koji je ponosno držao majušnu ribu. Iza njega, neki čovek se osmehivao u kameru.

– Da li je to Adamov otac? – oprezno sam pitala.

Adam se izvinio što se ranije bio brecnuo na mene, ali još uvek sam bila napeta. Nikad ranije nisam videla tu njegovu stranu. Pitala sam se da li je „neprimereno" što pitam za njegovog oca, ali nije se okrenuo ka meni. Stajao je nepomično, zategnutih ramena.

Usledila je kratka pauza pre nego što je njegova majka odgovorila: – Da – procedila je. – To je moj Džim. Bio je mnogo dobar čovek, pravi stub zajednice. „Evo Pami i Džimija", svi bi govorili gde god se pojavimo. Bili smo savršen par.

Grudi su počele da joj se nadimaju pa je brzo iz džepa džempera izvadila maramicu. – Izvini, dušo – rekla je dok je duvala nos. – I posle toliko godina, uvek se potresem. Baš sam blesava, ali ne mogu da se uzdržim.

Stegla sam je za ruku. – Taman posla. Sigurno vam je užasno teško. Ne mogu ni da zamislim kako vam je. A i vaš muž je bio tako mlad, zar ne?

– Ma hajde, mama, nemoj da se sekiraš – tiho je rekao Adam prilazeći i kleknuvši ispred nje. Odmah je ispustila moju ruku i obuhvatila njegovo lice, gladeći mu prstima dvonedeljnu bradu. Niz obraze su joj tekle suze i on ih je nežno brisao. – U redu je mama. U redu je.

– Znam, znam – rekla je uspravljajući se, kao da će joj to uliti više snage. – Ne znam zašto se još uvek ovako rastužim.

– Sigurna sam da je to sasvim normalno – rekla sam dok sam sklanjala ruku sa njenog kolena.

Sklonila sam zalutali pramen iza uva, a dok sam posmatrala Pami, preplavio me je osećaj krivice. Skoro tri dana sam planirala ceo ovaj susret u glavi: šta ću da obučem, kakav utisak želim da ostavim, kako da se ponašam i šta da kažem. Kako sam samo bila sebična. Ova žena, ma koliko vodila računa o sebi, nikad ne bi mogla da sakrije godine bola i patnje pod čijim teretom su joj se ramena bukvalno povila. Paperjasta kosa, ošišana uz potiljak i začešljana ka licu, sa sedim pramenovima toliko ravnomerno raspoređenim da je to moglo da bude urađeno samo u salonu, nikad ne bi mogla da sakrije njen bol. Kao ni njena koža, glatka kao porcelan, koja joj se naborala oko tužnih, upalih očiju dok me je gledala grizući donju usnu. Šok i bol zbog gubitka voljenog muža pre toliko godina, tako brzo pošto su postali roditelji, još uvek su joj bili urezani na licu. Bili su par koji je zakoračio u novo i uzbudljivo poglavlje života, ali onda je ona ostala udovica primorana da se sama snalazi sa dvoje dece. To kako izgledam i šta treba da obučem sada je delovalo krajnje jadno i beznačajno. Kao i Adamove oštre reči odranije. Ovo je bilo nešto mnogo ozbiljnije i ako sam želela da budem deo toga, trebalo bi da budem mudra i odvojim bitno od nebitnog.

– Pretpostavljam da ovoj divnoj devojci treba da zahvalimo na ovoj promeni? – malodušno se osmehnula, mrseći Adamovu bradu.

Podigla sam ruke, tobože kajući se. – Priznajem, kriva sam – izjavila sam. – Sviđa mi se. Mislim da mu baš lepo stoji.

– O, da, lepo mu stoji – zapištala je. – Tako si još lepši. – Privila ga je uz sebe i naslonila glavu na njegovo rame. – Lepi moj dečko. Uvek ćeš biti moj lepi dečko.

Adam se smeteno iskobeljao iz njenog stiska i pogledao u mene, crven kao bulka. – Hoćemo li da ručamo? Možemo li da ti pomognemo?

Pamino šmrktanje je jenjavalo. Povukla je rukave džempera i poravnala kariranu suknju.

– Ni slučajno – rekla je, mašući prstom. – Ručak je gotov, sve sam jutros pripremila. Adame, možda bi mogao da mi pomogneš da prenesem jelo iz kuhinje?

Krenula sam da ustanem sa sofe. – Ne, ne – insistirala je. – Ti ostani ovde.

Pažljivo je spustila foto-album na jastučić pored mene i krenula za Adamom u susednu prostoriju. – Odmah se vraćamo.

Nisam htela da nastavim da gledam slike bez Pami i Adama – delovalo mi je nekako nametljivo – ali dozvolila sam da mi pogled padne na otvorenu stranicu preda mnom. U gornjem desnom uglu bila je slika na kojoj Adam čvrsto grli neku ženu, nežno joj usnama dodirujući obraz. Srce mi je poskočilo kad sam je uzela da je bolje pogledam. Blistali su od sreće u kadru koji je uhvatila kamera. Nisu pozirali niti je to bilo namešteno, bio je to spontani trenutak uhvaćen kamerom a par je bio potpuno nesvestan nametljivog sočiva. Nešto me je steglo u grudima i odupirala sam se čvrstom stisku koji je pretio da mi se popne uz grlo.

Znala sam da je imao devojke pre mene – naravno da ih je imao – ali ipak me je uznemirilo. Delovao je veoma opušteno i zadovoljno. Mislila sam da je srećan kad je sa mnom, ali ovakvog ga nisam videla. Kosa mu je bila duža a lice punije, ali pre svega, izgledao je bezbrižno, radovao se životu. I devojka je bila opuštena, meke smeđe kovrdže padale su joj oko lica, a oči su joj se smejale dok su se Adamove snažne ruke obavijale oko nje.

Zapitala sam se da li bismo mi tako izgledali kada bi nas fotografisali. Da li bi se i na našim licima videla takva bezbrižnost? Da li bi se ono što osećamo jedno prema drugom jasno videlo?

Prekorila sam sebe što sam dozvolila da me nagriza crv sumnje, sebičluka i ljubomore. Da su bili toliko srećni, ne bi raskinuli, zar ne? Bili bi još uvek zajedno i naši putevi se nikad ne bi ukrstili.

– Tako je to u životu – rekao je Adam kad sam ga, pošto smo tri nedelje bili u vezi, pitala zašto su on i njegova bivša devojka raskinuli. – Ponekad se dogodi nešto što nikako ne možeš da razumeš. Pokušaš da nađeš opravdanje za to, ali ne postoji uvek odgovor. To je jednostavno život.

– Kad tako kažeš, zvuči kao da nisi želeo da raskinete – rekla sam. – Da li je ona raskinula? Da li te je varala?

– Ma kakvi! – rekao je. – Nećemo da pričamo o tome. – Šta je bilo, bilo je. – Zagrlio me je i privukao k sebi. Držao me je kao da ne želi nikad da me pusti, udišući miris moje kose i ljubeći me u teme. Pogledala sam u njega, upijajući ga pogledom: oči boje lešnika, prošarane zelenim tačkicama, koje su svetlucale pod uličnim svetiljkama Ulice Baro Haj, i tu jaku vilicu za koju sam jednom rekla da je kao isklesana, na šta se on nasmejao i rekao: „Zvuči kao da sam komad drveta." Obujmio mi je lice i poljubio me, najpre nežno, ali onda dublje, kao da će tako sprečiti da se išta loše dogodi između nas.

Kad smo te noći vodili ljubav, bilo je nekako drugačije. Držao me ja za ruku dok smo se penjali stepenicama do njegovog stana iznad prodavnice. Retko bismo odmakli dalje od hodnika a da ne izgubimo bar dva komada odeće, ali te noći smo se strpeli dok nismo ušli u njegovu sobu, gde me je polako skidao. Pružila sam ruku da ugasim lampu na njegovom noćnom stočiću, želeći da sakrijem one delove svog tela koji mi se nisu sviđali, ali on me je uhvatio za ruku. – Nemoj. Nek ostane upaljena, želim da te gledam.

Ruka mi je ipak oklevala, a moja nesigurnost borila se sa željom da uradi ono što on traži.

– Predivna si – prošaptao je dok mi je prelazio palcem preko usana. Ljubio me je po vratu dok su mu se prsti spuštali niz moja gola leđa, lagani dodiri od kojih sam sva zatreptala. Netremice me je gledao u oči dok smo vodili ljubav. Pogledom je prodirao u mene, tražeći nešto skriveno unutra. Prvi put mi je pružio nešto što nije nikad ranije. Ne mogu da objasnim šta je to bilo, ali osetila sam duboku povezanost s njim. Neizgovoreno obavezivanje da je ono što imamo ozbiljno.

Sada, dok ponovo gledam u fotografiju pred sobom, pitam se da li je te noći pokušavao da pobegne od one žene. Da li je odbacivao okove koji su ga vezivali za nju? Da li je odabrao taj trenutak da sruši sve mostove?

Pami i Adam vratili su se u dnevnu sobu, on je sagnuo glavu da prođe kroz vrata s niskim nadvratnikom.

– Izvoli – rekla je Pami dok je spuštala poslužavnik na sto ispred prozora. – Da se malo podgojiš.

Zatvorila sam album dok sam ustajala, trenutak pre nego što sam ugledala tekst ispod fotografije: *Draga Rebeka – nedostaješ mi svakog dana.*

5.

– Zezaš me? – mumlala je Pipa gurnuvši parče pice u usta.

Odmahnula sam glavom.

– Sigurna si da su bili u vezi? Mislim, stvarno u vezi, da nisu bili samo dobri prijatelji? Možda su bili ortaci, ili drugari iz istog društva?

Ponovo sam odmahnula glavom. – Ne verujem. Izgledali su baš zaljubljeno. Baš onako kako zamišljaš zaljubljen par.

Pipa je prestala da žvaće, a preko levog oka pala joj je zavesa od ružičasto ofarbanih šiški. – Možda nije umrla.

– Sigurno je umrla. Kako drugačije objasniti „nedostaješ mi svakog dana"? Nikad ne bi to napisao za nekog ko srećno živi kilometar dalje niz ulicu.

– Možda njegova mama... Beše Pami?

Klimnula sam glavom.

– Možda ju je zaista volela, pa se, kad su raskinuli, rastužila i mnogo joj je nedostajala? – Znala je da se hvata za slamku.

Slegla sam ramenima. Istini za volju, u meni je tinjao plamičak nade da je žena zaista mrtva, a ne da je toliko „nedostajala" Pami da je ova osetila potrebu da to zapiše ispod fotografije. Bilo je teško živeti s tim.

– Što nisi pitala Adama dok ste se vraćali kući? – upitala je Pipa.

– Nisam htela da ga uznemirim – odgovorila sam. – Imali smo čudan razgovor na putu do tamo. Očigledno je vrlo zaštitnički nastrojen prema majci pa moram da budem oprezna.

– Ali ovo nema nikakve veze s njegovom majkom već s tim da li je njegova bivša mrtva. To nije mala stvar, Em. Ako je zaista tako, spomenuo bi valjda to u nekom razgovoru... zar ne? – Oprezno je dodala poslednje dve reči, kao da želi da ublaži prethodnu rečenicu.

Nisam znala šta da mislim. Svaki put kad bih pokušala da odgovorim na to pitanje, morala bih da podsetim sebe da smo zajedno tek nešto više od dva meseca. Činilo se duže jer je bilo toliko intenzivno, ali kako čovek za osam nedelja da prepriča decenije svog života? Naravno, dotakli smo se bivših, ali još uvek smo neke teme izbegavali jer nismo hteli da žurimo da naša veza preraste u nešto ozbiljno. Svaki put kad smo pričali o prošlosti, oboje smo vodili računa da to bude lagano, kao kroz šalu. Mrtva devojka ne bi se najbolje uklopila ni u jedan razgovor koji smo do sada vodili. Kao ni priča o mom bivšem, Tomu. Ali rado bih mu ispričala o svom malom nestašluku i jednoj jedinoj vezi za jednu noć sa Grejamom ili Džajlsom – kako god da se zvao.

– Pa to je strašno! – Adam se nasmejao dok smo pre nekoliko nedelja sedeli jedno naspram drugog i delili sladoled od čokolade u *TGI frajdeju* u Kovent Gardenu. – Kresnula si se s nekim kome ni ime nisi znala?

– Ih, kao da se to tebi nikad nije dogodilo? – prekorila sam ga.

– Priznajem da sam imao vezu za jednu noć, ali sam je prvo pitao kako se zove i još uvek se sećam njenog imena.

– Hajde, onda, pošto izigravaš sveca, da čujem kako se zvala.

Na trenutak se zamislio. – Sofija – ponosno je uzviknuo.

Prezrivo sam frknula zbog njegove nadmenosti.

– A bile su tu i Luiza, Izabel, Natali, Fibi...

Nabola sam kolačić od belog sleza slamkom i gađala ga.

– I šta ćeš sad? – pitala je Pipa, vrativši me u sadašnjost. – Da li ti je bitno da to znaš ili si spremna da ostane ovako kako je?

– Mnogo mi se sviđa, Pip. Ako se izuzme ovo, ide nam stvarno dobro. Nikad se ovako nisam osećala i ne želim to da pokvarim. To je samo mala prepreka i sigurna sam da ćemo je na kraju savladati.

Klimnula je glavom i dotakla mi ruku da me ohrabri.

– Dobro, kakva mu je majka? Misliš da si joj se dopala?

– Joj, bila je predivna. Polomila se kako bih se osećala kao kod kuće. Pala mi je na pamet užasna pomisao, naročito posle onoga što se dogodilo u kolima kad smo išli tamo, da sam poslednja u dugom nizu devojaka koje je doveo da se upoznaju s njom. Ali kad smo krenuli, njegova majka me je odvela u stranu i rekla: „Ti si prva devojka koju je doveo kući posle mnogo vremena..."

– Dobro, pa to je veliki plus – jednostavno je rekla Pipa, pokušavajući da mi skrene misli sa priče o bivšoj koja me je mučila. – Svidela si se njegovoj majci. Kažu da put do muškarčevog srca vodi preko njegove majke.

– Mislila sam da vodi preko stomaka? – Nasmejala sam se.

– Ah, da i to, ali svi znamo da vodi preko njegovog đoke!

Zagrcnula sam se vinom, a ona je pala sa sofe.

Sa Pipom nikad nije dosadno. Baš to što ume da prkosi životu kad ne ide onako kako je zacrtala svidelo mi se kod nje dok smo radile u prodavnici cipela, gde smo se i upoznale. Našoj staroj šefici Ajlin nije se mnogo sviđala Pipina drskost i bilo je samo pitanje vremena kad će da izbije pičvajz.

„Bojim se da nemam te čizme u veličini 40", čula je Pipu kako govori mušteriji, „ali imam ove baletanke broj 34, ako vam to nešto znači?"

Pošle su mi suze na oči pa sam morala sam da se izvinim svojoj mušteriji i odjurim u magacin. Ubrzo za mnom došla je i Pipa, a za petama joj je bila Ajlin.

– U radu s mušterijama moramo biti profesionalni – rekla je preteći prstom. – Danas ste obe prevršile meru i o tome ću obavestiti nadređenog.

– Ma daj, Ajlin* – rekla je Pipa pevušeći. – Mislim da si htela da kažeš...

Dah mi je zapeo u grlu, pocrvenela sam, a bešika je pretila da pukne kad je Ajlin, koja je igrom slučaja imala tamnu kovrdžavu kosu, Pipu prostrelila pogledom. – Ako misliš da si duhovita... – rekla je.

– Jeste li ikad razmišljali o tome da nosite pantalone na tregere...? – učtivo je pitala Pipa pre nego što je izašla. Preživela sam samo jednu nedelju duže od nje, a onda sam i ja uradila isto, mada sam ispoštovala otkazni rok. Volela bih da sam bila smela kao Pipa, ali nisam bila baš toliko hrabra ili buntovna kao ona. Smatrala sam da će mi trebati preporuka za nov posao, a Pipu je bilo baš briga i, ruku na srce, bila je u pravu. Dobila je svaki posao u baru za koji se prijavila i bila je na polovini studija zdravstvene zaštite na Otvorenom univerzitetu.

* Aluzija na spot za pesmu „Come On Eileen" engleske grupe Dexys Midnight Runners. (Prim. prev.)

Bile smo toliko različite, a opet tako slične. Nisam mogla da zamislim ništa gore nego da radim noćne smene i radije bih sebi iskopala oči nego da se vratim u školu, ali bio je to savršeni raspored. Ja sam radila po ceo dan od ponedeljka do subote, sredom sam bila slobodna, a ona je radila svake večeri u *Ol bar uanu* u Kovent Gardenu i učila preko dana. Nikad nismo smetale jedna drugoj i uvek nam je bilo lepo kad nedeljom sednemo da se ispričamo i pretresemo ono šta nam se u međuvremenu izdešavalo. Ja sam uvek bila ta koju je trebalo usmeriti i prizemljiti, jer većina životnih nedaća Pipu kao da nije mnogo pogađala. Bila je mnogo bezbrižnija od mene, davala je šut-kartu momcima kad joj se ćefne i nije bila od onih koji povlađuju pravilima institucija. Volela bih da sam bila malo spontanija, a ne opterećena parališućom potrebom da sve analiziram do sitnog detalja. Ali, s vremena na vreme, kad bih zaboravila na oprez, gotovo uvek bih se razuzdala, tako da nije baš sve bilo tako sjajno. Baš zato što sam želela da budem kao Pipa, uradila sam nešto što nimalo ne liči na mene, onda na Betinom dvadeset prvom rođendanu, sa Grantom ili Garijem – sigurno je počinjalo na „G".

– Zašto me nisi sprečila? – jadikovala sam sutradan dok smo ležale na mom krevetu i gledale *Netfliks*. Setila sam se kako me je podigao, dok su mi noge bile obavijene oko njegovog struka i odneo me napolje. – Mora da je bilo tako očigledno. Sigurno su svi videli.

– Zato i jeste tako genijalno – rekla je. – Bar jednom u životu nije te bilo briga. Jednostavno si uradila ono što si želela i bolelo te uvo za sve ostale.

U tome i jeste problem.

– Neću više nikad da izađem uveče – prostenjala sam i zarila lice u šake. Tada sam to i mislila.

6.

Ma koliko sam se trudila, nisam mogla da izbacim Rebeku iz glave. Kopkalo me ko je ona i šta se dogodilo između nje i Adama, mada nisam bila sigurna da li zaista želim da se upletem u to klupko. Ni Adam baš nije bio svoj tokom dve nedelje otkako smo bili kod njegove mame, tako da sam zaobilazila celu tu priču „nedostaješ mi svakog dana”, nadajući se da ćemo nekako naći način da porazgovaramo o tome.

Prvu priliku dobila sam dok smo Adam i ja kitili jelku u mom stanu. Uplašio se da je zauzeo Pipino mesto, ali ona nije imala strpljenja za tako pipav posao. Tri godine sam to radila sama, najčešće dok je ona sedela i gledala, bacajući čokoladne kuglice u vazduh i hvatajući ih ustima. Ali uvek je bila zahvalna i odužila bi mi se za trud flašom likera od jaja. To nam je preraslo u tradiciju, mada nijedna od nas nije bila baš sigurna zašto ona to radi.

– Sigurno postoji veoma dobar razlog što ovo ne pijemo cele godine – rekla sam joj prošlog Božića. Već smo popile po tri snoubola i nijedna od nas više se nije ni obazirala na trešnju u koktelu.

– Znam – složila se. – Ali stoji tamo na božićnoj polici u supermarketu, puna nade i poleta, preklinjući kupce u prolazu: „Molim vas, kupite me, ovde sam vrlo kratko. I sami znate da ćete se kajati ako to ne uradite.”

Nasmejala sam se i dodala: – „Šta ako neko svrati nenajavljen za vreme praznika i traži liker od jaja? Kako ćete se snaći bez mene?”

Bila je to dugogodišnja tradicija, a ipak nijednom nismo imale gosta koji je tražio liker od jaja i limunadu. To se nije desilo čak ni dok sam bila dete, kad bi komšije navratile kod mojih roditelja. Nijednom za gotovo trideset godina.

Ipak, ništa me ne bi tako ubacilo u božićno raspoloženje kao liker od jaja, pa sam ga izbunarila iz kuhinjskog kredenca i promućkala zgusnutu žutu smesu u flaši.

– Hoćeš malo? – pitala sam Adama, tačnije, njegovu zadnjicu, jedini deo njegovog tela koji nije bio pod jelkom dok je petljao oko produžnog kabla.

– Pretpostavljam da je to prošlogodišnja zaliha? – pitao je ispetljavajući se iz grana i podižući pogled.

Pokajnički sam klimnula glavom. – Dosad se nijednom nije pokvario.

– Neka, hvala. – Napravio je grimasu. – Evo, šta misliš?

Odmakli smo se diveći se svojoj umešnosti. – Sad da vidimo da li je trebalo da isprobamo sijalice pre nego što smo ih stavili – rekao je.

Nekim čudom, prvi put posle više godina, odmah su proradile, pa smo se, s olakšanjem i ponosom, zavalili na sofu.

Podvila sam nogu pod sebe i okrenula se ka njemu. Smeškao se od uva do uva, nije bio ni nalik onom ozbiljnom čoveku poslednjih nekoliko nedelja. – Dobro sam – bilo je sve što bi rekao kad god bih ga pitala zašto je tako ćutljiv.

– Kako posao? – pitala sam ga posmatrajući kako mi se sumnjiva mešavina zgrušava u čaši.

– Bolje. – Uzdahnuo je. – Ove nedelje sam konačno uspeo da se iskobeljam.

Znači, mučio ga je posao. Sva ona „šta ako" koja su mi se vrzmala po glavi bila su ućutkana. *Šta ako* ne želi više da bude sa mnom? *Šta ako* je upoznao drugu? *Šta ako* smišlja kako da mi saopšti? Polako sam izdahnula, zadovoljna jer sam sada znala da je u pitanju bio njegov posao. S tim možemo da izađemo na kraj.

– Pa šta je bilo? Šta te je mučilo? – pitala sam.

Naduvao je obraze. – Projekat na kome radim bio je zahtevniji nego što smo očekivali. Mislio sam da sam to rešio i da ću izaći na kraj s tim, ali onda smo naišli na problem.

– Kakav? – pitala sam, mršteći se.

– Posredi je bila samo kompjuterska greška; nešto sa čim mogu da se izborim. Doduše, potrajalo bi mnogo duže nego što smo računali.

– Pa, šta se promenilo?

– Hvala bogu, gazde su se konačno dozvale pameti i dovele pojačanje, što je bitno promenilo stvari.

– Sjajno – rekla sam. – Kako se slažeš s novim kolegom?

– Zapravo, u pitanju je koleginica – usledila je kratka pauza – i zapravo, fina je.

Dva „zapravo" u istoj rečenici? Obično je bio veoma rečit. Zadržala sam osmeh, obuzdavajući mišiće na licu koji ga zatežu da ne zadrhte.

– Super – rekla sam što sam nehajnije mogla. – Kako se zove?

– Rebeka – jednostavno je rekao. Čekala sam da kaže još nešto, ali šta je još mogao da doda? A opet, zašto sam mislila da njegovo ćutanje sve govori?

– Baš čudno. – Nisam znala šta drugo da kažem.

– Šta je tu čudno? – oprezno je pitao, kao da već sluti šta ću reći, iako ni ja sama nisam bila sasvim sigurna.

– Što se zove Rebeka.

Okrenuo se ka meni.

– Pretpostavljam da to nije ona *tvoja* Rebeka? – Kratko sam se nasmejala da ublažim pitanje.

Trenutak me je gledao mršteći se, a onda je polako odmahnuo glavom i odvratio pogled.

Nisam znala da li želim da znam više o Rebeki na poslu ili *njegovoj* Rebeki. Teško je bilo odrediti koja je problematičnija.

– To bi baš bilo čudno, zar ne? – nastavila sam. – Zamisli da ti se bivša pojavi na poslu. Kako bi se osećao?

Protrljao je oči kažiprstom i palcem. – Teško da će se to desiti.

– I, kakva je ta Rebeka? – Odlučila sam da se prvo pozabavim neposrednom pretnjom. – Očigledno ti je mnogo pomogla.

– Dobra je, da. Reklo bi se da je stručna pa ne moram da je upućujem u posao. Izgleda da već neko vreme radi u firmi, mada ne znam gde su je skrivali.

Da li to znači da bi je primetio da je nisu skrivali? Nisam želela da znam koliko je dobra u svom poslu, već samo njene osnovne mere i boju kose. Bila sam svesna da bih, kad bih naglas izgovorila sva pitanja koja su mi se rojila u glavi, zvučala opsesivno i paranoično. Ali zar nisam baš takva? Zar me Tom nije upravo u to pretvorio? Nisam mogla da se obuzdam.

– Dobro, da li je zgodna? – pitala sam. Namrštio se, kao da smišlja najdiplomatskiji odgovor. Ako previše brzo kaže „ne”, znaću da laže. A bio bi lud da kaže „da”. Obrni-okreni, nije mu bilo pomoći.

– Rekao bih da nije loša – bilo je sve što je uspeo da smisli, a to mu je, ako se imaju u vidu ostale mogućnosti, bila najjača karta.

– Da li tvoja bivša, Rebeka, radi u Sitiju? – pitala sam.

Uspravio se u stolici. – Ne – rekao je oklevajući.

I to je sve što ću dobiti?

– Znači, ne radi u tvojoj branši? Niste se tako upoznali?

– Ne sećam se da sam pomenuo Rebeku – kruto je rekao.

Kad sam shvatila da zaista nije, od nožnih prstiju počela je da mi se širi vrelina. Povezala sam njegovo nevoljno „hajde da ne pričamo o tome” sa slikom njega i žene za koju sam pretpostavila da se zove Rebeka i pustila mašti na volju. Poželela sam da povučem sve svoje glupe, nesigurne reči.

– Otkud sve ovo? – rekao je okrećući se ka meni, ozbiljan.

Prišla sam mu, prebacila njegovu ruku preko sebe i položila mu glavu u krilo. Bilo je to odvraćanje pažnje kako bih obrazima dala vremena da se ohlade.

– Osećam da ne znam nešto veoma važno iz tvog života – rekla sam – a ja bih samo volela sve da znam. – Nasmejala sam se, podigla njegovu ruku sa svog stomaka i prinela je usnama.

Srce mi je tuklo dok sam čekala odgovor. Jesam li preterala? Da li će samo ustati i otići?

Sekunde su prolazile kao sati a ja sam pokušavala da odredim kako će da reaguje dok mi je puls u njegovoj butini udarao o obraz.

– Šta želiš da znaš? – konačno je rekao.

Ispustila sam dah koji sam zadržavala. – Sve!

Nasmejao se. – Pod tim, pretpostavljam, misliš na moj ljubavni život. Zar to nije jedino što devojke žele da znaju?

Slegla sam ramenima i namrštila se. – Zar je tako očigledno?

Kad me je pogledao, videla sam kako mu se u očima odražavaju svetiljke sa jelke. Stomak mi je zadrhtao kad se nasmejao. – Dobro, prvo ti... – rekao je. – Koje je najneobičnije mesto na kome si vodila ljubav?

Umalo sam se zagrcnula i uspravila se. – To je bar lako... Imala sam šemu za jedno noć na terenu za kriket, ali to već znaš.

– Ispričaj mi ponovo... polako – zadirkivao me je.

Krenula sam da ga udarim jastučetom po glavi, ali uhvatio ga je u vazduhu.

– Dobro, da li si ikad bila zaljubljena? – pitao je.

– Nije na tebe red da pitaš – rekla sam.

Nakrivio je glavu i podigao obrve. – Jesi ili nisi?

Trenutak je postao napet od iščekivanja. Čudno je kako o jednom vrlo stvarnom, fizičkom činu kao što je seks, čak i sa bezimenim strancem, možemo da pričamo kroz šalu i zezanje, dok razgovor o nevidljivom osećanju po imenu ljubav izaziva toliko napetosti.

– Jednom – rekla sam, rešena da mi glas ostane miran i čvrst.

– U koga?

– U tipa koji se zvao Tom. Upoznala sam ga na poslu, dok sam prolazila kroz fazu prodavačice.

Upitno me je pogledao.

– Znaš, između frizerske faze i faze dizajnera enterijera. – Bila sam sigurna da sam ga u nekom trenutku na brzinu provela kroz svoju haotičnu radnu biografiju.

– Ah! – Uzdahnuo je. – Godine prosvećenja.

Osmehnula sam se, zahvalna što je razbio napetost.

– I, šta se dogodilo? – pitao je.

Nakašljala sam se. – Upoznali smo se kad mi je bilo dvadeset godina, zabavljali se skoro tri godine i ja sam verovala da imamo budućnost.

– Ali?

– Ali to što sam osećala prema njemu i što je on tvrdio da oseća prema meni nije ga sprečilo da spava s nekom drugom.

– Aha – uspeo je da izgovori. – Kako si saznala?

– Uradio je to sa mojom veoma dobrom prijateljicom, Šarlot, koja je shvatila da više voli njega nego mene kao prijateljicu.

– Gospode! Pretpostavljam da se više ne družite.

Kiselo sam se nasmejala. – Za divno čudo, ne družimo se. Od tada ne pričam s njom niti imam nameru da ikada progovorim.

– Da li ti je on bio poslednji dečko... pre nego što smo se upoznali? – nastavio je.

– Ozbiljno, postavio si petsto pitanja, a ja nisam nijedno – rekla sam kroz smeh. – On mi je bio jedini ozbiljni dečko. Naredne tri godine sam se viđala s momcima, ali to nisu bile ozbiljne veze, dok nisam upoznala tebe.

Osmehnuo se.

– Sad je *stvarno* red na mene – rekla sam.

Zavalio se i zagledao pravo pred sebe, izbegavajući moj pogled.

– Dakle, šta je s tobom? Jesi li ikad bio zaljubljen?

Gurkao je nogom ivicu kobaltnoplavog tepiha ispod stočića. Nisam htela da ga pritiskam ako je još uvek previše sveže. Sačekala sam još trenutak. – Nije važno – rekla sam, mnogo vedrije nego što sam se zapravo osećala. – Ako je...

– Da – tiho je rekao.

Pokušala sam: – U pitanju je Rebeka?

Klimnuo je glavom. – Mislio sam da ću s njom provesti ostatak života.. ali nije nam bilo suđeno.

Zbog njegovog odgovora zažalila sam što sam išta pitala.

– Nego, dosta o tome – rekao je kao da se trgao iz misli. – Hteo sam da te pitam šta misliš o tome da provedemo neko vreme zajedno za Božić. Ako je nezgodno... znaš, ako je... samo sam mislio...

Pružila sam ruku i dotakla mu usne prstima. Osmehnuo se i rekao: – Da li to znači da pristaješ?

Privukao me je k sebi i poljubio. – Znači, dolaziš za Božić? – uzbuđeno je pitao.

Namrštila sam se. – Ne mogu da dođem na Božić. – Ramena su mu klonula. – Ali ti bi mogao da dođeš kod mojih roditelja. Voleli bi da te upoznaju – dodala sam.

– Znaš da ne mogu – tužno je rekao. – Mama je sama pošto Džejms ide na ručak sa svojom devojkom Kloi, pa ja moram da budem s njom. Uvek joj je teško u ovo doba godine.

Klimnula sam glavom. Već mi je rekao da je njegov otac umro dva dana pred Božić.

– Što ne dođeš na drugi dan Božića? – rekao je.

– Moj brat dolazi na ručak sa ženom i bebom – odgovorila sam, iako sam, još dok sam to izgovarala, znala da je lakše meni da odem kod njega nego njemu da dođe kod mene. Moji roditelji su imali jedno drugo i Stjuarta, Loru i bebu. Pami bi bila srećna ako bi videla makar komšinicu.

– Možda bih mogla da se dovezem kasnije po podne... – predložila sam.

– I da prespavaš? Mogli bismo sutradan da se provozamo, zabodemo se u neki pab ili tako nešto...

Zvučali smo kao dvoje uzbuđene dece koja kuju plan.

Sutradan sam pozvala Pami da proverim da li njoj to odgovara. Pomislila sam da bi bilo pristojno da je pitam.

– Baš si me iznenadila – rekla je, zbog čega sam se odmah osetila priterana u ćošak.

– Zaista mi je žao, Pami. Mislila sam da je Adam već razgovarao sa vama. Rekao je da će vas pozvati odmah ujutro.

– Nije, dušo – rekla je. – Ali nije važno. Biće mi drago da te vidim. Hoćeš li da ostaneš?

– Da – rekla sam. – Mada ću stići tek predveče.

– Da li bi htela da užinaš sa nama? – pitala je.

– Moja mama sprema ćurku za ručak, tako da bi mi prijalo da samo nešto malo prezalogajim uveče – rekla sam, ne želeći da ispadnem nepristojna i nezahvalna.

– Ali nećemo te čekati...

– Ma kakvi, samo vi jedite, ja ću kad stignem.

– Znaš kakav je Adam, do tada će već umirati od gladi – nastavila je.

– Da, naravno, razumem. Samo vi jedite, a ja ću kasnije užinati s vama.

– Znači, svi ćemo zajedno da jedemo? – nastavila je kao da me ne sluša.

– Savršeno – rekla sam mada nisam znala na šta pristajem.

7.

U tom trenutku zvučalo je kao sjajna zamisao, ali kad sam stigla kod mame i tate, pomislila sam zapravo da bih najradije ostala kod njih. Bilo je toplo i prijatno i podsećalo me je na božićne praznike iz detinjstva kada bih kao uzbuđena sedmogodišnjakinja usred noći prodrmala mlađeg brata da ga probudim. Odšunjali bismo se u prizemlje, prestravljeni da ćemo zateći Deda Mraza, a opet nismo želeli ni da nam promakne.

– Videće da ne spavamo – prošaptao bi Stjuart. – Ako ne spavamo, neće nam ostaviti poklone.

– Psst – odgovorila sam, a srce mi je zaigralo. – Pokrij oči rukama i gledaj samo kroz malecni procep između prstiju.

Opipavali smo ogradu i polako išli ka jelki u uglu dnevne sobe, prošavši pored kamina, gde smo ostavili čašu mleka i pitu s mesom. Provirila bih između prstiju, a soba je bila taman toliko osvetljena mesečinom da vidim ostatak pite s mesom na tanjiru. Uzdahnula bih.

– Šta je bilo? Jel' dolazio? – nestrpljivo bi zavapio Stjuart.

Uspela bih da razaznam obrise umotanih poklona ispod jelke i srce bi mi poskočilo od radosti. – Dolazio je – rekla bih, jedva uspevajući da obuzdam uzbuđenje. – Bio je ovde.

Dvadeset godina kasnije, nije se mnogo toga promenilo. I dan posle Božića još uvek se ponašamo kao da je još uvek Božić. Još uvek smo okupljeni oko iste stare jelke. – Ako nije slomljeno, nemoj ga popravljati – ponavlja tata poslednjih deset godina, iako ima nekoliko olindralih grana koje bi trebalo srediti. Mama i dalje uporno tvrdi da ona nema ništa s poklonima pod jelkom, a Stjuart i ja se pogledamo, kao da želimo da verujemo u to.

– I, kako nova ljubav? – pitala je moja snaja Lora između zalogaja maminih čuvenih pečenih krompira.

Klimnula sam glavom, usta punih hrskavog jorkširskog pudinga. – Nije loše – rekla sam, osmehujući se.

– Ah, ima taj sjaj u očima – rekao je tata. – Jesam li ti rekao, Valeri? Pre nekoliko nedelja rekao sam tvojoj majci da opet imaš onaj sjaj u očima.

– *Opet*? – pitala sam.

– Zar nisam, Val? – doviknuo je u kuhinju, gde je mama punila drugu činiju sa umakom. – Zar nisam rekao da opet ima onaj sjaj u očima?

– Šta ti znači to *opet*? – pitala sam kroz smeh. Stjuart i ja smo se pogledali i prevrnuli očima. Božić ne bi bio Božić kad tata ne bi popio previše šerija.

– Hoće da kaže posle Toma – coknula je mama dok je užurbano ulazila u trpezariju, sa neizostavnom keceljom još uvek vezanom oko struka, mada mi nikad neće biti jasno zašto je nosi samo za Božić kad kuva svaki dan. – Stvarno, Džeralde, imaš takta kao...

Pogledala sam u nju s iščekivanjem.

– Nastavi, mama – rekao je Stjuart. – Ima takta kao?

– Ima takta kao... – ponovila je, mada bog će ga znati šta je zapravo htela da kaže.

Frknula sam.

– Skačete s teme na temu – zavapila je mama, tobože se huneći. Ostavlja utisak kao da je sve ovo previše, ali ubeđena sam da najviše voli kad se porodica okupi. A još je srećnija sad kad je tu mala Sofi.

– I, čije su oči svetlucale? – pitao je tata, gotovo za sebe.

– Rekao si Emiline – rekla je mama, prevrćući očima. – Zato što ima novog dečka.

– Kad ću da ga upoznam? – naglas je pitao tata. – Nadam se da nije đubre kao onaj.

– Džeralde! – uzviknula je mama. – Pazi šta pričaš.

– Koliko ste dugo zajedno? – pitala je Lora sa iskrenim zanimanjem.

– Uh, tek tri meseca, ne mnogo – nehajno sam rekla, ali sam odmah zažalila što je ispalo kao da je ono što Adam i ja imamo neobavezna veza. – Ali volela bih da ga upoznate.

– Samo pazi da bude dobar prema tebi. Nemoj da trpiš njegove...

– Džeralde!

Svi smo se nasmejali i ja sam poželela da je i Adam s nama. Želela sam da upozna moju luckastu porodicu, čisto da zna u šta se upušta.

Otišla sam teška srca jer sam znala da ću propustiti pijanu igru pantomime i mamu koja ne može da prebroji koliko reči ima u *Plesu sa vukovima*. Stjuart joj je zadavao taj film svakog Božića, samo da bismo je gledali kako se muči da ga objasni mimikom, a ona bi se ipak svake godine ponašala kao da prvi put čuje za njega.

– Čuvaj se, dušo – rekla je mama dok me je grlila na vratima.

Da nisam išla kod Adama, ostala bih tu u njenom toplom zagrljaju. Mirisala je na kuvano vino i narandže.

– Hvala, mama. Pozvaću te kad stignem.

– Hoćeš jedan liker od jaja pre nego što kreneš? – pitao je tata dok je prilazio vratima sa nakrivljenom papirnom kapom na glavi. – Kupio sam jednu flašu samo zbog tebe.

– Taman posla, Džeralde – prekorila ga je mama – mora da vozi. I ko još pije to čudo?

Osmehnula sam se, poljubila ih sve na rastanku i još jednom zagrlila malenu Sofi, a onda teškim koracima izašla na hladan vazduh. Nimalo me nije iznenadilo što su putevi bili pusti – verovatno zato što svi razumni ljudi ne žele da napuste tople domove, sede kod kuće i uživaju u šeriju.

Već je bilo kasno kad sam se zaustavila pred Paminim ulazom, jednom od pet kuća u nizu. I pre nego što sam isključila farove, bela drvena vrata širom su se otvorila i na tremu se pojavilo Adamovo krupno telo. Hladan dah mu se maglio u vazduhu naspram toplog svetla koje se rasipalo iz hodnika iza njega.

– Hajde. – Pozvao me je rukom kao uzbuđeni dečačić. – Kasniš. Požuri.

Pogledala sam na sat. 17.06. Kasnila sam šest minuta. Poljubili smo se na tremu. Imala sam osećaj da ga nisam videla čitavu večnost. Prošla su samo tri dana, ali kad je Božić, imaš osećaj da si izgubio čitave nedelje sedeći u kući, gledajući televiziju i jedući dok ti ne pripadne muka.

– Mmm, nedostajala si mi – prošaputao je. – Uđi. Čekali smo te. Večera samo što nije počela.

– Večera? – promucala sam. – Ali...

Ponovo me je poljubio dok sam skidala kaput. – Svi umiremo od gladi, ali mama je insistirala da te sačekamo.

– Svi? Ali... – ponovo sam zaustila. Prekasno.

– Stigla si! – uzviknula je Pami, pojurila prema meni i rukama mi obuhvatila lice. – O, mukice, sva si se smrzla. Dođi da te nahranimo. To će te ugrejati.

Upitno sam je pogledala. – Ne brinite zbog mene, samo što sam jela... – zaustila sam, ali ona se već okrenula i pošla ka kuhinji.

– Nadam se da si gladna – doviknula je. – Spremila sam hrane za puk vojske.

Adam mi je pružio čašu šampanjca pa mi je onako nervoznoj dobrodošlo hladno bridenje na jeziku.

– Šta imamo za užinu? – pitala sam, pazeći da to „užina" zvuči što laganije kao da bih nekim čudom time uticala da i sam obrok bude takav.

Zadržala sam osmeh na licu kad je Adam rekao: – Lakše mi je da ti kažem šta *nemamo.*

– Adame, ne mogu... – pokušala sam ponovo dok smo ulazili u trpezariju, ali kad sam videla sto divno postavljen za četvoro, sa blistavim podmetačima, besprekorno belim ubrusima pažljivo urolanim u srebrne prstenove i ikebanom sa crvenim bobicama i šišarkama, nisam imala srca.

– Evo – rekla je Pami pevušeći dok je unosila dva tanjira natovarena kompletnom božićnom večerom i svim dodacima. – Ovaj je za tebe. Sipala sam ti više jer sam znala da ćeš ogladneti u putu. – Srce mi se steglo. – Nadam se da će ti se svideti. Ceo dan sam provela u kuhinji.

Osmehnula sam se kroz stisnute zube. – Divno izgleda, Pami.

– Ti sedi ovde – rekla je. – A ti, Adame, sedi tamo. Sedite, a ja idem da dovedem Džejmsa.

Pogledala sam ga kad je izašla iz trpezarije i pokazala glavom na prazno mesto, koje je bilo postavljeno divno kao i ostala tri.

– O, to je za Džejmsa, mog brata – odgovorio je na moje neizgovoreno pitanje. – Neočekivano se pojavio za Badnje veče i ostao. Zar ti nisam rekao preko telefona?

Odmahnula sam glavom.

– Džejmse – pozvala je Pami. – Večera je spremna.

Pogledala sam u tanjir pred sobom. Čak i da nedelju dana nisam jela, ne bih mogla da se izborim sa tim brdom povrća. Jedva sam nazirala krajeve debelih komada ćuretine kako vire ispod dva jorkširska pudinga. Nije se videla boja tanjira.

Moj naduveni stomak je prostenjao i krišom sam, dok sam sedala, otkopčala gornja dva dugmeta na uskim farmerkama. Hvala bogu pa sam imala dugačku bluzu, jer sam odmah opet ustala kad je Džejms ušao.

– Nemoj zbog mene da ustaješ. – Osmehnuo se pružajući ruku. – Drago mi je da smo se konačno upoznali.

Konačno? To mi se svidelo. Nagoveštavalo je da smo Adam i ja zajedno duže nego što smo zapravo bili. I Adam je očigledno pričao o meni.

Škrto sam se osmehnula, najednom svesna koliko je neugodno kad te stave za isti sto sa potpunim a opet veoma bitnim strancem.

Adam nije mnogo pričao o Džejmsu, osim što je rekao da su sušta suprotnost: Adam je imao stresan posao u gradu, dok je Džejms pokrenuo malu firmu za pejzažnu arhitekturu na granici Kenta i Saseksa. Adam je prvi priznao da ga je motivisao novac, ali Džejms je bio sasvim zadovoljan time da živi od danas do sutra, sve dok je napolju i radi ono što voli.

Posmatrala sam ga kako seda i pruža ruku ka slaniku. Imao je iste pokrete kao Adam. Veoma su ličili, samo što je Džejms imao dužu kosu i oštrije crte, a lice mu je bilo bez bora i tragova koji ostavlja stresan život u gradu.

Možda bismo svi tako izgledali da ne dirinčimo po ceo dan, borimo se za sledeći projekat i bez sumnje preteranim radom teramo sebe prerano u grob. Za to vreme, Džejms se samo šetka, radi ono što voli, a ako ga za to još i plate, tim bolje.

– Džejms je imao manjih problema s devojkom – zaverenički je prošaptala Pami.

– Mama – pobunio se. – Siguran sam da Emili to ne zanima.

– Naravno da je zanima – negodujući je rekla. – Nema žene na ovom svetu koja ne voli tračarenje.

Osmehnula sam se i klimnula glavom, još uvek prikupljajući snagu da uzmem nož i viljušku.

– Znaš, nismo sasvim sigurni da je uopšte dobra za njega, zar ne? – nastavila je, stiskajući ga za ruku koju je spustio na sto između dva zalogaja.

– Mama, molim te.

– Samo kažem. Samo kažem ono što svi misle. Imala je mnogo, kako da kažem...? Problema. Ako mene pitaš, bolje je što si se otkačio.

Uspela sam da uzmem po zalogajčić od svega, osim prokelja, od kojih je osam plivalo u nadevu.

– O, bože – uzviknula je Pami kad je videla da spuštam pribor za jelo. – Ne sviđa ti se? Nešto ne valja?

– Ne, nikako – odgovorila sam, posramljena pred zabrinutim pogledima momaka. – Ja samo...

– Ali rekla si da ćeš ogladneti, zar ne? – nastavila je. – I da ćeš da užinaš kad dođeš?

Klimnula sam ćutke glavom. Tamo odakle ja dolazim, ovo nije *užina*.

– Jesi li dobro, Em? – pitao je Adam.

– Ah, zaljubljeni, tako je to na početku – procvrkutala je Pami. – Eh, kad se setim kako je moj Džim obigravao oko mene.

– Mama se baš potrudila – tiho je rekao Adam.

– Dobro sam i divno je, zaista. Samo da se malo odmorim – rekla sam oborene glave.

– Ali, Em, jedva da si pipnula hranu – nastavila je Pami. Ono „Em" je zvučalo malo sarkastično, kao kad ti se dete podsmeva na igralištu.

Pogledala sam je pravo u oči, trudeći se da mi lice ostane blago. Uzvratila mi je pogled, ali mogla bih se opkladiti da su joj oči gotovo zasijale od zadovoljstva.

– Nego, kako stoje stvari u regrutovanju kadrova? – veselo me je upitao Džejms.

Još jednom u metu. Adam baš nije gubio vreme.

– Sigurna sam da Emili ne želi da priča o poslu. – Pami se nasmejala.

– Izvini, ja... – zamucao je.

– Ne smeta mi – iskreno sam rekla. Daj bilo šta samo da mi skrene pažnju sa onoga u tanjiru. – Još se prilično dobro držimo, mada nam regrutovanje kadrova preko interneta predstavlja ozbiljnu pretnju.

Klimnuo je glavom. – Pretpostavljam da IT sektor nikad nije bio uspešniji? – rekao je, tapšući Adama po ramenu. – Ako je verovati onome što ovaj momak priča.

– Ah, opet se hvali? – rekla sam kroz smeh. – IT zverka.

– Tako nekako – rekao je Džejms, osmehujući se.

– Stalno mu govorim da to više nije fora – našalila sam se. – Ta nova tehnologija neće potrajati.

Pogledala sam u Adama, koji se osmehnuo, ali su mu oči ostale ozbiljne.

Džejms se nasmejao i znala sam da bi trebalo da pogledam u njega, ali pošto sam osećala njegov pogled na sebi, nisam znala kuda da gledam.

– Možda bih mogao da obujem gumene čizme i lopatam s tobom stajsko đubrivo, brate – rekao je Adam, odgovorivši Džejmsu i pokroviteljski ga potapšavši po ramenu. Čudno, nije tako delovalo kad je Džejms potapšao Adama. Prekorila sam sebe što podstičem suparništvo među braćom, trebalo je da znam da se to ne radi.

Džejms je bockao viljuškom zalutali prokelj.

– Živiš u blizini? – pitala sam, očajnički želeći da rasteram raspoloženje koje je zavladalo za stolom.

Klimnuo je glavom. – Povremeno radim za jednog čoveka nekoliko sela odavde. Iznajmljuje mi kućicu na svom imanju, a ja mu zauzvrat održavam vrtove.

– Nevolja je u tome što je to otac one cure – dodala je Pami.

Napravila sam kiselu facu i pogledala u njega. – Ah, tako znači.

– Zamršeno je – rekao je kao da želi da se opravda. – Još jedna zbrka u koju sam se uvalio.

Osmehnula sam se. – I, kako ide baštovanstvo? Imaš li posla? – Nisam mislila da je na meni da održavam razgovor, ali i Adam i Pami su se ućutali i posvetili se svojoj večeri.

– Volim svoj posao – rekao je sa iskrenim ubeđenjem. – Kao što ljudi koji vole ono što rade često kažu: to je poziv, a ne posao.

– Ah, ja sam tako govorila dok sam radila u prodavnici cipela – rekla sam. – Sva ta nesrećna stopala kojima treba pomoć i podrška. Koliko sam volela taj posao, radila bih ga za džabe.

Licem mu se raširio osmeh dok me je netremice gledao. – Ti si pravi borac. Hvala ti od srca. – Stavio je ruku na grudi i na trenutak sam imala osećaj da smo sami. Škripanje Paminog i Adamovog pribora za jelo dok su praznili tanjire vratilo me je u stvarnost.

– Izvinite na trenutak – rekla sam ustajući od stola i odmičući stolicu.

Pojela sam koliko sam mogla i moje telo je počelo da se buni, a creva su mi se grčila i uvijala. Nisam znala da li sam se više izbezumila zbog toga ili zbog nelagodnog osećaja koji je Džejms u meni probudio. Pošto sam bila sigurna da niko drugi nije primetio, da li to znači da sam samo umislila? Iskreno sam se nadala da je tako.

Kad smo rasklonili sto i oprali sudove, sačekala sam da se Pami i Džejms udalje da me ne čuju pa se nagnula ka Adamu.

– Hoćeš da se prošetamo? – tiho sam ga upitala.

– Naravno – rekao je. – Idem po kaput.

– Kud si krenuo? – pitala je Pami Adama u hodniku. – Nije valjda da ideš? – U glasu joj se osećala prestravljenost. – Mislila sam da ćeš ostati.

– Hoćemo, mama. Samo idemo u šetnju, da nam se slegne ona izvrsna večera.

– Hoćete? – pitala je. – Šta misliš, hoće li Emili da ostane?

– Naravno. Prespavaćemo i idemo kući sutra posle doručka.

– A gde će da spava? – pitala je tiše.

– Sa mnom – izjavio je.

– A, ne bih rekla, sine. I Džejms je ovde. Nema mesta.

– Džejms može da spava na sofi, a Emili i ja ćemo uzeti gostinsku sobu.

– Ne možete da spavate zajedno u ovoj kući – rekla je drhtavim glasom. – To nije lepo. Nije primereno.

Adam se nervozno nasmejao. – Mama, imam dvadeset devet godina. Nismo tinejdžeri.

– Ne zanima me koliko vam je godina. Nećete spavati zajedno pod mojim krovom. To ne ide tako. Osim toga, Emili je rekla da će noćas odsesti u hotelu.

Šta?! Srećom pa sam još uvek bila u kuhinji, jer sam se jedva obuzdala da ne nabijem krpu u usta i zagrizem je. Kad sam to rekla da ću odsesti u hotelu?

– Emili nije planirala da ide u hotel, mama – rekao je Adam. – To ne bi imalo smisla.

– Tako mi je rekla preko telefona – ljutito je odvratila. – Ako će da ostane ovde, može da spava na sofi. Ti i Džejms spavajte u gostinskoj sobi.

– Ali, mama... – zaustio je Adam. Izašla sam u hodnik i videla da joj je ruka u vazduhu a dlan samo nekoliko centimetara od njegovog lica.

– Nema tu *ali*. Tako ima da bude, sviđalo se tebi ili ne. Da me voliš i poštuješ, ne bi ni pitao. – Tada je zaplakala, najpre polako i tiho, ali pošto joj Adam nije prišao, jecanje je postalo glasnije. Stajala sam zgranuta, preklinjući ga u sebi da ne popusti. Kad su ramena počela da joj se odižu, Adam ju je zagrlio i privio uza se. – Dobro, u redu je, mama. Izvini, nisam hteo da te naljutim. Smiri se. Sve je u redu.

– Nikad nisam rekla... – zaustila sam pre nego što me je Adam sasekao pogledom.

– Biće kako ti kažeš – rekao je da je umiri, ljuljajući je kao bebu.

Pogledao je u mene i slegao ramenima izvinjavajući se, kao da želi da kaže: „Šta sam drugo mogao?". Okrenula sam se na drugu stranu kad je pošao uz stepenice.

U meni je polako ključao bes i da nisam previše popila, gotovo sigurno bih se odvezla kući. Da sam znala da će Džejms biti ovde i da će se od mene očekivati da spavam na staroj sofi, ostala bih kod svojih roditelja. Želela sam da budem sa Adamom i mislila sam da i on želi da bude sa mnom, a sad moram da povlađujem njegovoj zahtevnoj majci i branim se.

– Ne smeta ti, zar ne? – pitala je Pami, malo se odobrovoljivši sada dok je donosila prekrivač i jastuk sa sprata.

Namestila sam osmeh na lice i bezbrižno odmahnula glavom.

– Jednostavno moraju da postoje granice. U naše vreme, ne bi nam palo na pamet da odemo u krevet sa nekim pre nego što se venčamo. Znam da je sada drugačije, ali to ne znači da moram to da odobravam. Ne znam kako vi mladi možete tek tako da spavate sa svakim ko vam se svidi. Veliki je to teret za mene i moje dečake. Dok trepneš, neka drolja će se pojaviti i tvrditi da je trudna te da čeka njihovo dete.

Jel' ona to misli na mene? Nekoliko puta sam duboko udahnula i malčice preglasno izdahnula. Nije to baš bio uzdah, ali bilo je dovoljno da ona primeti.

– Oh, bože – nastavila je. – Ne kažem da bi ti tako nešto uradila, ali ne smemo da rizikujemo, zar ne? Ako ne zbog trudnoće, tu su i bolesti o kojima treba da brinemo.

Zašto govori „mi" umesto „on"?

– Daj meni to – rekao je Džejms ušavši i uhvativši dva kraja jorgana koji sam nevoljno pridržavala pomažući njegovoj majci. Protresao ga je tako da se navlaka spustila.

– Izvini. Divno je što si došla, ali da sam znala da ćeš ostati... – Pami je i dalje pričala o tome.

– Mama, što ne odeš po čaršav? – pitao je Džejms. – Da ga prostremo na sofu.

Posmatrala sam je kako odlazi iz sobe, a onda se okrenula ka Džejmsu. Jedva sam se uzdržavala da od muke ne naduvam obraze.

– Izvini – rekao je. Očigledno nisam uspela da sakrijem kako se osećam. – Ona je staromodna žena.

Osmehnula sam se, zahvalna što je to priznao.

– Možeš da spavaš u mom krevetu ako želiš.

Iako je to bio bezazlen predlog, ja sam porumenela. Isplјeskala sam jastuk mada nije bilo potrebe.

– Ja ću spavati ovde dole sa Adamom – nastavio je. – Znam da vam ovo neće biti baš romantična noć, ali bojim se da je to najbolje što mogu da ponudim.

– Hvala – iskreno sam rekla – ali u redu je, stvarno. – Pogledala sam grube, džombaste jastuke na sofi. – Spavala sam i na gorim mestima.

Džejms je podigao obrve i osmehnuo se, otkrivši jamicu na obrazu koju ranije nisam primetila. – Verovaću ti na reč.

Iznenada sam shvatila da moj odgovor može pogrešno da se shvati. – Mislim, kad sam išla na kampovanje sa porodicom – rekla sam. – Išli smo u neko mesto u Kornvolu koje, za mene kao osmogodišnjakinju, kao da je ispalo iz romana Inid Blajton. Žubor potoka, krave koje bi polegale ako se sprema kiša, potraga za kamenjem kako bismo pričvrstili šator, mušice koje su bile prijateljice s vilama...

Gledao me je kao da sam luda. – Kao dete sam čitala mnogo knjiga i napisala mnogo priča – rekla sam kao da se izvinjavam.

– Nije to ništa – rekao je kao da se nadmećemo. – Kad sam bio mali, borio sam se protiv čudovišnih pterodaktila i dlakavih mamuta...

– Ah, i ti si voleo da čitaš – rekla sam.

– Šta da ti kažem, imao sam devet godina – rekao je braneći se. Oboje smo se nasmejali. – Izgleda da smo oboje imali previše bujnu maštu – rekla sam. – Ponekad poželim da se vratim u te godine – život je bio mnogo jednostavniji. Sada bi morao da mi platiš da spavam u polju pored bučnog potoka, prljavih krava, na neudobnom kamenju dok me muve ujedaju!

– Znači, sada ova sofa deluje neobično privlačno, a? – rekao je. Osmehnula sam se.

– Kuda ste se vas dvoje golupčića uputili? – pitala je Pami kad se vratila u sobu, užurbano šireći čaršav.

– Emili je vrlo fina – rekao je Džejms – ali ona je devojka mog brata, pa ne znam šta time želiš da kažeš i šta to govori o meni. – Iskreno se nasmejao.

– O, bože! – ciknula je Pami. – Mislila sam da si Adam! – Okrenula se ka meni. – Oduvek su toliko ličili. Kao jaje jajetu.

Nastavila sam da se smeškam.

– Ima jedan divan pab oko kilometar i po niz put – rekla je. – Ako se dobro sećam, imaju i nekoliko soba. Verovatno je sve zauzeto, s obzirom na to da je drugi dan Božića, ali možda ne bilo loše da se pita, pošto si rekla...

– Jesi spremna? – doviknuo je Adam dok je silazio niz stepenice sa kapom i rukavicama u ruci.

Bila sam previše zaprepašćena da odmah odgovorim, pa je Pami to učinila umesto mene. To joj je izgleda baš išlo od ruke.

– Da, ovde je. Uživajte u šetnji, vas dvoje. Skuvaću čaj da popijete kad se vratite.

Čvrsto sam se umotala u šal, pokrivši usta za svaki slučaj, da mi ne izleti ono što sam pomislila.

– Izvini – rekao je Adam uhvativši me za ruku dok smo išli niz slabo osvetljenu stazu.

Preplavilo me je olakšanje. Znači, ne gubim razum. I on je primetio.

– Znam da nije savršeno, ali to je ipak *njena* kuća – nastavio je.

Stala sam nasred puta kao ukopana i okrenula se ka njemu. – Samo se zbog toga izvinjavaš? – pitala sam.

– Šta? Znam da je gnjavaža, ali to je samo na jednu noć. Sutra ustajemo rano i brišemo. Želim da te odvedem u svoj stan. – Prišao mi je i očešao usnama moje, ali ukrutila sam se i okrenula glavu.

– Šta je s tobom? – rekao je a glas mu se promenio.

– Ti stvarno ne shvataš? – rekla sam glasnije nego što sam htela. – Ti ništa ne vidiš?

– O čemu pričaš? Šta ne vidim?

Coknula sam i gotovo se nasmejala. – Živiš u svom mirnom malom svetu i ne dozvoljavaš da te išta uznemiri. Ali znaš šta? Život nije takav. I dok ti guraš glavu u pesak i praviš se da ne čuješ, ja moram da trpim sva ta sranja.

– Ti to ozbiljno? – pitao je, spreman da se vrati kući.

– Zar ne vidiš šta se dešava? – povikala sam. – Šta ona hoće?

– Ko? Šta?

– Rekla sam tvojoj majci da ću nešto prezalogajiti, a ona me je naterala da pojedem kompletnu božićnu večeru. Rekla sam joj i da ću prespavati kod vas i ona me je uveravala da joj to ne smeta. Ne bih ni došla da sam znala...

– Da si znala šta? – pitao je, malčice šireći nozdrve. – U našoj kući užina znači večera. I jesi li sasvim sigurna da nije imala ništa protiv da ostaneš? To je dozvolila samo jednoj devojci, s kojom sam bio u vezi dve godine. Nas dvoje smo zajedno tek... koliko? Dva meseca?

Njegove reči bile su poput udarca u grudi. – Tačnije tri! – prasnula sam.

Ogorčeno je digao ruke i okrenuo se da pođe nazad stazom.

Da li me je pitala hoću li da ostanem? *Da li* sam joj rekla da ostajem? Znam sigurno da joj nisam rekla da ću odsesti u hotelu, no da li je mogla da pretpostavi da sam to mislila? Više nisam mogla jasno da razmišljam.

Dok sam gledala kako Adam odlazi, zamislila sam ono što sledi: videla sam njega kako upada u Paminu kuću i sebe kako ulazim za njim dvadeset minuta kasnije. Nisam smela to da dozvolim.

Ozlojeđeno sam zaplakala. Bože, pogledaj me. Šta ja to radim? Od bespomoćne starice pravim čudovišnu majku. To je ludo. *Ja* sam luda.

– Izvini – rekla sam, a on je zastao, okrenuo se i vratio. Ja sam stajala nasred puta i cmizdrila.

– Šta nije u redu, Em? – Obavio je ruku oko mene i privukao me k sebi. Osetila sam na temenu njegov topli dah dok su mi se grudi nadimale i spuštale.

– U redu je. Dobro sam – malodušno sam rekla. – Ne znam šta mi je bilo.

– Brineš zbog povratka na posao? – nežno je pitao.

Klimnula sam glavom. – Da, mislim da mi je sve to od stresa – slagala sam.

Želela sam da mu kažem šta me je zaista uznemirilo. Nisam želela da između nas bude tajni, ali šta je trebalo da kažem? „Mislim da postoji šansa da je tvoja majka osvetoljubiva veštica?” Zvučalo je besmisleno i kakav dokaz sam imala da potkrepim tu teoriju? Njeno selektivno pamćenje i to što voli da tovi ljude? Ne, šta god ja mislila o njegovoj majci, da li je poremećena ili nije, to ću do daljeg morati da zadržim za sebe.

8.

Nameravala sam da se neko vreme klonim Pami, kako bih se smirila i preispitala njeno čudno ponašanje. Uostalom, bila sam sigurna da je u pitanju samo to – majka koja brine za svog sina. Ako budem tako razmišljala, možda ću i shvatiti. Ali tri nedelje posle Božića, dva dana pred moj rođendan, pozvala je Adama da pita da li bi mogla oboje da nas izvede da proslavimo.

Pokušala sam na sve načine da se izvučem, ali počelo je da mi ponestaje izgovora. – Moram da organizujem nešto sa Pipom i Sebom – rekla sam Adamu. – I u firmi su rekli da hoće da me izvedu.

– S njima možeš da izađeš kad god hoćeš – strogo je rekao Adam. – Mama hoće da nas časti.

„Čašćavanje" je značilo odlazak u restoran po njenom izboru, u njenom rodnom gradu – Sevenouksu. I tako ćemo, iako je bio *moj* rođendan, ipak morati da igramo kako ona svira.

– O, Emili, tako je divno što te vidim – ushićeno je rekla kad je stigla do stola za kojim smo je čekali više od dvadeset minuta. Odmeravala me je od glave od pete, kao da me procenjuje. – Izgledaš... fino.

Bila je prijatna dok smo jeli predjelo i ja sam počela da se opuštam, ali onda je pitala šta mi je Adam kupio za rođendan. Pogledala sam u njega preko stola, a on je klimnuo glavom kao da mi daje dozvolu da joj kažem.

– Vodiće me u Škotsku – uzbuđeno sam rekla. Primetila sam da su joj licem preleteli zbunjenost pa nezadovoljstvo. Namestila je usne da izgovori „o", ali nije ispustila ni glasa.

– Godinama nisam bio tamo – rekao je Adam.

– Ja nisam nikad bila – ubacila sam se.

– A... kad ste mislili da idete? – promucala je.

– Sutra! – uzviknuli smo uglas.

Sručila se nazad u stolicu kao da ju je neko gurnuo izbivši joj vazduh iz pluća.

– Jesi li dobro, mama? – upitao je Adam. – Izgledaš kao da si videla duha.

Pami je zadrhtala i trebalo joj je nekoliko trenutaka da progovori.

– Gde ćete odsesti? – najzad je upitala.

– Rezervisao sam sobu na dve noći u jednom mnogo finom hotelu – rekao je Adam. – Teta Linda nas je pozvala da ostanemo kod nje, ali nisam hteo da joj se namećem.

Osetila sam besmislenu želju da likujem. *Teta Linda nas je pozvala da ostanemo kod nje*, rekla sam u sebi otežući. *Eto*. Prekorila sam sebe što se ponašam nezrelo.

– Oh, ovaj, iznenađena sam – rekla je. – Nisam imala pojma.

Pitala sam se šta se to nje tiče.

– Linda nas je pozvala na ručak – rekao je Adam. – Pozvaće Frejzera i Juana. Voleo bih da ih Emili sve upozna.

– Bože, *baš* si me iznenadio – rekla je Pami gladeći Adama po ruci. – To je divno, zaista divno.

Razgovor je malo zapeo dok smo čekali glavno jelo. Dočekala sam svog morskog grgeča kao starog prijatelja, zahvalna što imam na šta da se usredsredim. Kad se Adam izvinio i otišao do toaleta, došlo mi je da potrčim za njim.

– Dakle, ovo se odvija prilično brzo? – rekla je Pami, ne sačekavši da se vrata muškog toaleta zatvore.

– Mhm – usiljeno sam se osmehnula.

– Koliko dugo ste zajedno? – pitala je, skupivši usta da popije gutljaj špricera.

– Četiri meseca.

– Bože, pa to nije ništa! – rekla je s nameštenim kezom na licu.

– Pa dobro, nije uvek važno koliko dugo si s nekim, zar ne? – rekla sam trudeći se da zvučim bezbrižno. – Važno je šta osećaš.

– Naravno – rekla je polako klimajući glavom. – A ti osećaš da je Adam onaj pravi?

– Nadam se da jeste. – Nisam želela da joj otkrivam više nego što sam morala.

– I misliš da on oseća isto? – pitala je i prezrivo me pogledala, kao da razgovara sa naivnim detetom.

– Nadam se da je tako. Bezmalo živimo zajedno, tako da... – Namerno nisam završila rečenicu, čikala sam je da kaže još nešto, mada sam znala da ne želim to da čujem.

– Ne bi bilo loše da malo popustiš – rekla je. – On voli da ima prostora i ako ga budeš pritiskala, mogla bi da ga oteraš.

– Da li se žalio? – nisam mogla da se uzdržim da ne pitam. Usta su joj se razvukla u likujući osmeh i istog trena sam poželela da sebi odsečem jezik.

– I jeste i nije – nehajno je rekla, iako je odlično znala da neću dozvoliti da se završi na tome.

– Na primer? – pitala sam. – Kako jeste, a kako nije?

– Ma znaš, ono uobičajeno. Kako se oseća sapeto. Kako mora da ti raportira svaki put kad želi da izađe.

Vrelina mi je preplavila grudi. Zar se stvarno tako osećao pored mene? *Ne budi smešna*, prekorila sam sebe. *Mi smo ravnopravni. Mi nismo takvi. Naša veza nije takva.* Ali onda sam se setila scene od prošlog četvrtka kada sam mu prebacivala što je zakasnio. U nedelju sam ga pitala koliko će se zadržati u teretani. Da li sam ja takva devojka? Da li mu je toliko dosadilo da ga propitujem pa se požalio majci?

Dok sam je posmatrala, a mozak mi je radio punom parom pa sam se zapitala, ne prvi put, da li ona to radi namerno. Ili sam sve, ponovo, pogrešno shvatila?

Osetivši da se Adam vraća, osmehnula se i stavila ruku preko moje.

– Sigurna sam da nemaš razloga za brigu – veselo je rekla sladunjavim glasom, glumeći nevinašce.

– Dobro, da li je ona samo usamljena ćaknuta starica kojoj je dosadno? – pitala je Pipa kad me je Adam dovezao posle ručka. Hteo je da ostanem kod njega, ali pošto me je Pami psihički smoždila, želela sam da idem kući.

Odmahnula sam glavom i slegla ramenima.

– Ili se tu krije nešto mnogo pakosnije? – nastavila je Pipa najzlokobnijim glasom. – Da ne igra neku igru?

– Stvarno ne znam – iskreno sam odgovorila. – Ponekad pomislim da je u pitanju samo glupa sitničavost, ali onda nešto počne da me nagriza i ne da mi mira dok ne shvatim da je ona ogorčeni, ljubomorni psihopata.

– Uh, čekaj malo, da ne prenaglimo – rekla je Pipa. – Ima šezdeset tri godine, zar ne?

– Da, pa?

– Ne znam mnogo psihopata šezdesetogodišnjaka.

Morala sam da se nasmejem. Pošto je sve ovo, kada se ispriča naglas, zvučalo besmisleno, rekla sam sebi da se sledeći put setim toga kad dozvolim da me potrese.

9.

Poruka je glasila: *Naravno. Biće mi drago da te vidim, sine. Kada misliš da ćeš stići? Nadam se samo da ona tvoja ne ide da švrlja. Danas je to postalo normalno. Mama X*

Šta?! Pročitala sam još jednom. O čemu, dođavola, Pami priča? Prelistala sam starije poruke. Poslednja poruka koju sam joj, preko volje, poslala nedelju dana ranije bila je „Hvala" povodom svoje rođendanske večere.

Pročitala sam ponovo njenu poruku. Nadam se samo da ona tvoja ne ide da švrlja. Očigledno nije bila namenjena meni. Sigurno je mislila da je pošalje Džejmsu. Pomirio se sa devojkom o kojoj ona baš nije imala lepo mišljenje. To bi moglo biti objašnjenje. Jadna devojka. Izgleda da je prošla gore od mene.

Slušala sam kako voda teče pod tušem, a onda posegla preko kreveta i uzela Adamov telefon s njegovog noćnog stočića. Brzo sam preletela kroz poruke. Jedna, od pre dvadeset minuta, glasila je: Ćao, mama. Emili ovog vikenda ide na poslovnu konferenciju pa sam mislio da svratim da te vidim. Da li ti odgovara u subotu?

Vrelina mi je udarila u glavu. *Jeste* mislila na mene. Poslala je odgovor meni umesto njemu. Prigušila sam gnevni urlik i stisnula pesnice, obuzdavajući se da se ne bacim na krevet i počnem da udaram u jastuke. Samo što nisam bacila Adamov telefon na njegov noćni stočić kad se kvaka na vratima kupatila okrenula.

– Hej, šta se dešava? – pitao je opasan peškirom oko struka. Nisam znala da li u mojim očima vidi grižu savesti, ili bes koji je ključao u meni.

– Ništa – kruto sam rekla i okrenula se da otvorim orman. Veći deo moje odeće bio je sada kod njega jer sam uglavnom tamo provodila vreme. Još uvek sam plaćala kiriju za stan u kojem sam živela sa Pipom, ali pošto sam tamo provodila manje od dve noći nedeljno, Adam i ja smo počeli da razgovaramo o tome kakve su nam mogućnosti.

– Zar ne želiš da se preseliš ovamo i otkažeš svoj stan? – pitao je koliko prethodne večeri dok smo ležali na krevetu.

Pokušala sam da ne ciknem od uzbuđenja kad sam odgovorila: – Ovo što sada radimo nema baš mnogo smisla, zar ne? – rekla sam što sam nehajnije mogla, iako sam bila sigurna da je čuo jedva primetno usplahireno podrhtavanje u mom glasu.

Odmahnuo je glavom.

– Mislim da ne bih želela da ovde živim za stalno. – Namrštila sam se a on se uspravio u sedeći položaj i nalaktio.

– Šta? Ne voliš da te u pet ujutro bude prodavci na tezgama? – osmehnuo se. – Sva ta vika i dreka u nedoba subotom ujutro? Šta je s tobom?

Pljesnula sam ga po ruci.

– Dobro, hoćeš da otkažemo oba stana i potražimo nešto zajedno?

Osmehnula sam i zapečatili smo dogovor vodeći ljubav.

Jutros smo se bili probudili uzbuđeni i spremali se da obiđemo agente u Blekhitu, doduše, samo kako bismo nešto iznajmili, ali ko bi pomislio da ću na kraju završiti u jugoistočnom Londonu. Ceptela sam od uzbuđenja dok se poruka njegove majke nije oglasila na mom telefonu, a sada sam osećala neprijatno stezanje u grudima, kao da mi je zavukla ruku i vuče me nadole.

Naravno, mogla bih da kažem Adamu o čemu se radi i pročitam mu njenu poruku, da mu pokažem koliko može da bude zlobna. Ali onda bih morala da se uzdam u to da će i on bude iskren prema meni. Morao bi da prizna da je poruka bila namenjena njemu i da se odnosila na mene. Nisam znala da li bi to učinio. Verovatno bi samo odmahnuo rukom i rekao: „Ma znaš ti mamu, nije mislila ništa loše." Ali nije bilo važno da li je mislila ili nije. Ako me je to uznemirilo, očekivala bih od njega da stane uz mene i podrži me, ne da stane na stranu svoje majke.

Mada, da budem iskrena prema sebi, posle nekoliko komentara koje je izneo ranije te nedelje, dok smo bili u Škotskoj, već sam podozrevala ko je Adamu važniji.

– Nego, hoćemo li uskoro čuti svadbena zvona? – zadirkivala ga je Ljupka Linda blagim škotskim naglaskom. Nadenula sam joj taj nadimak iz milošte jer je bila tako... pa, ljupka. Pokušala sam da zanemarim porodičnu sličnost, mali šiljat nos i tanke usne. Linda je pobedila jer je za razliku od svoje sestre Pami imala toplinu u očima.

– Hej, čekaj malo – rekao je Adam kroz smeh. – Tek smo se upoznali.

I sama sam se osmehnula, ali malo me je povredilo što je tako neozbiljno opisao našu vezu.

– Da, ali kad si siguran u nešto, onda tu nema šta da se čeka, zar ne? – rekla je Linda i namignula.

– Videćemo – rekao je Adam i uhvatio me za ruku.

– Šta bi ti volela? – navaljivala je. – Veliko tradicionalno venčanje?

– *Ako* se ikada budem udavala – zakikotala sam se, naglasivši reč „ako" – volela bih da odem negde gde je toplo, samo sa najbližima, i obavim to negde na plaži.

– O, zamisli to! – uzviknula je Linda. – To je fenomenalno!

– Tako nešto ne bismo mogli da izvedemo – uzviknuo je Adam, gledajući me kao da sam luda. – Ovi naši bi odlepili.

– Mojima ne bi smetalo – rekla sam.

– Ne brinite zbog nas – ubacila se Linda. – Samo vi radite onako kako *vi* želite.

– Mami ne bi bilo pravo – rekao je Adam. – Siguran sam da bi volela da se ovde priredi veliko venčanje, kako bi cela rodbina mogla da dođe.

– To je *vaš* dan – rekla je Linda.

– Uvek možete da skoknete do Gretna Grina – ubacio se Adamov brat od tetke Juan. – Tu je odmah niz put, a ne treba vam ni svedok.

Svi smo prasnuli u smeh, ali nije mi promaklo kad je Adam rekao:
– Živ se ne bih izvukao!

Dakle, znala sam na čemu sam i sve dotle dok budem bila na drugom mestu, pažljivo ću birati svoje bitke. Želela sam da uživam u današnjem danu takvom kakav je, kakav bi mogao da bude. Želela sam da se šetamo Blekhit Vilidžom kao drugi parovi koje sam sretala. Da uzbuđeno gledamo u izloge agencija, pre nego što uđemo u neku i iznesemo svoje zahteve. Da, saglasili smo se da bi nam još jedna spavaća soba dobrodošla. Da, mala bašta bi bila veliki plus ako ne ide nauštrb lokacije. Ne, nemamo kućne ljubimce. Prethodne noći smo kao deca prolazili kroz spisak želja, dok nije postalo besmisleno. Ne, ne bismo uzeli u obzir podrum bez prozora. Da, voleli bismo da gledamo na vresište, ako postoji i najmanja mogućnost da to košta manje od naše dve plate zajedno.

Ovo bi mogao da bude divan dan. Da li onda da mu kažem šta je uradila i kako se zbog toga osećam? Ili da ćutim? Imam li uopšte izbora?

Adam mi je prišao s leđa, obavio mi ruke oko struka i pustio da mu peškir padne na pod. Zaboravila sam šta sam tražila. Nisam više videla ni košulje i bluze koje sam povlačila duž šipke. Sve mi se razlilo u šarene mrlje, ništa nisam razaznavala, a sa svakom vešalicom bes je sve više ključao u meni.

– Sigurna si da je sve kako treba? – pitao je, milujući mi licem vrat.

Reci nešto. Nemoj ovo da upropastiš. Reci nešto. Nemoj ovo da upropastiš. Ovo vrlo lako može da izađe i na dobro i na loše.

– Jesam, stvarno – rekla sam, okrenula se i uzvratila mu poljubac. – Samo razmišljam o poslu. Skroz se zakuvalo.

– Znam šta će te opustiti – promrmljao je – i rasterati brige. – Gledala sam kako spušta glavu i sklanja tanku čipku mog brushaltera pa kruži jezikom oko moje bradavice.

Osetila sam kako bes u meni iščezava dok su mu se prsti spuštali i sklanjali mi gaćice u stranu.

Neodlučno sam ga odgurnula. – Ne možemo to sad. Čeka nas posao.

– Ima vremena za sve. Da vidim prvo da li mogu da te oslobodim briga i stresa.

Nije bilo svrhe zaustavljati ga. Oboje smo znali da neću ni pokušati. Bio mi je potreban koliko i ja njemu, ponekad i više. Pre nego što sam upoznala Adama, uvek sam mislila da je seks precenjen. Naravno, volela sam seks, ali bila sam zbunjena morem članaka u ženskim časopisima u kojima su nam govorili da, ako ga ne upražnjavamo pet puta nedeljno, i to bar dva puta viseći sa lustera, nešto sa nama sigurno nije kako treba.

Čak ni sa Tomom, sa kojim sam bila najpustolovnija, zapravo nisam to shvatala. Vodili smo ljubav dvaput nedeljno i on je bio gore dok ne svrši, a onda bi me zadovoljio na druge načine. Seks je samo seks i to mi je bilo dovoljno. Ali sa Adamom je bilo potpuno drugačije. Konačno sam shvatila o čemu svi pričaju. Dobro smo poznavali jedno drugo. Savršeno smo se uklopili. Ne bi prošlo mnogo dana a da ne poželimo jedno drugo. Naša raspoloženja menjala su se u skladu s tim. Seks se od onog najnevažnijeg u vezi popeo na sam vrh prioriteta.

Stenjala sam dok se njegova glava spuštala niže, a dah mi je zapeo u grlu.

Kroz glavu mi je proletela slika užasnute Pami, ali sam je odagnala. *Misliću o tebi kasnije*, pomislila sam dok sam osećala Adamov jezik. *Ali prvo će tvoj sin da vodi ljubav sa mnom.* Obuzelo me je nekakvo izopačeno zadovoljstvo koje čak ni Adam nije mogao da nadmaši.

Još uvek smo bili isprepletani i zadihani kad je na njegovom telefonu zapištala poruka. Odmakao se pa pružio ruku do noćnog stočića.

– Ko te traži? – nehajno sam pitala, razmišljajući da li mu je stigla poruka od Pami.

– Pit sa posla i moja mama.

– Oh, da li je tvoja mama dobro? – pitala sam tobože nehajno.

– Da, sve je u redu. Samo sam proveravao da li je kod kuće sledećeg vikenda. Razmišljao sam da skoknem do nje dok budeš na konferenciji.

– Dobra ideja. Šta kaže, da li joj odgovara? – navaljivala sam.

Otkucao je odgovor dok sam čekala. – Aha, sve je sređeno.

Poželela sam da mi pročita poruku pa da se slatko nasmejemo i nazovemo je blesavom starom kravom, ali on to nije uradio.

– Idem u subotu da je vidim – rekao je. Dođavola, Adame. Zašto nisi mogao da budeš iskren?

10.

Bila sam na poslu kad mi se na telefonu oglasila poruka.

Da li si luda?

Nisam prepoznala broj, pa sam ubacila telefon torbu, gde mi je bio van domašaja i nije me dovodio u iskušenje. Ali uspela sam da izdržim samo nekoliko minuta. Kako da ignorišeš takvu poruku?

Molim?, odgovorila sam.

Ti baš voliš da te kažnjavaju?, stigao je odgovor.

Malo sam se izbezumila. Ovo je ili neko koga sam dobro poznavala ili je u pitanju sumnjiva ponuda neke seksualne sado-mazo tamnice.

Rekla bih ni jedno ni drugo, prema tome, mislim da ste se obratili na pogrešnu adresu, napisala sam.

Mora da si luda ako misliš da za posetu mojoj ćaknutoj porodici vredi uzimati slobodne dane na poslu.

Zavalila sam se u stolici i razmislila trenutak, a onda mi se licem raširio osmeh. Ovo je mogla da bude samo jedna osoba.

Džejmse?

Da, ja sam... ko bi drugi bio?

Ja: Hej, kako si?

Dž: Dobro sam. Kako je bilo kod brđana?

Glasno sam se nasmejala a Tes, koleginica za stolom prekoputa mog, osmehnula se i podigla obrve.

Ja: Divno! Ja im se ne bih podsmevala, iznenađujuće ste slični.

Dž: Je li? U kom smislu?

Ja: Frejzer i Juan su pljunuti ti i Adam. Geni su čudo.

Dž: E pa, to je malo čudno jer su obojica usvojeni.

Ja: O, bože – stvarno mi je žao, nisam imala pojma.

Dž: Nisi valjda pominjala da ličimo? Mnogo su osetljivi.

Lupala sam glavu, očajnički pokušavajući da se setim jesam li to pominjala. Tako nešto bi ličilo na mene, da kažem nešto tek da bih ćaskala.

Ja: Nadam se da nisam. Grozno se osećam.

Dž: Da si rekla, znala bi, jer bi te Frejzer odmah napao. On baš ima kratak fitilj.

Iako po svemu sudeći nisam ništa rekla, nije mi bilo nimalo lakše.

Dž: Još si tu? Pitao je Džejms, pošto sam nekoliko minuta ćutala.

Ja: Tu sam.

Dž: I nisi valjda pominjala da je teta Linda udata za svog brata?

Šta?! Đubre malo.

Ja: Baš je smešno!

Dž: Ali prešao sam te, jelda?

Ja: Nisi! Nije mi jasno kako su tvoji rođaci tako fini?! Trebalo bi češće da ih posećuješ. Mogao bi mnogo da naučiš!

Dž: Ne mogu. Čim odem severno od Temze, nije mi dobro.

Pokrila sam usta da prigušim smeh.

Dž: Jesi li spremna za Adamovu žurku? Jesi kupila haljinu?

Ja: Jesam. A ti?

Dž: Ha-ha... moja je crvena, samo da znaš. Nađi nešto što se slaže s tim.

Ja: Hoćeš li da pustiš ili podigneš kosu?

Dž: O, da dignem naravno. To je sada moderno.

Ja: Ne kaže se dignuti, nego podignuti!

Dž: To ti je isto.

Ja: Da li Kloi dolazi? Nisam imala pojma zašto sam pitala i odmah sam poželela da izbrišem poruku, ali bilo je kasno.

Dž: Da, biće tamo. Mislim da će obući nešto plavo, tako da ćemo biti usklađeni.

Ton razgovora se promenio i iznenada sam se osetila kao ćudljivo dete koje želi da vrati nešto kako je bilo.

Sjajno, otkucala sam. Nadam se da ćemo se upoznati.

Kao da nas je pominjanje njegove devojke oboje zbunilo jer je odgovorio smajlijem koji namiguje i poljupcem.

Ništa nisam odgovorila.

11.

„Živeo, živeo i srećan nam bio." Refren je zamenio aplauz i ragbi klubom odjekivali su povici „govor, govor".

Adam je podigao ruke i prešao preko plesnog podijuma do mikrofona. – Dobro, dobro. Š-š-š, smirite se. Hvala, hvala.

– Hajde već jednom – doviknuo je Adamov najbolji ortak Majk, koji je takođe igrao na poziciji stuba. – Dođavola, priča istom brzinom kojom se kreće na terenu... Polaaako.

Svi ragbisti su klicali i pljeskali se po leđima, kao neandertalci oko vatre u pećini.

Smeškala sam se sa ostalima, ali osećala sam istu rezigniranost kao i ostale prisutne devojke, znajući da će u nekom trenutku tokom proslave svi naši momci spustiti gaće do gležnjeva, cugati pivo i zapevati „Swing Low, Sweet Chariot". Samo sam triput dolazila u klub, ali Adam se svaki put razgolitio. Pogledala sam u Ejmi, Majkovu devojku, i obe smo prevrnule očima. Srela sam je jednom ili dvaput ranije, ali nikad je nisam videla skroz doteranu. Teatralno je prebacila dugu smeđu kosu preko ramena, otkrivši grudi koje su se napinjale ispod oskudnih trouglova njene crne haljine. Gledajući u tanke bretele na kojima se haljina jedva držala, nisam mogla da odlučim da li želim da puknu i otkriju njene obline, ili da čvrsto stoje kako nijedan od prisutnih muškaraca ne bi dobio infarkt.

– Tvoja mama ima valunge – prošaptala mi je Pipa na uvo, prekinuvši moje ljubomorne misli. – Smem li da otvorim neki prozor?

Pogledala sam ka stolu gde je, u najmračnijem uglu sobe, bila smeštena moja porodica. Bilo im je lepo tamo, sakrivenim daleko od razgalamljene gomile. Tata je pio pintu bitera, drugu i poslednju, podsetila ga je mama, dok je zaštitnički sedela pored srebrne kofe s ledom u kojoj je bila boca proseka.

– Da proslavimo to što smo se konačno upoznali – izjavio je Adam kad joj je davao bocu, koja je svojom otmenošću odskakala od bednog i prljavog okruženja.

Gledala sam ga tako opuštenog i pitala se zašto mi je trebalo toliko vremena da ih upoznam. Tri puta smo ugovarali sastanak, ali Adama su dvaput zvali sa posla, a treći put je morao da ode da smiruje svoju majku.

– Em, ja sam – zadihano je rekao kad je pozvao dok sam sedela i čekala u *Kot Braseriju* u Blekhitu. Mama i tata samo što nisu stigli.

– Zdravo – osmehnula sam se. – Gde si?

– Žao mi je, dušo, mislim da neću stići.

Mislila sam da se šali. Znao je koliko želim da upozna moje roditelje. Bila sam sigurna da se šali, ali u stomaku mi se ipak okrenulo.

– Mama se baš uznemirila.

– Žao mi je – rekla sam, očajnički se trudeći da mi se u glasu ne oseti bes i sve vreme se smeškajući kroz stisnute zube.

– Dobro, izvini.

– Kako to misliš, mama se uznemirila? – ogorčeno sam pitala, a par za stolom pored mene se trgao i pogledao me, a onda se zgledali podigavši obrve.

– Uzrujala se zbog pisma koje je dobila od odbora.

U glavi mi je odjeknuo sinoćni razgovor kada sam čula Adama kako preko telefona priča Pami o našim planovima.

– Mora da se šališ? – prosiktala sam kroz zube.

– Ne šalim se. A ti bolje prestani da se brecaš – rekao je.

Snizila sam glas. – Možeš sutra da se baviš njenim pismom od odbora, jebote. Potreban si mi ovde večeras.

– Upravo stižem u Sevenouks – rekao je. – Svratiću do vas ako se vratim ranije.

Prekinula sam ga. Već je tamo? Kako je mogao da ode kod nje kad ga ja čekam? *Mi* ga čekamo?

Gledam ga sada, mesec dana kasnije, kako grli moju mamu, oličenje šarma.

– Joj, *baš* mi se sviđa – oduševljeno je rekla mama, sva zajapurena. – Pravi džentlmen.

– Jelda? – ushićeno sam pitala. – Stvarno tako misliš?

– Joj, nikako ga ne ispuštaj.

Mami, manje-više, ne treba mnogo da bude zadovoljna; tata je taj koga svaki mogući udvarač mora da pridobije.

– I, šta misliš? – pitala sam ga čim se Adam dovoljno udaljio da ne može da nas čuje.

– Moraće dobro da se potrudi da dokaže da te je dostojan – osorno je rekao.

– *Oduševio* ga je – sarkastično je rekao Seb pored mene.

Pogledala sam u Pipu, koja je sada stajala ispred mene. – Da li je mama dobro? – pitala sam. Videla sam da su prozori iza njih zamagljeni i vlažni od kondenzacije.

– Jeste. – Klimnula je glavom. – Jedan od uobičajenih napada, ali plaši se da otvori prozor jer je napolju mnogo hladno.

Još nije bio ni mart i vazduhu se osećala oštra hladnoća. – Neko će se sigurno žaliti – rekla sam. – Ali moraće jednostavno da se pomire s tim.

Pipa je klimnula glavom. – Nema problema. Nego, ko je onaj kojeg vidiš preko mog desnog ramena? Onaj u ružičastoj košulji?

Pogledala sam, a srce mi je poskočilo, mada nisam imala pojma zašto. – A, to je Adamov brat Džejms – rekla sam, mnogo nehajnije nego što sam se osećala.

– Sunce ti! Pravi je slatkiš – rekla je.

Osmehnula sam se. – Plašim se da je zauzet.

– Ma nema šanse. Ko je ta što ga je ugrabila?

Osvrtala sam se tražeći devojku u plavoj haljini, ali bila sam prilično sigurna da ona nije tu. Već sam pokušala da je nađem. Znači, ili nije došla ili je obukla nešto drugo.

Momci su opet počeli da galame i bilo je samo pitanje vremena kada će jedan od njih pokazati svoju muškost gomili egzibicionista istomišljenika.

Sreća pa je Pami bila prisutna, što ih je nateralo da se ponašaju kao odrasli muškarci, a ne kao balavci. Mada, da sam mogla da biram, radije bih gledala šesnaest mlitavih penisa i njihove vlasnike kako paradiraju daleko ponosniji nego što bi trebalo da budu nego da gledam Adamovu mamu. Trebalo bi da budem tužna zbog tog priznanja, ali, posle pola boce proseka, bilo mi je prilično zabavno. Osmehnula bih se pri samoj pomisli na to. Neću joj dozvoliti da me izvede iz takta, ma koliko se trudila.

– Čekaj malo! – uzviknula je Pami i pojurila ka Adamu preko drvenog poda. Duga uska suknja sputavala joj je noge, pa je izgledalo kao da joj se gornji deo kreće brže od ostatka tela. Namestila je osmeh i klimnula glavom gostima koje još nije bila pozdravila, kao da je to njena žurka. – O, Džema, tako mi je drago što te vidim – rekla je i poslala poljubac.

Podsetila sam sebe na svoju mantru dok sam je gledala kako se ulaguje i drži govorancije. *Neću joj dozvoliti da me iznervira, ma koliko se trudila.*

– Kad budeš bila spremna, mama – rekao je Adam preko razglasa.

– Da, da – brecnula se. – Samo da uslikam jednu fotografiju.

– Šta, *sada*? – pitao je Adam.

– Da, sada – odgovorila je Pami i teatralno coknula jezikom. Njena publika se nasmejala. Najbolje se osećala pred masom, mada se pretvarala da to mrzi. – Samo na brzinu, dok još imamo priliku i pre nego što se svi ne napijete. Gde su svi? Gde su naši? Hoću jednu sa celom porodicom.

Adam je prevrnuo očima, ali je strpljivo gledao kako kraljica zuji naokolo, nameštajući svoje rođake u tri reda po osmoro. Džejms mi je prišao otpozadi i u prolazu mi stavio ruku na krsta.

– Dobro, Lusi i Brede, vi maleni, kleknite ovde – rekla je Pami. – Vaši mama i tata mogu iza vas, a ti, Alberte, stani pozadi. Ako klekneš, nećemo moći ponovo da te podignemo.

Usiljeni smeh s galerije.

– Dobro, jesu li svi tu? Emili? Gde je Emili? – doviknula je.

Prišla sam sa čašom proseka u ruci, svesna posmatrača koji nisu pozvani da budu deo porodičnog albuma Benksovih.

– Adame, daj mi svoj telefon – zahtevala je Pami. – Moj ne valja. Slikaćemo se tvojim.

Adam joj je tobože preko volje pružio telefon.

– E tako. Emili, daj mi tu čašu.

Uradila sam kako mi je rečeno i stajala čekajući da mi kažu gde da stanem, posramljena zbog tišine koja se sada spuštala na proceduru koja se otegla.

Odmakla se da proveri da li je svako na svom mestu. – Dobro, Tobi, pomeri se malo da mogu da se uguram u sredinu. Eto tako.

Okrenula se, pružila mi telefon i brzo dodala: – Hvala, Emili – a onda utrčala u kadar, namestivši svoj najbolji osmeh. – Ptičica!

Vrelina koja je krenula od samih vrhova nožnih prstiju širila mi se uz telo poput lave iz vulkana. Brideo mi je svaki pedalj tela dok mi se u stomaku okretalo. Prepoznatljivo stezanje duboko u grlu govorilo mi je da suze samo što nisu krenule, ali potisnula sam ih, gnevno trepćući da ih sprečim da ne poteku. Brzo sam okrenula leđa ostalim gostima da ne vide ponižavajuće crvenilo koje mi se širilo uz vrat. Pokušala sam da se osmehnem i pretvarala se da nikad ne bih ni očekivala da budem na „porodičnoj" fotografiji. Uostalom, razmišljala sam, ja nisam deo porodice, tako da to nije ništa strašno. Samo što jeste bilo strašno i vraški je bolelo.

Pogledala sam u Adama kako se bezbrižno osmehuje dok sam fotografisala i osetila kako mi se srce slama.

– Dobro, gde sam ono stao? – pitao je Adam, ponovo zauzevši svoje mesto za mikrofonom.

Brzo sam se izgubila u masi posmatrača.

– Da, da – nastavio je, nadjačavajući graju. – Utišajte se. Imam nešto važno da kažem.

Gomila se utišala.

– Dakle, pošto sam napunio trideset godina, trebalo bi da odrastem i sazrim.

– To se nikad neće dogoditi – doviknuo je iz zadnjeg dela Dino, još jedan od saigrača.

– A-ha, iznenadio bi se, druže. Najpre bih hteo da vam zahvalim što ste došli. Mnogo mi znači što ste tu. Posebno mi je drago što je moj rođak Frenk doleteo iz Kanade samo kako bi večeras bio ovde.

Gomila je počela da kliče i ponovo je usledilo pljeskanje po leđima.

– Voleo bih da zahvalim i svojoj prelepoj devojci Emili što me trpi i jednostavno zato što je divna. Em, gde si?

Osetila sam nečiju ruku na leđima kako me gura napred, ali nisam podizala pogled, već sam samo mlitavo mahnula da pokažem gde sam.

– Hajde, Em, dođi ovamo.

Odmahnula sam glavom, ali pritisak na leđima bio je sve jači i gurao me napred, a ja sam samo želela da se povučem još dublje u pozadinu, u senku, gde je Pami očigledno mislila da mi je mesto.

Mislila sam da će mi obrazi pući od vreline dok sam išla ka njemu. Videla sam Džejmsa kako stoji na suprotnom kraju polukruga koji su ljudi spontano napravili. Pored njega je stajala Pipa. Još uvek nije bilo ni traga ni glasa od devojke u plavoj haljini.

Imala sam osećaj da mi je svaka pora na telu bila začepljena, kao da ključam iznutra, bez ventilatora da me rashladi. Pogledala sam u Pipino zabrinuto lice dok je polako nečujno izgovarala: – Jesi li doooobro? – Klimnula sam joj kratko dok sam uzimala Adama za ruku i nameštala osmeh na lice.

– Ova žena ovde razlog je zašto živim. S njom je sreća dvaput veća a tuga upola manja.

Pogled mi se zamaglio i sve se zamutilo, ali razaznala sam mamu kako razrogačenih očiju zuri iz publike.

Adam se okrenuo ka meni. – Obožavam te. Ne bih mogao da živim bez tebe. Ti si nešto najlepše u mom životu.

Postiđena, razbarušila sam mu kosu pokušavajući da to malo okrenem na šalu i odvratim pažnju prisutnih od sebe. Ali onda je klekao na koleno.

Začuli su se kratki, isprekidani uzdasi dok sam se ja mučila da se priberem. Šta je sad ovo, dođavola? Da li on radi ono što mislim, ili je ovo neka šala? Pogledala sam oko sebe u sva ta zabrinuta lica koja proviruju u mehur koji sam stvorila oko sebe. Sve se odvijalo kao na usporenom snimku, kao da sam posmatrala sebe odvojivši se od tela. Adamov glas je zvučao kao da je pod vodom, a jezivo cerenje i razrogačene oči bili su sve bliže. Svi osim jednog lica, koje, zbrčkano od bola, kao da se sve više udaljavalo.

– Da li ćeš mi, molim te, ukazati tu čast da se udaš za mene? – rekao je Adam, još uvek klečeći na jednom kolenu.

Nisam sigurna kada su radosne povike zamenili krici užasa. Ali znam da sam na prstu imala četvrtasti dijamant dok sam mazila po kosi Pami koja je ležala na podu po kojem je bilo isprosipano pivo.

Adam je klečao pored majke i držao je za ruku, a Džejms se ushodao objašnjavajući ovima iz hitne gde da nas nađu.

– Molim vas, požurite – čula sam kako viče. – Onesvestila se.

Sve se dogodilo toliko brzo da moj mozak to nije mogao da registruje. Nisam više mogla da poređam događaje onim redom kojim su se odvijali i razlučim šta je stvarno a šta sam umislila. Da li me je Adam upravo zaprosio? Da li se Pami zaista srušila? Kako su sekunde prolazile, granice između stvarnosti i mašte postajale su sve nejasnije.

– Mama, mama – neprestano je ponavljao Adam, a glas mu je sa svakim izbezumljenim krikom postajao sve više nalik na urlik životinje.

Jedva primetno je pomerila glavu i nešto zbunjeno promrmljala.

– Mama – ponovo ju je pozvao Adam. – Oh, hvala bogu. Mama, čuješ li me?

Nešto je nečujno promrmljala.

Snop svetla probio se do nas kad se gužva razmakla da propusti bolničare da prođu. Spustili su nosila pored Pami.

– U redu je, mama – rekao je Džejms, spuštajući se na kolena pored mene. – Biće ti dobro.

Izbezumljeno me je pogledao, kao da očekuje da kažem nešto što će odagnati njegov bol. Poželela sam da mu dam ono što želi, ali dok sam gledala dole u Pami, nisam imala šta da mu ponudim.

– Oh, bože, molim te, spasi je – zavapio je Adam, dok su mu se ramena tresla.

Majk mu je stavio ruku na rame. – Biće u redu, druže. Biće joj dobro.

Tupo sam gledala kad su je pozvali po imenu, bez odgovora, i podigli je na nosila.

Nije na meni bilo da uđem u kola hitne pomoći. Adam i Džejms pošli su sa njom, dok sam ja ostala u nadrealnoj praznini koju su za sobom ostavili, na proslavi koja je tako naglo prekinuta. Muzika je prestala, svetla su se upalila, a balon u obliku srca na kome je bio moj prsten ležao je pokidan na podu, smežuran i neprepoznatljiv.

Zaprepašćeni gosti prolazili su pored mene saosećajno se osmehujući, opraštajući se sa mnom pre vremena i moleći me da prenesem Pami i njenim sinovima njihove pozdrave. Kao kroz maglu se sećam da mi je jedno ili dvoje poželelo sreću zbog veridbe, a njihove čestitke su potpuno odudarale od izraza saosećanja koji bi odmah usledili.

– Mnogo mi je žao, Em – rekao je Seb i zagrlio me. – Siguran sam da će joj biti dobro. Šta ćeš sad? Da te odvedem kući, ili želiš da ostaneš ovde?

Pogledala sam po dvorani, koja je do pre samo petnaest minuta vrvela od prijatelja i porodice. Mesto gde je Adam proslavio trideseti rođendan i gde me je zaprosio. Kao da ništa od toga više nije bilo važno.

– Da li bi trebalo da ispratim goste? – pitala sam, a ni sama nisam bila sigurna koji je pravi odgovor.

– Možemo prilično brzo da ih se rešimo – rekao je da me ohrabri. – Ti se saberi, a ja ću da poteram ove što su se zadržali. U redu?

Ne. Ništa nije bilo u redu. Upravo sam zaprošena, ali sada se toga jedva sećam jer mi se sve pomutilo i taj trenutak je nepovratno upropašćen.

– Dušo, ne znam šta da kažem – rekla mi je majka, pružajući ruke i privijajući me uz sebe. – Dođi ovamo.

Tada je potekla prva suza, a kad se brana jednom otvorila, više nisam mogla da prestanem. Iz grudi su mi se oteli snažni, žalosni jecaji dok je majka pokušavala da me uteši.

– Š-š-š, u redu je, sve će biti dobro. – Ima nečeg u majčinom glasu što niko drugi ne može da oponaša; što te vrati u školu, kad si bio mali i čekao kod bolničarke da majka dođe po tebe. Sećam se kako me je na igralištu gurnula siledžijka po imenu Fiona i da sam udarila čelom kad sam pala na asfalt. Tik iznad oka damarala mi je čvoruga veličine onih iz crtaća i bolničarka me je brzo odvela u ordinaciju, napravljenu iza zavese u bočnom hodniku i opremljenu malim krevetom i radnim stolom.

Sigurna sam da bi mi bilo sasvim dobro da sam samo mirno sedela nekoliko minuta, a onda se ponovo pridružila drugovima iz razreda na času muzičkog. Ali pošto sam sela na tu stoličicu iza paravana, želela sam samo svoju mamu: da odagna i fizički i duševni bol. Čvoruga će bez sumnje splasnuti kroz nekoliko sati, ali ožiljak na duši će ostati. Šta ako je Fiona ljuta na mene jer sam otišla kod bolničarke? Da li će to sutra ponovo uraditi? Da li će me zauvek zlostavljati? Bila su to pitanja na koja je samo moja majka mogla da odgovori, dobro, bar sam tako mislila kao devetogodišnja devojčica. Grizla me je savest što je morala da izađe sa posla, ali ne dovoljno da kažem *ne* kad je bolničarka pitala da li bih želela da idem kući. Strepela sam da će biti ljuta na mene; da li će moja povreda biti dovoljna da opravda to što su je pozvali. Ali toliko mi je bilo potrebno da se osetim sigurno da sam taj rizik bila spremna da prihvatim. Činilo mi se da su prošli sati dok nije stigla, iako sam znala da je tu i pre nego što sam je videla. Jednostavno sam je osetila, a kad je provirila iza one zavese, mislila sam da će mi srce pući. Taj osećaj kad samo majka može da pomogne zapravo nikad ne prolazi i dok mi šapuće na uvo da će sve biti dobro, srce mi se slama zbog Adama, koji bez sumnje ima ista sećanja, ali je sada u opasnosti da izgubi jedinu osobu s kojom je sve lepše i lakše.

12.

Bilo je šest ujutro kad je Adam pozvao. Mama i tata su se vratili sa mnom, ali su zaključili da treba da se naspavam i ostavili me, uz stroga naređenja da ih pozovem čim nešto čujem. Nisam mogla da zaspim ni da mi plate. Misli su mi se rojile po glavi i šetkala sam se tamo-amo po kuhinji s velikom čašom crvenog vina u ruci dok me prodorna zvonjava mobilnog nije trgla.

– Em? – rekao je umorno.

– Da, kako je ona? – pitala sam. – Šta se dešava?

– Dobro je – glas mu je zadrhtao.

– Nije ništa opasno?

Čula sam tiho jecanje s druge strane linije.

– Adame... Adame.

– Mnogo mi je laknulo. – Šmrknuo je. – Ne bih podneo da joj se bilo šta dogodi, Em. Stvarno, ne znam šta bih radio.

– Ali biće dobro? – ponovo sam pitala, očajnički čekajući potvrdu.

– Da. Biće. Sad sedi u krevetu i bezbrižno pije čaj. – Uzdržano se nasmejao.

Glas mi je zapeo u grlu. – Šta se zapravo dogodilo? Šta su rekli lekari?

– Obavili su gomilu ispitivanja – pritisak, srce, urin – i zdrava je kao dren.

Ćutala sam.

– Em?

– Šta je uzrok? – pitala sam, trudeći se da mi se u glasu ne oseti oštrina.

Ako je i primetio moj ton, ništa nije rekao. – Misle da je dehidrirala. Priznala je da ovih poslednjih nekoliko dana nije vodila računa o sebi, da je bila uzbuđena zbog zabave pa je zaboravila i na jelo i na piće. A onda je iskapila dve čaše vina i eto ti.

– Uh, znači, to je sve? – uspela sam da izgovorim.

– Ne baš, dehidratacija je sama po sebi prilično zeznuta, ali prikačili su je na infuziju, daju joj fiziološki rastvor i kažu da može da ide čim se kesa isprazni. Dovešću je na nekoliko dana kod nas, da se odmori. Tako ću moći da pazim na nju.

Osetila sam kako me grlo peče od suza. – Zašto je Džejms ne bi pazio? – jezik mi je bio brži od pameti.

– Džejms? – pitao je malo opreznije. – Zato što je zauzet i ima već dovoljno briga. Ona devojka ga još zavlači, a mislim da mu ni na poslu ne ide baš najbolje. U svakom slučaju, hvala bogu, sada imamo sobu viška, što je ne bismo iskoristili?

– Nadam se da će nam dozvoliti da zajedno spavamo u našoj sobi? – kruto sam pitala, trudeći se da sakrijem sebičluk i ogorčenost.

Nasmejao se, ali ne od srca. – Mislim da će morati, zar ne? Sad pošto ćeš postati gospođa Benks.

Osmehnula sam se kroz suze, očajnički pokušavajući da se setim trenutka kad me je zaprosio; trenutka o kome sam godinama sanjala. Kao devojčica, zamišljala sam svog princa kako se pred hiljadama ljudi okupljenih na gradskom trgu spušta na koleno i pita me da mu budem žena. Maštala sam o romantičnom venčanju u crkvi, zamišljala sebe u starinskoj čipki sa dugim šlepom kakav je imala princeza Dajana – mama je bila njena velika obožavateljka; sećam se nedeljnog jutra kad me je probudila sva u suzama da mi kaže da je Dajana poginula. Ceo dan smo, zajedno sa milionima drugih, sedeli pred televizorom, moleći se da je u pitanju greška. Bila sam previše mlada da bih shvatila ko je ona i koliko je taj događaj bio važan, ali sećam se da sam bila opčinjena snimcima njenog venčanja s princom Čarlsom – koliko je bila lepa i koliko je taj dan bio čaroban. Nedeljama sam hodala tamo-amo po odmorištu u beloj *Diznijevoj* haljini koju sam izvukla sa dna kutije sa kostimima, sa čaršavom prikačenim pozadi. Dok sam ja plovila u svetu snova, moj tata se svima redom žalio da ću izazvati požar, a Stjuart je, kad god je mogao, gledao da se izvuče da ne glumi glavnu deverušu.

Pretpostavljala sam da će mi, kad dođe, taj važan trenutak ostati zauvek urezan u sećanju, da ću o tome pričati deci i unucima. Ispričala bih im kako sam se ponosno hvalila vereničkim prstenom koji mi svetluca na prstu. Kako sam se duboko zagledala u oči svog verenika pre nego što sam prošaputala „da". Pričala bih im o uzbuđenju porodice i prijatelja dok su žurili da nam čestitaju i pitaju kad će svadba.

A vidi sad, samo nekoliko sati kasnije, nisam sigurna da li se to uopšte dogodilo. Mora da sam pristala; imam prsten kao dokaz. Ali pošto se Pami onesvestila baš u tom trenutku, videla sam samo zaprepašćenje i užas na licima ljudi i metež koji je zatim usledio. Kao da se taj naš poseban trenutak nikada nije ni dogodio.

– Možeš li da ostaneš budna? Da nas sačekaš? – pitao je Adam.

Odsutno sam pogledala na sat i shvatila da je prošlo tri minuta otkako sam poslednji put proverila. Iako je bila subota, za mene radna, već sam bila uzela slobodan dan. Iako sam mislila da ću spavati oporavljajući se od užasnog mamurluka, umesto što do sitnih sati sedim budna sama pitajući se da li će moja buduća svekrva preživeti noć.

– Pokušaću – uspela sam da izgovorim – ali ne mogu da obećam.

– Ova noć je bila užasna. – Teško je uzdahnuo. – Nadao sam se da ćemo da zapečatimo našu veridbu.

Bila je to konstatacija, a ne pitanje. Pitala sam se kako uopšte može da misli na seks u ovakvom trenutku. Ali pretpostavljam da bi se pod bilo kojim drugim okolnostima to podrazumevalo. Bez sumnje bismo tu noć i ceo sledeći dan proveli u krevetu, naizmenično vodeći ljubav i birajući mesto za venčanja na ajpedima. Ne bih mogla ni da zamislim da bilo šta od toga sada radim. Ali valjda je to jedna od osnovnih razlika između toga kako rade muški i ženski mozak.

– Videćemo – rekla sam.

Spustila sam telefon, sipala sebi još jednu čašu vina i sebično zajecala. Nisam bila sklona samosažaljevanju, ali u tom trenutku jedino sam to osećala. Nisam bila ni srećna ni tužna, samo mi je bilo užasno žao sebe, otupele od pitanja koja su mi prolazila kroz glavu. Čime sam ovo zaslužila? Jesam li ja zaista nešto najlepše u Adamovom životu? Zašto me Pami toliko mrzi?

Ali pitanje koje me je najviše mučilo i kojeg sam pokušavala da se otresem: da li je to namerno uradila?

13.

Kao što se moglo očekivati, čim je stigla, Pami je zagospodarila našim životom, počev od jadikovanja zbog temperature u stanu do durenja kad joj je Adam rekao da sam joj pripremila gostinsku sobu.

– Ali to je krevet za jednu osobu – zavapila je. – I to još kauč na razvlačenje. Na tom čudu neću oka sklopiti.

Znala sam šta sledi pre nego što je Adam i otvorio usta.

– Dobro, zašto onda ne bi spavala u našem krevetu, a Em nek pređe ovde? – Osećala sam kako me gleda čekajući moju reakciju.

– Ma ne, neću da vam budem na teretu. Zašto me ne odvezeš kući? Tamo će mi biti dobro.

Potapkala sam jastuke, trudeći se da ih ne slušam. Trebalo mi je vazduha. Samo da odem odatle.

– Ne budi smešna – rekao je Adam. – Nisi nam na teretu, jelda, Em?

Odmahnula sam glavom ne pogledavši ga. Nisam mogla da podnesem da kao neki jadnik puzi pred njom.

– A gde ćeš *ti*? – pitala je.

– Mogu nekoliko noći da se stisnem na sofi. Stvarno nije problem.

– Kako hoćeš – nastavila je. – Stvarno nisam želela nikog da deranžiram. – Kakva ironija pošto se činilo da je rođena za to.

Tri dana kasnije, kad je raščistila moj toaletni stočić, sve stavila u kutiju i zamenila moju kozmetiku svojom, pojavila sam se na Sebovim vratima. – Ne mogu više. Mogu li nekoliko noći da prespavam kod tebe, samo dok ova ne ode kući?

– Naravno – rekao je – nego, jesi li sigurna da je to pametno? Sada ste ozbiljan par, ovo više nije zezanje. Venačećete se, pobogu! Dakle, morate ovo da rešite zajedno.

– Pored njegove mame, to „zajedno" je neizvodljivo – požalila sam se. – Ja sam sama protiv njih dvoje. Oni su u ovome zajedno. On jednostavno ne vidi šta ona radi i kako se ponaša.

Seb je duboko uzdahnuo. – Možda on tačno zna kakva je pa namerno žmuri.

Sručila sam se na njegovu sofu i naslonila glavu na narandžasti tapacirung, prisećajući se prethodne večeri. – Zaista se nadam da je to mleveno meso koje koristiš organsko? – oholo je onjušila dok me je gledala kako mešam sos za bolonjeze. – Adam više voli to nego ono drugo, a i mnogo je bolje za njega.

– Takođe je tri puta skuplje – podsetila sam je, pitajući se da li je „organska" hrana uopšte postojala dok je Adam još uvek živeo kod kuće.

– Razgovarala sam danas dvaput s Adamom, ali zaboravila sam da ga pitam kad stiže kući. – Onda se nasmejala, naglasivši koliko su bliski. Nije mi promaklo da je, kad sam ga pozvala u vreme ručka, bio previše zauzet da priča, ali izgleda ne i da bi pričao s njom. Dvaput.

– Radi dokasno – iznenada sam rekla. – Biće kod kuće oko deset.

– Zar te ne brine što ostaje na poslu tako kasno? – pitala je.

Znam da ne treba da nasedam i savršeno sam svesna da joj dajem baš ono što hoće, ali gotovo da želim da ispitam koliko zna. Da vidim da li zaista o Adamu zna više nego ja.

– Zašto bih brinula? – rekla sam.

– Pa da li radi to što kaže. – Usiljeno se osmehnula. – Nikad ne znaš šta se kuva u glavi mladića, naročito kod onih koji su zgodni kao moj Adam.

Nečujno sam oponašala kako je izgovorila „moj Adam" i nastavila još gnevnije da mešam bolonjeze.

Šta je trebalo da kažem? Šta je želela da kažem? Da mi, sve do sada, to nije ni palo na pamet? Ali sad kad razmislim, možda ste u pravu. Možda stvarno tuca svoju dvadesetdvogodišnju plavokosu koleginicu.

Umesto toga, rekla sam: – Trenutno ima mnogo posla, ali obično u ovo vreme stigne kući. – Osećala sam potrebu da treba da opravdam njega, njegov posao i našu vezu. Da ponudim opravdanje za nešto što je tako često radio, što, do sada, nisam dovodila u pitanje. Uglavnom.

– Možda – rekla je. – Ali moraš da paziš ako je pod stresom. Dovoljno je samo da mu neka na poslu pomuti pamet i otići će. To je danas svakodnevna pojava.

Utonula sam još dublje u Sebovu sofu, pokrila lice rukama i ogorčeno vrisnula.

– Sve vreme me minira pred njim. Da li on to primećuje? Da li joj bilo šta kaže? Naravno da ne.

– On samo želi život bez trzavica, Em – rekao je Seb. – To je verovatno njegov način da je umiri. Dugo je poznaje i moramo pretpostaviti da zna šta deluje, a šta ne.

– Ali ne radi se o tome da umiruje *nju*. Stvar je u tome da treba da stane u *moju* odbranu, ja sam žena kojom bi navodno trebalo da se oženi. Iskreno, Sebe, nisam sigurna da mogu da nastavim ovako.

– E pa, onda moraš da razgovaraš s njim. Reci mu tačno šta osećaš i da su ti potrebni njegova podrška i ohrabrenje.

Mudro sam klimnula glavom.

– To je važno, Em. Ovo bi trebalo da budu najsrećnijih dani u vašem životu. Uzeli ste divan novi stan, dao ti je prsten i trebalo bi da planirate venčanje. Sada treba da budete srećni.

– Znam. – Uzdahnula sam. – Razgovaraću s njim. Moram. Ali mogu li da ostanem ovde? Samo večeras?

Klimnuo je glavom i otišao da donese još jednu bocu vina iz kuhinje a ja sam pozvala Adama.

– Kako to misliš, ostaćeš tamo? – zagrmeo je preko telefona.

– Ne želim da se svađam – umorno sam rekla. – Zapričali smo se, a već je kasno. Svratiću ujutro da se spremim za posao.

– Koješta! – odvratio je. – Nema potrebe da ostaješ tamo.

– Adame, umorna sam i da budem iskrena, moram da se odmorim, samo večeras. Već je prošlo deset, neću ti valjda toliko nedostajati.

– Odmah da si došla kući! – rekao je i prekinuo vezu.

Osetila sam kako mi grlo gori, a na oči su mi navirale vrele suze. Trudila sam se da ih zadržim, ali čim je Seb ponovo ušao u sobu, potekle su niz obraze.

– Hej, šta je bilo, pobogu? – upitao je i privio me uza se, držeći bocu. – Šta se dogodilo?

– On jednostavno... ne razume – rekla sam kroz jecaje.

– Hajde, smiri se – tešio me je Seb. – Ostani večeras ovde i ujutro će sve biti bolje. Obećavam ti.

– Ne mogu... Moram da idem kući... – promucala sam. Sve bih dala da ostanem u Sebovom zagrljaju, gde sam se osećala sigurno – ali morala sam da idem kući. Adam je bio u pravu.

Od tada je prošlo dva dana, a ja još uvek nisam imala hrabrosti da bilo šta kažem. Ne zato što brinem da nisam u pravu, ili se plašim da će Pami saznati, ali jednostavno ne znam kako će Adam reagovati. Zar to nije suludo? Da zaista ne znam kako će čovek koga volim više od svega reagovati? U tome i jeste problem: ma koliko da ga poznajem i volim, nikad neću moći da se takmičim s njegovom majkom. Među njima postoji posebna veza, koja se jednostavno ne može prekinuti ili pokvariti.

– Emili! Emili! – Čula sam je kako urliče, ali morala sam još jednom duboko da udahnem pre nego što odgovorim.

– Molim, Pami?

– Budi srce i pristavi čajnik. Grlo mi se osušilo.

Bukvalno samo što sam ušla u stan. Još nisam ni skinula kaput, onako pokisla posle iznenadnog pljuska koji me je uhvatio čim sam izašla iz voza. Mora da me je čula kako petljam oko brave. Prvom prilikom ću pozvati kućevlasnika da je pogleda dok se skroz ne zaglavi.

Izbrojala sam do deset i ušla u kuhinju. Došlo mi je bilo da izvadim svaki komad posuđa i tresnem ga o pod. Ali, umesto toga, polako sam stavila njenu omiljenu šolju na granitnu radnu površinu i zapitala se šta bi bilo kad bih sipala cijanid.

– Oh, baš si srce – rekla je gegajući se, mnogo sporije nego što je, sigurna sam, bila u stanju da hoda.

– Kako si provela dan? – upitala je, ali nisam imala vremena da odgovorim. – Samo da znaš da sam oprala sudove od sinoć – nastavila je, podižući krpu i brišući besprekorno čiste površine. – Ako ih ostaviš da dugo stoje, navući ćeš štetočine, a sumnjam da bi se vašem kućevlasniku to svidelo. Verovatno ima briga preko glave zbog onog italijanskog restorana u prizemlju. Nečuveno je kakav nered i đubre ostavljaju napolju. Tamo sigurno vrvi od pacova.

Usiljeno sam joj se osmehnula. Imala sam naporan dan i želela sam samo da se istuširam, obučem pidžamu i iskuliram na sofi gledajući boks-set. Seks sa verenikom prvi put posle skoro nedelju dana –

zapravo, otkako me je zaprosio – bio bi takođe u vrhu spiska, ali pošto je on otišao na proslavu s kolegama, a u krevetu nam spava otelovljenje đavola, verovatnoća da će se nešto desiti među nama bila je vrlo mala.

– O, promenila si frizuru – rekla je kao da me prvi put vidi. – Pa šta si to uradila? Joj, ne, ne sviđa mi se. Više mi se sviđalo onako. Kako je obično nosiš.

– Samo sam pokisla – rekla sam umorno. – Mnogo se ukovrdža kad je mokra.

Zacerekala se. – Nemoj da te Adam vidi takvu. Zapitaće se s kim se to, dođavola, spanđao.

Onako u kaputu, sipala sam sebi čašu vina iz frižidera i krenula u kupatilo.

– Da nije malo rano za to? – bilo je poslednje što sam čula pre nego što sam zalupila vrata.

14.

Ostala sam budna čekajući Adama. Njegova majka i ja provele smo dan u besmislenom nadmetanju za prevlast. Od onoga šta ćemo za užinu do toga ko će da drži daljinski – nadmetale smo se oko svega i svačega. Bilo je to tako jadno i podsetilo me kako sam se kao devojčica pred pubertetom borila protiv gvozdene volje svog desetogodišnjeg brata.

– Obećala si – zavapio bi Stjuart kad bih prebacila na *Blue Peter*. – Rekla si da večeras mogu da gledam *Byker Grove*. Dala si reč.

– Ništa nisam obećala – zarežala sam.

– Da, jesi. Juče si gledala *Blue Peter*. Danas je na mene red.

Mrko sam ga pogledala. Tih godina sam često bila namrgođena. Mrk pogled je izgleda imao jače dejstvo nego zbrkana bujica reči koja bi mi često potekla iz usta. Retko sam uspevala da uobličim svoje misli i nađem odgovarajući izraz.

Evo me i danas se durim, na Pami. Odlučila sam da je ubuduće oslovljavam sa Pamela, jer joj bolje pristaje; nije ni blizu toliko ljubazno i srdačno. Osim toga, slučajno znam da to mrzi.

– Želim da gledam jednu emisiju večeras – rekla je.

– O, i ja – odgovorila sam, krišom se mašivši za daljinski upravljač na sofi između nas. – Kako se zove?

– *Najveće prevare u Britaniji*, ili tako nešto.

– Ah, ja hoću dramu. – Nestrpljivo sam se prošetala kroz kanale, tražeći bilo šta što iole zvuči ili izgleda kao drama. Preko volje sam se zaustavila na reprizi *Gordosti i predrasuda*. Toliko mi se gledao taj film da bi Adam, da je bio ovde, rekao „evo tvoje najgore noćne more". Ali toliko smo se natezale oko svega da bih radije gledala bilo šta nego da pustim da bude po njenom.

– Zašto ne ideš u krevet? – pitala je pola sata kasnije, kad su oči počele da mi se sklapaju a stisak popušta na daljinskom, koji klizi ka ponoru između nas dve.

Njen glas je prostrujao kroz mene, vrativši me u stvarnost.

– Šta? Zašto?

Nasmejala se. – Očigledno si iscrpljena. Idi u krevet, ja ću sačekati Adama.

– Ima trideset godina, Pamela – videla sam kako se lecnula – nijedna od nas ne mora da ostaje da ga čeka, ponajmanje njegova majka.

– Uvek sam ostajala budna da sačekam svog Džima – rekla je.

– On vam je bio muž.

– I Adam će uskoro biti tvoj. Tako svaka žena treba da radi. Nije prošla nijedna noć da sam otišla u krevet bez njega.

– Pretpostavljam da ste stavljali i viklere – promrmljala sam.

– Šta?

– Mislim da ćete otkriti da su se vremena promenila otkako ste vi bili u braku.

– Samo da znaš da sam ja još uvek u braku, mlada damo. I ako misliš da ti brak potraje duže od godinu dana, bolje bi ti bilo da se ugledaš na mene. Treba da budeš poslušna. Ne bi čak trebalo ni da provodiš toliko vremena na poslu. Ženi je mesto kod kuće.

Grohotom sam se nasmejala. – Kad je već spomenusmo, kad nameravate da idete kući? Sutra će biti nedelju dana kako ste ovde.

Posegnula je za daljinskim, koji mi je stajao na kolenu. Prva sam ga dohvatila. Ovo je bilo besmisleno.

– Kada Adam bude mislio da treba da idem – odbrusila je.

– Adam? Ne odlučuje on o tome.

– Pričali smo pre nekoliko dana – rekla je zaverenički, kako bi mi stavila do znanja da su vodili razgovor u kome ja nisam učestvovala. – I rekao je da je mirniji kad zna da sam ovde, gde može da pazi na mene.

Ali ne pazi on na vas, nego ja, ogorčeno sam pomislila.

– Dakle, kad Adam i ja budemo mislili da sam se dovoljno oporavila, vratiću se kući. – Zevnula je i pogledala na sat.

– Naravno, Pamela. Idite kada budete osećali da ste spremni. Ne bih želela da vam se bilo šta dogodi dok ste sami. Mislim, svakog trenutka bi moglo ponovo da vam pozli, zato moramo da pazimo. – Ovo „pozli” propratila sam navodnicima napravljenim prstima u vazduhu.

Ne znam da li joj se vilica stisla zbog *toga*, ili zato što sam joj se ponovo obratila sa „Pamela".

– Kasno je. Idite vi u krevet. Ja ću sačekati Adama – nastavila sam.

– U pravu ste. Trebalo bi da ga sačekam. Nikad se ne zna šta bi moglo da mu zatreba ili šta bi mogao da poželi.

Na njenom licu se to nije videlo, ali obe smo znale da je to bio poen za mene.

– Tako treba – rekla je, ustajući sa sofe.

Gledala sam je kako ustaje i proteže ruke visoko iznad glave. Nešto što nikad ne bi uradila pred Adamom, plašeći se da ne pokaže koliko je zapravo pokretljiva. Postala je majstor za obmane i nije mi promaklo kako jedva primetno menja ponašanje, kretanje, pa čak i glas kad je on tu.

– Znači, pobrinućeš se da se smesti u krevet kad se vrati?

Klimnula sam glavom.

– Ako je pio, nemoj da mu zvocaš. S vremena na vreme treba da ga pustiš s povoca.

Pogledala sam je, odmahujući glavom u neverici. Zapitala sam se da li je zaista sa Džimom imala brak kakav tvrdi da je imala. Nisam mogla da je zamislim kao pokornu suprugu koja gleda da ugodi svakom hiru svog muža. Imala je previše jak karakter za to. S druge strane, možda joj je to, kad ga je izgubila, dalo toliku snagu. Namučila se kako bi odgajila sinove. Nisam mogla ni da zamislim sebe u takvim okolnostima. Pitala sam se da li je to stvorilo ovu patološku vezu, za koju je sada osetila da je ugrožena pošto su njeni sinovi uplovili u normalne veze. U meni je postojala samo mrvica koja me je podsticala da se sažalim na nju, da je posednem i kažem joj da ne želim da joj preotmem sina. Da i dalje može da bude deo njegovog, *našeg* života. Da ne moramo da vodimo ovu skrivenu borbu za prevlast, gde izgleda pokušavamo da dokažemo koju od nas dve Adam više voli. Ali onda sam se setila svega što je uradila i rekla, nepotrebnog bola koji mi je nanela. Mogle smo da budemo prijateljice. Bože, u meni je mogla da vidi ćerku, nešto za čim je, kako mi je jednom rekla, žalila. Ali ta prilika je propuštena – a sve to njenom krivicom – i ako je to ono što želi, neka joj bude, ali neću joj dozvoliti da me slomi, posebno ne u mojoj kući. Ona mora da ide.

Kad sam poslednji put pogledala, sat na DVD plejeru pokazivao je 12.24, ali bog će ga znati koliko je bilo sati kada mi je Adam pao na glavu, mučeći se da izuje cipele.

– Gospode – rekao je kad sam jauknula. – Šta radiš ovde?

Uspravila sam se u sedeći položaj na sofi, zamućenog pogleda i ukočenog vrata. – Čekam te kao svaka dobra ženica – prošaputala sam, pokušavajući da se saberem.

Stajao je bos ispred mene, blago se njišući. – To je baš slatko – uspeo je da izgovori. – Čime sam to zaslužio?

– Ne radi se toliko o tome šta ti zaslužuješ koliko o tome šta meni treba – rekla sam kroz smeh, povlačeći ga za kaiš prema sebi. – Nismo odavno. – Njegov rajsferšlus mi je bio u visini lica pa sam posegla za njim.

– Ne možemo to da radimo – neodlučno je promrmljao. – Mogla bi da uđe.

Slegla sam ramenima i nastavila.

– Psst, ne, Em. Ozbiljno, ne možemo. – Sada se smejao i bila sam sigurna da ću dobiti ono što želim, jer sam znala da i on to želi.

– Prošlo je skoro nedelju dana – prošaputala sam dok su mi ruke još uvek bile uposlene. – Koliko još treba da čekamo?

Iznenada je zaustavio moje ruke koje su petljale oko rajsferšlusa. – Još samo malo. Dok se ona sasvim ne oporavi.

– *Koliko* još? – nastavila sam i odgurnula njegovu ruku. – Reci mi tačan datum, nešto po čemu mogu da se merim, da znam kad ćemo konačno ponovo imati naš stan za sebe.

– Znam da je teško, Em, ali strpi se još samo nekoliko dana.

– Znači, do nedelje? – navaljivala sam.

Oklevao je.

– Obećaj mi da će biti u nedelju, ili ću da nastavim.

– Šta god da kažem, isto mi se hvata. – Nasmejao se.

Uzela sam ga u ruku i osetila kako mu se celo telo ukrutilo.

– Gospode – prodahtao je.

– Odluči se – čikala sam ga. – Kaži u nedelju i prestaću.

Ubrzala sam.

– Gospode, Em.

– U nedelju i prestajem, ili u nedelju i nastavljam? – Bio je u pravu: isto mu se hvata.

Prostenjao je i znala sam da nema šanse da mi sada kaže da prestanem. – Samo nastavi – prošaputao je. – Nemoj da prestaješ.

Tako sam i mislila. Dinamika u ovoj trojci morala je da se promeni, a draga Pami će morati da shvati da smo Adam i ja zajedno protiv celog sveta, ravnopravni, kao par, ne kao dva odvojena bića, kakvima nas je ona u svom bolesnom, izopačenom umu smatrala.

Nikad ne bih pomislila da će to što me je videla sa alatkom svog anđelčića u ustima završiti posao.

15.

Adamova mama nam se nije javljala tri nedelje otkako nas je uhvatila na delu. Izgleda da je od šoka što nas vidi u tako kompromitujućem položaju ostala sablažnjena i emotivno oštećena.

– Nijedna majka ne bi trebalo to da vidi – dramatično je priznala Džejmsu, koji nam je to preneo kad je svratio da se dogovorimo oko nekih detalja u vezi s našim venčanjem. Iznenada smo ubrzali pripreme jer je Adam našao lep hotel s malom kapelom u Tanbridž Velsu, a pošto je samo jedna subota bila slobodna do leta, odmah smo ga rezervisali. Sada, pošto smo imali samo nekoliko meseci da sve pripremimo, počela je da nas hvata panika pa smo odmah morali da se bacimo na posao, mada sam pretpostavila da će o momačkoj večeri Džejms i Adam detaljno popričati nasamo.

– Ne želim da pričam o tome – odbrusio je Adam dok smo sve troje stajali u kuhinji i slušali kako Džejms prepričava uzbuđene izlive emocija svoje majke. Krenula sam ka njemu, ali on se okrenuo i hukćući pošao u spavaću sobu, ostavivši Džejmsa i mene same.

Oboje smo napravili grimase i prigušili smeh. Na levom obrazu napravila mu se jamica. – Grize me savest što se smejem, ali u suprotnom ću zaplakati rekla sam.

Džejms me je pogledao preko šolje za kafu, a oči su mu se smeškale. – Moglo je da bude i gore.

Pogledala sam ga kao da je poludeo. – A kako to?

– Pa, ne znam – promrmljao je. – Ali siguran sam da ima onih koji su bili i u gorem položaju.

– Ma nije valjda? I sad bi kao trebalo da mi bude lakše? – Nasmejala sam se.

Stavio je prst na usne. – Psst, nemoj da nas čuje kako se smejemo. Samo će se naljutiti.

– Već je dovoljno ljut – tiho sam rekla. – Duri se još otkako se to dogodilo. Mene krivi za sve.

– Mora da se šališ?

Odmahnula sam glavom.

– Možda ga treba podsetiti da je za neke stvari potrebno dvoje? – Podigao je obrve.

Shvatila sam da šapućemo, a nisam želela da Adam pomisli da pričamo o njemu iako smo upravo to radili.

– Nego... – rekla sam glasno. – Jesi za još jednu kafu? – Nisam znala šta drugo da kažem. Podigao je polupraznu šolju i odmahnuo glavom. Skuvala sam sebi još jednu, treskajući po kuhinji.

– Imaš li neku ideju kako da ovo izgladimo s vašom majkom? – pitala sam, svesna da sam možda prešla granicu. Napravila sam grimasu dok sam čekala njegov odgovor.

– Proći će je – tiho je rekao.

Osmehnula sam se. – Mislim da se to neće uskoro dogoditi. Znaš kakva je. Ima da se prenemaže do besvesti. – Nisam bila sigurna da li sam to želela naglas da izgovorim.

– Pas koji laje ne ujeda – rekao je, posle duže pauze. – Proći će je.

Dah koji sam zadržavala izleteo mi je između usana, a napetost u ramenima počela je da popušta. Da Adam nije bio u susednoj sobi, ispričala bih Džejmsu sve. Bilo je tu, navrh jezika, čekalo, očajnički želeći da izađe. Poželela sam da je Adam više nalik Džejmsu, bilo bi lakše pričati o njegovoj majci. Džejms bi razumeo kako mi je, kako se osećam zbog *nje*. Podržao bi me i branio kad bi me ona priterala u ćošak. Znala sam da bi.

Ponovo mi je uputio onaj smešak, kao da mi čita misli. – Samo joj treba malo vremena, to je sve.

Nisam imala ništa protiv. Neka uzme sve vreme ovog sveta. Koliko god joj treba. Neće mi nedostajati. Da budem iskrena, potajno sam bila oduševljena što nas je ovo malo udaljilo od nje. Ali trebalo bi da pazim šta želim jer, otkako se sve to izdešavalo, Adamov seksualni nagon drastično je opao. Bilo je gotovo nemoguće odobrovoljiti ga za išta više osim čednog poljupca kad je odlazio na posao. Pokušala sam da ubedim sebe da je to samo slučajnost, da je pod pritiskom na poslu i umoran. Ali svaki put kad bih se setila Pami kako nas je zatekla i šok koji je u tom trenutku prošao Adamovim telom, znala sam da ga je to pogodilo više nego što sam mogla i da zamislim.

– Izvini, jednostavno nisam raspoložen za to – rekao je kasnije te noći, kad sam ušla u sobu u novom čipkanom donjem vešu iz *Viktorija sikreta*.

– Kada misliš da ćeš biti? – pitala sam dureći se. – Uskoro?

– Samo ne večeras.

– Ali uz mene ćeš zaboraviti sve što te muči – zadirkivala sam ga dok sam ulazila u krevet i pružala ruke ka njemu.

– Pusti me – brecnuo se, a onda mi okrenuo leđa i ugasio svetlo.

Raspoloženje mi se nije nimalo popravilo kad mi je ujutro dvoje pripravnika javilo da su bolesni. Znala sam da je jedan od njih folirant, ali iznenadio me je i razočarao Rajan. Njegov planer je bio krcat sastancima pa sam morala da se izborim i s njegovim i sa svojim rasporedom te da se nekim čudom stvorim na dva mesta istovremeno.

Do podneva sam imala osećaj da mi iz ušiju kulja para. Moj šef, Nejtan, želeo je da uđem u novi posao, a klijent kome sam posvetila nedelje spremao se da sklopi ugovor sa konkurentskom agencijom. Ni na jedno ni na drugo nisam računala.

Telefon mi ja zvonio bar trideset puta, a sa svakim pozivom bila sam sve napetija.

– Halo, Emili Hevistok – prasnula sam, malčice nabusitije nego što sam htela.

– Toliko je strašno? – rekao je muški glas.

– Molim? Ko je to? – Nisam prepoznala broj i već sam zažalila što sam se javila. Nisam imala vremena za neželjene marketinške pozive.

– Ovde Džejms – odgovorio je.

Pokušavala sam da se setim. – Izvinite, Džejms...?

– Adamov brat – odgovorio je oklevajući.

– O! – rekla sam. – Izvini, mislila sam da je neki Džejms s posla. Zdravo, kako si? Nisam sa Adamom, ako zato zoveš. Zoveš zbog Pami? Da li je dobro? – Brbljala sam dok mi je kroz glavu prolazilo bezbroj različitih scenarija.

– Da, dobro je. Sve je kako treba.

Nadala sam se da će reći još nešto, ali morala sam kleštima da mu čupam reči iz usta. – O čemu se onda radi? – pitala sam. – Jesi li ti dobro?

Bilo mi je čudno što pričam sa Džejmsom preko telefona. Dopisivanje porukama je bilo nekako drugačije. Imala sam osećaj da naše opušteno druženje prelazi granicu.

– Da, dobro sam – polako je odgovorio. Čekala sam, ne znajući šta da kažem.

– Samo... ovaj... tu sam, u tvom sam kraju, pa sam se pitao jesi li raspoložena za jednu kafu na brzinu?

– Molim? – Ne znam da li sam to rekla naglas.

– Halo?

– Ovaj, da, tu sam.

– Nisam razumeo. Da li to znači da ili ne?

– Ah... Izvini, ja sam sad na Kanari Vorfu. To bi bilo sjajno, ali danas imam posla preko glave. Sve sastanak za sastankom. Kô da radim u rudniku. – Čula sam sebe kako se na silu smejem kako bih razgovor okrenula na šalu. Sumnjala sam da me dovoljno dobro poznaje da to oseti.

Razmišljala sam o čoveku s druge strane. Uvek sam ga zamišljala kako stoji do gležnjeva u zemlji, okopava cvetnu leju i briše ruke o prljavu sivu majicu koja je nekada bila bela. Lice mu je tako nalik Adamovom, samo mlađe, oštrijih crta, isklesanije. Sklanja kosu prstima sa zemljom ispod noktiju.

Sada je ovde, u betonskoj metropoli, kako sam čula da je zove. Pretpostavljala sam da nije ljubitelj grada, šta onda radi ovde? Da li je sada u odelu, hoda kroz lavirint nebodera, sve nestrpljiviji da se vrati zelenim pašnjacima koje obožava?

Porumenela sam kad sam shvatila da razmišljam o njemu i zamišljam ga, i to očigledno ne prvi put.

Promucala sam i zaćutala. – Ovaj... možda drugi put?

– Naravno, nije ništa važno – brzo je rekao, kao da se postideo i jedva čeka da prekine vezu.

Rekla sam „zdravo" u tišinu koju je za sobom ostavio i nepomično stajala na uglu Trga Kabot zbunjeno zureći u telefon, dok je oštar vetar fijukao oko mene.

Pokušala sam da se usredsredim na posao, ali nešto mi nikako nije davalo mira. *Tu sam, u tvom kraju*...? Da li je zaista bio u mom kraju, ili je to pažljivo isplanirao? Ako jeste, zašto?

16.

Ne znam zašto nisam rekla Adamu da je Džejms zvao. Osećala sam da bi trebalo to da pomenem, no da li je zapravo bilo išta da se kaže? Kao što je Džejms rekao, nije bilo „ništa važno". Ipak, da je Adam pozvao Džejmsovu devojku, onako uzgred, samo zato što je bio u prolazu, ja bih mislila da to mnogo govori. Bila sam savršeno svesna toga da primenjujem dvostruke aršine.

Tokom tri nedelje nakon tog „slučaja", pokušavala sam da sa istom zrelošću pristupim pat-poziciji u kojoj smo se Pami i ja nalazile. Ono što se dogodilo bilo je neprijatno, ali kad sam malo bolje razmislila, shvatila sam da to mnogo više muči Adama i njegovu majku nego mene. Da, bilo me je sramota, ali ja sam bila samo pion uhvaćen između dve zaraćene strane. Da je, ne daj bože, bilo obrnuto i da je *moja* mama videla ono što je Pami, bila bih potpuno skrhana. Zato sam, iako sam sumnjala da ću prema njoj ikada gajiti naklonost, odlučila da dam sve od sebe da joj se iskupim za ovo kad dođe pravi trenutak. Mada nisam očekivala da ću svoju novootkrivenu filozofiju morati uskoro da stavim na probu.

Dogovorili smo se da se sledeće subote nađemo na ručku, u ribljem restoranu u Sevenouksu. – Mislim da bi bilo bolje da se nađemo na neutralnoj teritoriji – rekla je Pami. Zvučalo je kao da se dvoje državnika sastaju da spreče treći svetski rat. I tako smo, kao uvek, uradili kako nam je rečeno i našli se u Loh Fajnu, bočno od Ulice Haj. Parkirali smo se iza *Marksa i Spensera* i Adam me je obgrlio dok smo išli kroz prolaz. Bio je to sasvim običan gest, nešto što je uradio već stotinama puta ranije, ali pošto gotovo mesec dana nismo spavali zajedno, zadrhtala sam od njegovog dodira. *Probaću ponovo kad dođemo kući*, pomislila sam. Ali u nekom trenutku čoveku dosadi da uvek on pravi prvi korak, a zna da će biti odbijen. Osmehujem se stisnutih usana, pretvarajući se da nije važno i privučem ga ka sebi da se mazimo, u retkim prilikama kada mi to dozvoli. Ali jeste važno. Stvarno boli a ovog puta za to je kriva ona.

Iznenadio me je hladan povetarac kad smo skrenuli za ugao pa sam se umotala u kaput, zahvalna na njemu i na pletenom džemperu mekog boda koji sam nosila ispod. Nisam izgledala naročito glamurozno, ali nisam se ni osećala nimalo glamurozno. Nisam se potrudila ni da operem kosu tog jutra. Bilo bi to gotovo traćenje šampona i regeneratora, kad će ona svejedno da iznese neku podrugljivu opasku, bez obzira na to da li mi je kosa vezana u rep ili mi u blistavim pramenovima pada preko ramena.

Iako smo kasnili pet minuta, znala sam da ona neće biti tamo. Uvek je kasnila. Voli da sačeka dobrih petnaest minuta pre nego što se pojavi, kako bi bila sigurna da će je svi primetiti i da joj ne bi bilo neugodno dok čeka sama. Mnogo je trikova Pami krila u rukavu, a ja sam naučila njih nekoliko. Pretpostavljam da bih se čak i ja sablaznila kad bih ih sve otkrila.

– Dobro, hoćemo li da porazgovaramo o onome što se dogodilo? – pitala sam Adama, dok je šef sale uzimao njegov kaput. Ja sam odlučila da svoj ne skidam dok se malo ne ugrejem.

– Ne – bilo je sve što sam dobila kao odgovor.

– Zar ne misliš da o tome treba da...?

– Gospode, Em. Mani se toga. Već je dovoljno propatila. Siguran sam da ne želi da se to ponovo poteže. Ja sigurno ne želim.

Joj, što će ovo da bude zabavno. Dva, možda tri sata, zarobljena između žene koja ne može očima da me vidi i verenika koji ne može da podnese da bude u mojoj blizini. Tek mi je tada, dok smo sedeli za stolom nalik na separe, palo na pamet da bi i Džejms mogao da se pridruži, da podrži svoju nesrećnu majku. Sjajno, može li da bude još gore?

Kao na znak, petnaest minuta od zakazanog vremena, ušla je Pami, a lice joj je bila zamršena mešavina ljubavi i mržnje. Čvrsto je zagrlila Adama dok ga je pozdravljala.

– O, dušo, tako mi je drago što te vidim, baš sam se pitala... – Nije dovršila rečenicu, već je tužno pogledala u pod kako bi postigla što bolji efekat.

– Emili? – rekla je, okrećući se ka meni, tobože iznenađena što sam ja tu. – Dugo se nismo videle. – Glas joj je bio hladan i već mi je okretala glavu kad je rekla: – Ali dobro izgledaš. Malo si se podgojila, što ti je i trebalo.

Dala sam znak Adamu, u nadi da će videti da sam u neprilici, ali on je samo jedva primetno odmahnuo glavom i ponovo pogledao u nju.

– Naprotiv, mora da izgledam tako zbog ovog velikog kaputa i džempera – rekla sam, povlačeći ga za rub, kao da želim da pokažem koliko je širok, ali oni su već ćaskali o nečem drugom.

Posle tri čaše pino griđa bilo je samo sve gore. Osećala sam se suvišno.

– Ajoj, sećaš li se kad ste ti i Džejms našli one rakove na plaži u Vitstablu? – nasmejala se.

Adam se osmehnuo. – Na leđima smo im napisali svoja imena i stavili ih da se trkaju.

– Tako je – rekla je, glasno se nasmejavši.

– Onaj moj nikako nije mogao da pobedi – rekao je.

– Tad je beše izbila neka gužva? – pitala je Pami. – Sećam se da je Džejms cmizdrio celim putem do kuće.

Adam je prevrnuo očima. – Zar se ne sećaš? Užasno se uzrujao jer smo otišli da napunimo kofice u moru, a kad smo se vratili, našli smo njegovog raka skroz smrskanog.

Pami je polako klimnula glavom. – Sećam se. I dalje ne znam kako se to dogodilo.

Adam se nasmejao. – Mora da je talas doneo neki kamen koji ga je dobrano izlupao. Ili je to bilo savršeno ubistvo...

Pogledao je u mene. – Od tada više ne jedem rakove.

Osmehnula sam se na silu.

Pokušala sam da ubedim sebe da samo glumi, kako bi izgladili odnose, ali šta je sa *našim* odnosom? Zar ne treba njega da spasavamo? Jedva smo prozborili otkako nas je uhvatila na delu, a kamoli bili prisni. Sve me je to izjedalo... *gric-gric.* Naš odnos bi bio savršen kad bi se ona ponašala normalno, kao svaka majka.

Kod četvrte čaše, baš kad je pitala Adama šta bi mogli da kupe Lindinom sinu Juanu za dvadeset prvi rođendan, osetila sam kako se u meni budi nelagoda.

– Znači, misliš da bi mu se svideo neki lep novčanik? – Pitala je Adama, ne mene. Nije me pogledala od one opaske o mojoj kilaži i mislim da me čak ni tada zapravo nije videla. Da jeste, možda bi primetila da sam smršala, ali to onda ne bi bilo zabavno.

– Mislim da će se oduševiti. Ako svi priložimo po pedeset funti, verujem da bismo mogli da mu kupimo nešto pristojno, možda nešto od *Pola Smita* – rekao je Adam.

– Dobro – uzbuđeno je zašištala Pami. – Ti priloži pedeset funti, ja ću pedeset, a Džejms nek vidi šta će, pošto znaš da ne zarađuje kao ti. Obraćala se direktno Adamu.

– Ja ću, naravno, priložiti dvadeset pet – ubacila sam se. – Polovinu Adamovog dela, pa da bude od nas oboje.

Pogledala me je sa iskrenim prezirom. – Hvala, draga, ali nema potrebe. To je poklon od porodice. – Bezbrižno se nasmejala i okrenula ka Adamu.

– Ali i ja sam deo porodice – prosiktala sam. Znala sam da sam previše popila jer nisam osećala usta. Usne su se pomerale, ali nisam mogla da kontrolišem šta iz njih izlazi.

– Bez brige, Em. Ja ću dati za nas – rekao je Adam.

– Ne želim da daješ za mene – rekla sam, naglasivši reč „daješ". Ako će moje ime biti na kartici uz poklon, onda bih volela da i ja učestvujem.

Pami je coknula i nadmeno me pogledala. Naočare bez okvira stajale su joj na vrhu nosa, pa je ličila na direktorku škole.

– Dobro. – Adam je uzdahnuo. – Kako hoćeš.

– Gluposti – nasmejala se Pami. – Jedva ga poznaješ, zašto bi davala iz svog džepa kad ti čak nije ni rod.

– Ali Adamova rodbina je i *moja* rodbina. – Više nisam kontrolisala ni visinu svog glasa. – Za dva meseca ćemo se venčati i postaću gospođa Benks. – Videla sam kako se trgla. – Onda ćemo svi biti porodica.

– Ako ona to želi, mama, neka joj bude – rekao je Adam.

Da! Hvala ti, Adame!

– Samo mislim... – počela je Pami, ali podigla sam ruku prekidajući je.

– Kad smo kod toga – rekla sam – zar nijedno od nas nema dovoljno hrabrosti da pomene temu koju svi zaobilazimo?

– Prekini, Emili – sasekao me je Adam.

– Šta da prekinem, Adame? – Htela sam da ostanem pribrana, da se obuzdam, ali činilo se da će nedeljama potiskivani gnev pokuljati iz mene. – Da li tvoja majka ima predstavu na šta liči naša veza poslednjih nekoliko nedelja? Otkako nas je „zatekla" kako radimo ono što radi većina normalnih parova? – Nekada sam mrzela ljude koji prstima iscrtavaju navodnike, ali kad je ona u pitanju, to je bilo jače od mene.

Pami je zgađeno coknula, a Adam me je uhvatio za lakat. – Izvini, mama – rekao je dok me je podizao iz stolice. – Ne znam šta ju je spopalo. Stvarno mi je žao.

– To svi zaljubljeni parovi rade – podrugljivo sam rekla, odgurnuvši Adamovu ruku. – Ne zaboravi da...

– Emili! – uzviknuo je Adam. – Dosta!

Uhvatio me je čvršće za mišicu. – Mnogo mi je žao, mama – čula sam ga kako govori, kao i uvek pokušavajući da je smiri. – Hoćeš li moći da se vratiš kući?

– Naravno – odgovorila je, terajući nas od stola. – Biću ja dobro. Imaš previše svojih briga. Ne brini za mene, samo gledaj da ona bezbedno stigne kući.

Adam joj se osmehnuo stisnutih usana dok me je gurao ka vratima. – Javiću ti se kad stignemo kući – rekao je. Iskreveljila sam se oponašajući ga i okrenula glavu ka mestu gde je sedela, očekujući da vidim njeno tugaljivo lice, ono koje je čuvala za Adama, kako bi mu stavila do znanja koliko je povređena i ranjiva. Samo što je sada nije gledao on, već ja. I zato se polako osmehnula i podigla polupunu čašu crnog vina.

Ne sećam se da smo prozborili ijednu reč na putu do kuće, sve dok nije stavio ključ u ulazna vrata i rekao: – Pijana si. Idi gore i sredi se.

Da, bila sam pripita, popila sam jedno ili dva pića više nego što je trebalo, ali nisam rekla ništa što nisam želela. Da sam bila trezna, možda bih tome pristupila malo drugačije, ali tako je kako je i nisam se kajala. Bolelo me je jedino to što sam, ponovo, ispala negativac, dok je ona i dalje čvrsto stajala na svom prestolu.

17.

Adamu je bilo potrebno tri dana da progovori sa mnom, osim da kaže „izvini", kad bismo se mimoišli na vratima kupatila. Kada je led konačno počeo da se kravi, nije bilo ozbiljnog iskrenog razgovora, koji nam je tako očajnički bio potreban, osim onog: – Šta želiš za večeru?

– Svejedno mi je. Hoćeš da naručimo nešto?

– Može. Indijsku ili kinesku?

I tako smo bar ponovo pričali jedno s drugim. Nisam imala nameru da mu se izvinim, a izgleda da ni on nije bio spreman da se izvini meni, tako da smo ponovo bili na početku.

Iako smo ćaskali dok smo jeli, nije nam bilo nimalo prijatno. Bili smo poput dvoje stranaca na sastanku naslepo. Nije odvajao pogled od svojih kineskih rezanaca sa piletinom iz straha da ne uhvati moj.

– I, kako se Džejson snalazi na poslu? – pitala sam. Više me je zanimalo kako se nova devojka, Rebeka, snalazi, ali učinilo mi se da je to previše opasna tema da bih je pomenula, pa sam išla na sigurno.

– A, dobro je – rekao je. – Izgleda da je počeo da se širi, videćemo. A Rajan? Kako je on?

– Srećom, bolje. Dobar je on momak i mislim da stvarno može mnogo, ali mlad je i neiskusan. Šteta, jer mislim da bi mogli da ga otpuste pre nego što vidimo za šta je sposoban.

Između nas se otegla tišina dok smo oboje razmišljali šta bismo sledeće rekli.

– Dobro, šta ćemo sa mamom? – pitao je.

Pitanje me je iznenadilo. Nisam očekivala da će pokretati tu temu i mada sam se uzdržavala, shvatila sam da sam zinula.

– Nešto mora da se promeni. Ne mogu više da podnesem to vaše koškanje. Očigledno imaš neki problem s njom – ili imaš problem sa sobom? Da li ona samo budi ono najgore u tebi?

Teško sam uzdahnula.

– Ne možeš poreći da se nešto događa – nastavio je. – Deluješ mnogo napeto u njenom društvu, pa čak i kad je samo spomenemo u razgovoru. Imam osećaj da moram da pazim svaki put kad se pomene njeno ime. Zbog tebe me grize savest što želim da je vidim, pa čak i da razgovaram s njom.

– Ti ne vidiš kakva je ona – skrušeno sam rekla.

– Ali uvek je savršeno učtiva prema tebi. Zašto ne bi bila? Ona misli da si sjajna. Od prvog dana tako misli.

– Ti jednostavno ne shvataš.

Odgurnuo je tanjir i prekrstio ruke na stolu. – Onda mi objasni. Uvek je bila pažljiva prema tebi? Trudila se da se osećaš kao član porodice?

Kratko sam se nasmejala. Nije trebalo da zvuči sarkastično, ali tako je ispalo.

Prostenjao je. – Vidiš, opet to radiš. U čemu je tačno problem?

Nisam znala kako to sebi da objasnim, a kamoli njemu, da ne zvuči sitničavo.

– Dobro, daću ti jedan primer. – Lupala sam glavu da nađem nešto jednostavno, ali ništa mi nije padalo na pamet. – Ovaj...

Učtivo je ćutao dok sam ja razmišljala, ali počela sam da se osećam kao varalica.

– Dobro, sećaš se šta je bilo prošle subote, za ručkom u ribljem restoranu?

– Gospode, kako mogu da zaboravim! Kako si nas samo obrukala.

Duboko sam udahnula. Morala sam da ostanem hladna. Morala sam da sve objasnim rečito i sažeto ako želim da razume kako se osećam.

– Dakle, iznela je uvredljivu opasku o mojoj težini čim je stigla. – Trgla sam se čim sam to izgovorila. Zvučala sam kao šiparica.

– Pobogu, Em! Ti to ozbiljno? Zar to manje-više ne radi svaka majka? Da li je to problem?

Osmehnula sam se pomislivši na svoju mamu, koja me je grdila što uzimam repete, a onda me, kad to ne bih uradila, nutkala da uzmem još. Onda sam se zaustavila. Pami nije *moja* majka.

– Na tvojoj žurki, postrojila je sve za porodičnu fotografiju i tražila od mene da vas slikam. – Gorela sam od želje da mu kažem da je odglumila padanje u nesvest, ali ako grešim, više nikada neće progovoriti sa mnom, a nisam imala čime da potkrepim svoje tvrdnje.

Belo me je pogledao. – Pa?

– Pa, za mene nije bilo mesta na njoj.

– To je samo obična fotografija. – Gledao me je s nevericom. – Bila je gužva, unaokolo se vrzmalo dosta ljudi... Siguran sam da su još neki članovi porodice izostavljeni, ali to nije bilo namerno.

– Ali tražila je od mene da vas fotografišem – rekla sam već se osećajući poraženo.

– Nećeš valjda oko toga da dižeš prašinu? – pitao je. – Čak i ako mama ima poneku manu – a veruj mi, znam da ih ima – zar ne možeš da se izdigneš iznad toga? Da možemo da nastavimo sa životom, a da ti ne dižeš dževu oko svake njene reči ili postupka? I, ne šalim se, Em, ali ispada kao da ti se ona sveti. Pobogu, ima više od šezdeset godina. Šta misliš, šta će da uradi? Da te pojuri i nasmrt prebije kišobranom?

Morala sam da se nasmejem. Bio je u pravu. Zaista sam zvučala jadno nesigurno i nezrelo, a ja nisam takva. Umem da se snađem u svakakvim okolnostima, da se izborim za sebe i uzvratim istom merom. Zar nije tako?

– Dobro, obećavaš da ćeš joj pružiti priliku? – pitao je. – Zbog mene?

Pogledala sam ga i klimnula glavom.

– Adame? – tiho sam rekla. Tada me je pogledao, stvarno pogledao. Osećala sam silinu njegovog pogleda kojim me je streljao. U stomaku mi se okrenulo i obuzela me je vrelina, podsetivši me na prvi put kad smo bili zajedno, kada su mi čula bila toliko preplavljena da sam imala osećaj kako mi duboko u utrobi treperi svaki živac iz gustog spleta. Kroz glavu mi je proleteo milion i jedan scenario, a svaki sledeći protivrečio je onom prethodnom.

Sve mi je to ponovo prolazilo kroz glavu dok me je gledao, samo što sam sada imala osećaj da ću mnogo više izgubiti ako pogrešim. Ovo nisu bili oni bezazleni dani kad iz jedne veze uskačeš u drugu, bez rizika. Ovo je moja budućnost, naša budućnost, i morala sam da budem oprezna.

Uglovi njegovih usana jedva primetno su se izvili, što mi je bio dovoljan znak.

Ustala sam, nagnula se preko stola da ga poljubim i bez reči izašla iz sobe.

Promrmljao je nešto, ali nisam želela da čujem njegove izgovore. Želela sam da vodimo ljubav. *Morala* sam da vodim ljubav s njim.

Dok je stigao do spavaće sobe, bila sam gola, osim crnog čipkanog veša koji mi je kupio u *Ažant provokateru* prošlog Božića. Nisam sigurna da li se osmehnuo ili napravio grimasu dok sam mu prilazila pri svetlosti lampe na noćnom stočiću.

Srce mi je tuklo kao ludo i htelo da iskoči iz grudi, kao da sam neiskusna devojčica koja će prvi put biti s muškarcem. Imala sam osećaj da se krećem na usporenom snimku, da se moje telo priprema da se bori ili beži, spremna da primim udarac koji hita ka meni. No da li ćemo moći da prevaziđemo ovo ako me ponovo odbije. Gotovo da nisam želela da rizikujem, a opet, glas u glavi je istovremeno vrištao da nastavim, da otkrijem da li ćemo biti u stanju da krenemo dalje, da budemo par kakav smo nekada bili.

Polako mi je prišao i dok smo stajali jedno naspram drugog, obuhvatila sam mu lice, a njegove meke čekinje zagolicale su mi dlanove dok sam napeto zurila u njega.

– Da li je sad sve u redu? – prošaputala sam.

Klimnuo je glavom. – Nadam se. Samo ne znam da li...

Stavila sam mu prst na usne. Poljubila sam ga, najpre nežno, ali onda dublje, odgovarajući na njegovo nestrpljenje. Kad smo pali na krevet, osetila sam ga dok sam mu cimala pantalone, očajnički pokušavajući da otkopčam dugmad. Bezbroj misli mi se rojilo u glavi, praveći od ovoga mnogo veći problem nego što bi trebalo da bude. Očajnički sam želela da premostim ogroman jaz koji se stvorio u našoj nekada savršenoj vezi. Znala sam da nije sve u seksu, ali zbog gubitka te bliskosti, na površinu je izbilo mnogo drugih nesigurnosti. Pitala sam se da li sam privlačna, da li mogu da ga napalim, da li se viđa sa nekom drugom. Ovo nije bilo važno samo meni već i njemu, kako bismo oboje znali da će sve biti kako treba.

Znao je pre mene da od toga neće biti ništa.

– Batali – rekao je odgurujući me rukom.

– Samo se opusti – izustila sam, rešena da nastavim.

– Rekao sam da batališ. – Bili smo podjednako frustrirani.

Htela sam da pitam gde grešim, ali to je zvučalo kao nešto što bi rekla glumica u nekom filmu o odrastanju. Morala sam da izgledam samouvereno, iako se tako nisam osećala.

Krenula sam ponovo ka njemu. – Hoćeš da pokušam...

– Jebote, Em! – prasnuo je. – Zar nisam bio dovoljno jasan? Nema ništa od toga.

Raspadala sam se, a slika koju sam imala o sebi kao privlačnoj, zavodljivoj ženi slomila se u paramparčad. Podbacila sam. Ranije je sve bilo jednostavno, bili smo odlično uigrani i oboje smo znali šta i kada da uradimo. Nikada se ni sa kim nisam osećala kao sa Adamom, kao ni on s nekim pre mene, kako je rekao, zašto je onda sve krenulo naopako? Morala sam ovo da ispravim.

Učinila sam poslednji pokušaj i opkoračila ga.

– Gospode! – viknuo je i odgurnuo me pa skočio s kreveta i brzo navukao bokserice. – Zar nisam bio dovoljno jasan?

Uspravila sam se u sedeći položaj, kao skamenjena.

– Samo se opusti... Hoćeš da probam... – oponašao me je. Hodao je tamo-ovamo po sobi.

– Ali treba samo da...

– *Mi* ne treba ništa da uradimo – frknuo je. – To nije tvoj problem, nego moj. Zato prestani da mi govoriš šta *mi* treba da uradimo i šta *mi* treba da probamo.

Odmakla sam se kad me je poprskao pljuvačkom po licu. Nikad ga nisam videla takvog.

Ukočeno sam odmahivala glavom. – Samo pokušavam da pomognem – rekla sam jedva čujno.

– E pa, ne treba mi tvoja pomoć. Treba mi čudo, jebote! – Izleteo je iz sobe i tako snažno zalupio vrata da je greda iskočila iz ležišta.

Sedela sam zanemela. Oči su me pekle i prekorevala sam sebe što sam toliko sebična. Ovde nisam bila važna ja, već on.

Setila sam se kad smo poslednji put, mada samo nakratko, pokušali da budemo prisni, kad je njegova majka bila kod nas. Setila sam se kako je užasnuto ustuknuo kad ga je pozvala po imenu, kao učiteljica koja grdi nestašnog đaka. – Adame! Šta to, pobogu, radiš? – uzviknula je.

Kao da ga je to što nas je uhvatila na delu i ono što je videla fizički povredilo. Možda i jeste, ali čak i sada kad je taj bol sigurno prestao, mentalna blokada je još uvek bila tu, a od toga je bilo mnogo teže oporaviti se.

18.

Nisam očekivala da ću se ponovo čuti sa Džejmsom, ali nedelju dana posle njegovog prvog poziva, javio se da je „samo u prolazu" i pošto sam imala slobodnih pola sata i užasno me kopkalo šta on zapravo hoće, pristala sam da se nađemo na kafi.

Smestili smo se u uglu malog turskog restorančića u Ulici Vilijers. Prozori su bili zamagljeni od pare dok se toplota unutra borila sa oštrom hladnoćom napolju. Malo mi je smetalo što čovek iza šanka urlajući izdaje naređenja. Ko uopšte jede ćevape u sredu u 11 ujutro? Ali to mi je bar odvraćalo pažnju od čudnog osećaja prisnosti koji me je obuzimao u Džejmsovom društvu. Ponavljala sam sebi da će mi on uskoro biti dever i da u tome nema ničeg lošeg, ali nešto nije bilo kako treba. Da li je to mučilo samo mene, ili se i on tako osećao?

– Pa... – počeo je uzevši mi reč iz usta. Činilo mi se da je to jedini način da se započne razgovor čiji je smer samo on mogao da odredi. Mada se sada činilo da ni on sam ne zna kud to vodi.

– Kako je? – pitao je.

– Sve je dobro, da, sve je stvarno dobro – brzo sam rekla. – Kod tebe? Još uvek si sa Kloi? Dobro vam ide? – Nisam imala pojma zašto sam pomenula njegovu devojku, ženu koju nikad nisam upoznala, pre nego što sam ga pitala o poslu. Ili zašto sam toliko puta upotrebila reč „dobro". Opuštenost koju sam uvek osećala u Džejmsovom društvu zamenila je neprijatna napetost, a naše uobičajeno zadirkivanje sada je kočilo razgovor.

– Kako kad – rekao je – ali još je rano.

– Koliko ste dugo zajedno? – pitala sam najnehajnije što sam mogla.

– Ma, tek četiri-pet meseci, tako da se nikad ne zna. – Podigao je obrve i nasmejao se. – Znaš mene. Nemam baš iskustva sa dugim vezama.

Smeteno sam se osmehnula. Zapravo, nisam znala kakav je, tako da je zbog njegove opaske ispalo kao da smo prisniji nego što zapravo jesmo.

Izvukao je ruku iz tamnoplavog vunenog kaputa, udarivši laktom o izguljenu lajsnu koja se pružala duž tesnog ugla u kome smo sedeli. Jauknuo je, a ja sam se nasmejala dok je odvezivao žutomrk šal oko vrata otkrivši elegantnu plavu košulju sa prepoznatljivim simbolom polo igrača na konju na gornjem džepu. I Adam je voleo marku izvesnog gospodina Lorena, ali dok su njegove košulje, zbog njegovih širokih ramena i nadlaktica oblikovanih u teretani, pucale na šavovima, Džejmsu je ova bila komotnija, a kragna mu je stajala baš kako treba.

– Kako posao? Imaš puno obaveza? – pitala sam.

Klimnuo je glavom i popio gutljaj kapučina. Od bele pene su mu ostali brkovi iznad gornje usne. Nasmejala sam se i pokazala iznad svojih usana. Malčice je porumeneo.

– Da, posao cveta. Morao sam da zaposlim dva radnika. Došao sam u grad zbog još jednog sastanka i nadam se da ću pogoditi posao s jednom firmom.

– Divno! – rekla sam brzo smišljajući šta bih još pitala.

– Jedan izvođač traži neku lokalnu firmu koja će održavati zelene površine u novom stambenom naselju gore kod Noul parka.

Klimnula sam glavom. Čula sam Pami kako pominje Noul park, ali ne sećam se da sam ikad bila tamo, ili gde se tačno nalazi.

– Moram da im izložim plan u sedištu kompanije u Justonu, ali malčice sam poranio pa sam pomislio da vidim gde si. Ne smeta ti?

– Taman posla. Ispalo je dobro jer imam sastanak u Oldgejtu. Žao mi je samo što nisam mogla da se izvučem kad si prošli put zvao. Često sam ovde, stalno zujim tamo-ovamo.

– Bez brige, samo mi je palo na pamet da vidim šta radiš. Znam koliko imaš obaveza. Ipak, sada si došla.

Pogledala sam ga i osmehnula se.

– Kako ti je majka? – Bolelo me je uvo kako je, ali sam pomislila da je red da pitam.

– Dobro je. Rekla je da ste se lepo proveli u Loh Fajnu.

Kao da me je neko udario u grudi. – Tako je rekla? – pitala sam u neverici. – Stvarno?

– Baš tako. – Nasmejao se. – Zašto? Nešto se desilo?

– Bilo je malo napeto...

– U kom smislu? – pitao je, očigledno zbunjen.

– Došlo je do... manjih nesuglasica.

Čekao je da nastavim.

– Previše sam popila, tvoja mama je rekla nešto što mi se nije dopalo i, sramota me je da kažem, ja sam joj uzvratila.

– Uh! – Nasmejao se.

Osmehnula sam se. – Baš tako!

– Kako se završilo? Da li ste se pomirile? – Rekao je to kao da smo devojčice koje su se posvađale oko igračke.

Namrštila sam se. – Nadam se da jesmo, mada ne znam šta *ona* misli. Kad razmislim, verovatno je samo htela da bude fina, ali ja sam je grubo otkačila.

– Meni ništa nije pominjala – rekao je. – Mama ponekad kaže nešto pogrešno u pogrešnom trenutku, ali kad je bolje upoznaš, naučićeš da to ne primiš k srcu.

Ne znam zašto, uvredilo me je što on misli da je do sada nisam dovoljno upoznala, ali morala sam da podsetim sebe da je prošlo samo šest meseci. Koliko dobro možeš da upoznaš nekog za tako kratko vreme?

– Nadam se – iskreno sam rekla.

– Veruj mi – rekao je stavljajući ruku preko moje i zagledavši se u mene.

Kad me je dodirnuo, kao da me je drmnula struja. Nagonski sam htela da povučem ruku, ali nisam želela da mu bude neprijatno.

– Izvini, trebalo bi da proverim telefon – rekla sam malo povišenijim tonom nego obično. Nadala sam se da nije primetio koliko sam nervozna.

Posegla sam za telefonom u torbi.

– Kako ide sa Adamom? – pitao je, a ja sam stala kao ukopana.

Pogledala sam ga, a njegove tamnoplave oči zurile su u mene. Iznenada me je ispunila neizdrživa želja da zaplačem. Posramljena, uzela sam salvetu iz držača na stolu i obrisala oči.

– Jesi li dobro, Em? – pitao je zabrinuto.

Kad mi obratio tako, kao stari prijatelj, bilo mi je još teže da zadržim potop. Progutala sam knedlu.

Pružio je ruku preko stola, sklonio mi ruku s lica i zadržao je.

– Hoćeš da mi kažeš šta se događa?

Mogla sam. Mnogo sam to želela. Ali zar bi to bilo pošteno? Odmahnula sam glavom.

– Moram da idem – rekla sam, najednom očajnički želeći da pobegnem. Odgurnula sam stolicu od stola, ali on me je i dalje držao za ruku, ne odvajajući pogled od mene.

– Na mene uvek možeš da računaš, Em – rekao je. I dok sam gledala u njegove oči, verovala sam mu.

Čula sam kako mi srce bubnji u ušima, poput doboša. Od iznenadnog pritiska imala sam osećaj da sam pod vodom i davim se u sopstvenim mislima.

Zgrabila sam tašnu sa naslona stolice i odmakla se. – Moram da idem – rekla sam, a onda se okrenula kao ošamućena i počela da se probijam kroz tesni restorančić sa osam stolova, u koji verovatno staje samo četiri. Sudarala sam se sa ljudima i obarala šolje dok sam prolazila, prosipajući čaj. Kad sam stigla do vrata, čula sam nekog kako dovikuje: – Ej, pazi kuda ideš!

Dok sam žurila uz uspon ka Strandu, misli su mi preplavile Džejmsove reči. *Na mene uvek možeš da računaš.* Želela sam da potrčim. Morala sam da pobegnem što dalje odatle, jer je postojala ozbiljna opasnost da mu se odmah vratim.

19.

– Dođavola, šta...? – rekao je Seb.

Morala sam da kažem nekom – nekom ko me neće osuđivati – i mada sam znala da mogu da se poverim Pipi, nismo se toliko često viđale otkako sam se iselila, tako da je odluka pala na Seba.

– I tek tako si otišla?

– Molim te, moraš da mi pomogneš – preklinjala sam ga. – Moraš da mi pomogneš da shvatim šta se dešava.

Smirila sam se tokom dvadeset četiri sata otkako sam se videla sa Džejmsom, ali misli su mi bile zbrkanije nego ikada. Šta se tamo dogodilo? Zašto me to toliko pogađa? Bila sam sigurna da ono što je rekao nije ništa značilo, ali ipak nisam mogla da se oslobodim nemira koji me je ispunio. Ne toliko zbog onoga što je rečeno koliko zbog onoga što je ostalo neizrečeno.

– Hoću da kažem, misliš da ti se nabacivao? Mislim, ozbiljno? – upitao je Seb.

– Da! Ne... Ne znam. – Prostenjala sam i naslonila glavu na sofu. – Samo, u tom trenutku sam zaista imala osećaj da bih mogla svašta da uradim. Želela sam da pričam s njim, da ga poljubim, da pobegnem s njim...

– Ovo poslednje ne bi bilo baš pametno, ali s poljupcem bi se verovatno izvukla!

– Nimalo mi ne olakšavaš – rekla sam, šljepivši ga po ruci. – Ovo je ozbiljno. Šta da radim?

– Dobro – rekao je iznenada se uozbiljivši. – Šta želiš? Hajde da razmotrimo mogućnosti. Evo kako ja na to gledam: voliš Adama više od svega?

Klimnula sam glavom.

– Ali misliš da je njegov brat seksi?

– Sebe!

– Izvini, dobro, da pokušam ponovo. *Ne* misliš da je njegov brat seksi?

Lice mi je ostalo bezizrazno.

– Uuu, dobro, znači, ipak misliš da jeste? Samo malčice? Jesam li blizu?

– Ne, ne znam. Samo je toliko drugačiji od Adama. Ume da me sasluša i posavetuje, ne misli da sam paranoična u vezi s Pami. Mislim da me zaista razume i među nama postoji uzajamno poštovanje.

– I pravi je macan?

Gađala sam ga jastukom. – Da, uz to je i pravi macan!

– Znao sam! – rekao je Seb.

– Ali nije samo to. Pored njega se osećam poštovano u svakom pogledu. Stvarno, Sebe, ti znaš kakva sam, ne bi videla kamion desetotonac dok me ne pregazi, ali videla sam to u njegovim očima. Znam da bi uradio sve da mi pomogne i zato se osećam željeno. U ovom trenutku, za mene je opasno da tako razmišljam.

– Znači, ovo sa Adamom se nije nimalo popravilo? – upitao je Seb, sada ozbiljan.

Odmahnula sam glavom. – Ne. – Osetila sam pečenje duboko u grlu. – Džejms me je samo uhvatio u trenutku kada sam bila potištena a ja sam kao neka jadnica bila polaskana njegovom pažnjom. Da se dogodilo u bilo kom drugom trenutku, samo bih odmahnula rukom i zaboravila na to. – Nisam znala koga ubeđujem: sebe ili Seba.

– Dobro, dakle, imamo čoveka kojeg voliš, ali nemaš seks s njim, i čoveka kojeg ne voliš, ali bi ubila nekog samo da se kresnete?

– E baš ti hvala, Šerloče, lepo si ti to sve izložio. Ali ne radi se samo o seksu, u pitanju je nešto više od toga.

– Znači, ni na trenutak nisi zamišljala kako spavaš sa Džejmsom? – pitao je Seb netremice me gledajući.

Žustro sam odmahnula glavom, osećajući kako mi obrazi gore.

– Užasno loše lažeš! – Nasmejao se.

– Ali to je zaista pogrešno, zar ne? Mislim, ima nečeg ozbiljno, užasno pogrešnog u tome.

– Jeste ako uradiš nešto konkretno, ali zasad je sve zaključano u ljupkoj sobici za maštarenje na koju svako od nas ima pravo i u koju volimo da zavirimo, ali nikad ne uđemo. U tome je razlika.

– Dobro, šta da kažem Adamu? Da li da mu kažem da sam se videla sa Džejmsom?

– Već dovoljno patiš zbog te porodice, zato ti najiskrenije savetujem da ne otežavaš sebi. Mislim da je trebalo da kažeš Adamu da ste se videli, ali da si htela, rekla bi mu sinoć. A ti to nisi uradila?

Odmahnula sam glavom. Razmišljala sam o tome celu noć. Kao na iglama, premotavala sam to iznova i iznova i svaki put dolazila do drugačijeg zaključka. Razmišljala sam da mu kažem da je Džejmsu trebao savet u vezi sa zapošljavanjem radnika, ali to bi vodilo u još jednu laž a onda bi se sve brzo razotkrilo.

Na oči su mi navirale vrele suze. – Kakva užasna zbrka!

Seb mi se primakao na sofi i zagrlio me. – Hajde, nemoj da se uzrujavaš. Trebalo bi da budeš srećna što se dva muškarca bore za tebe. Ja ne mogu da nabavim ni jednog jedinog koji bi se makar sa samim sobom borio!

Škrto sam se nasmejala.

– Znači, misliš da ispravno postupam? Da ne radim ništa loše?

– Kao što sam rekao, ne bi trebalo da te grize savest zato što maštaš, samo pazi da to ne sprovedeš u delo.

Šmrknula sam. – Ne bih to nikad uradila.

Zašto sam onda pristala da se nakon posla nađem sa Džejmsom na piću kada je nedelju dana kasnije ponovo pozvao?

Sve što mogu da kažem jeste: *Ne znam.* To nije dovoljno dobar odgovor, ali je jedini koji imam.

Nisam prestajala da razmišljam o tome kako sam se pored njega osećala i naivno sam verovala da ću, ako ga ponovo vidim, moći da trezveno razmislim i stavim tačku na to. Baš sam glupa. Trebalo bi da znam da u životu ne ide tako. Zašto sam onda spremna da stavim sebe u nezgodan položaj, kao da želim da dokažem kako imam kontrolu, da mogu s tim da se izborim, kad u dubini duše znam da se sve oko mene ruši.

Mogla bih da okrivim Adama. Mogla bih da kažem da se više ne osećam privlačnom ili željenom; da je moj budući muž kriv što se osećam nevoljenom. Mogla bih da kažem da me nije razumeo ili podržavao.

I možda je sve to bilo istina, ali ništa od toga nije opravdavalo moje neverstvo.

– Neću da spavam s njim – uveravala sam Seba, kada sam pozvala da mu kažem da moram još jedan poslednji put da se vidim sa Džejmsom – da završim s tom pričom.

– Koga ubeđuješ? Mene ili sebe? – Kiselo se nasmejao. – Jer moram da kažem da te u ovom slučaju ne podržavam. Idi i nahrani svoj ego, ako ti to treba, ali igraš opasnu igru i moraš biti svesna posledica. Ako Adam sazna za ovo, čak i ako između tebe i Džejmsa ne bude ničega, bićeš u velikoj nevolji.

– Znam šta radim. – Teško sam uzdahnula.

– Radi šta hoćeš, ali nemoj posle da mi kukaš ako ispadne neko sranje.

Kad sam to čula, osetila sam probadanje u grudima. Seb je uvek bio iskren i kad mi je bez uvijanja rekao na čemu sam, shvatila sam koliko je ovo opasno.

– Pozovi me kad se ponovo urazumiš – rekao je i prekinuo vezu.

Potajno sam se nadala da će Džejms da otkaže sastanak. Onda bi bilo mnogo lakše. Podvukli bismo crtu ispod ovog, šta god to bilo. Ali nije otkazao. Tako sam, sa leptirićima u stomaku, ušla u *Ameriken bar* u *Savoju*. Gledali smo se pravo u oči dok sam išla ka njemu.

– Drago mi je što te vidim – rekao je, uhvativši me za ramena i poljubivši me u oba obraza. – Izgledaš neverovatno. – Ta reč mi je odzvanjala u glavi. *Neverovatno*. Budući dever ne bi trebalo da ti upućuje takvu reč. *Divno*, da. *Dobro*, da. Čak i *sjajno*. Ali *neverovatno*? Ni slučajno. Srce mi je zalupalo pri pomisli da nisam umislila kako me je gledao u kafiću, kao ni osećanja koja su se krila iza njegovih reči.

– Šta ćeš da popiješ? – pitao je podižući ruku da pozove barmena.

– Čašu proseka, hvala.

– Dve čaše šampanjca, molim – rekao je čoveku u belom sakou iza šanka.

– Šta slavimo? – pitala sam.

– Pred tobom je zvanični baštovan Lensdaun Plejsa u Noul parku.

– Fenomenalno – uzviknula sam, nagonski ga privukavši k sebi da ga zagrlim i čestitam mu. – Dobio si posao.

Lica su nam se na trenutak sudarila pa nismo bili sigurni da li je to samo zagrljaj, poljubac ili i jedno i drugo. Smeteno smo se razdvojili, ali varnice su već sevnule.

– Da li Adam zna da si ovde? – pitao je Džejms, ne gledajući me u oči.

– Ne – iskreno sam odgovorila. – Nisam mu rekla.

Nakrivio je glavu pa mu je kosa poletela na stranu. – Zašto?

– Ne znam.

– Nisam hteo da ti pravim probleme – tiho je rekao.

Kad bi samo prestao da me tako gleda. Da mi se ne očeše o nogu svaki put kad se pomeri.

– Taman posla. Ispalo je kao poručeno. Bila sam tu iza ugla na sastanku, a pošto je podzemna u štrajku, što ne bih malo sačekala pre nego što krenem kući? – To je bila živa istina. Bio je to običan dan, kao svaki drugi. Ono što on nije morao da zna jeste da sam ceo dan provela pokušavajući da ubedim sebe kako su mini-suknja *frenč konekšn* i svilena bluza ono što obično nosim na posao, iako sam više od mesec dana nosila samo farmerke.

– Jesi poludela? – pitao je Adam, vezujući kravatu u debeli čvor dok me je tog jutra gledao kako se oblačim. – Danas će biti ledeno.

Promrmljala sam da znam.

– Još i podzemna štrajkuje, boga pitaj gde ćemo da zaglavimo. Danas bolje obuj čizme umesto tih cipela s visokom potpeticom.

– Dobro mi je ovako – rekla sam – prestani da zvocaš. – Ali osetila sam kako me izjeda savest.

Barmen je stavio pred mene čašu šampanjca, spustivši njenu visoku nožicu na dvoslojni podmetač.

– Živeli – nazdravio je Džejms podižući čašu. – Stvarno mi je drago što te vidim.

Gledali smo se u oči dok smo pili prvi gutljaj. Ja sam prva odvratila pogled.

– Pa, kako si? – upitao je spuštajući čašu na šank.

– Pa, dobro – bezbrižno sam rekla. – Zaista dobro.

– Čudno... Tvoje oči mi govore drugačije.

Trepnula sam i odvratila pogled.

– Hoćeš da pričaš o tome? – pitao je.

– Zamršeno je – rekla sam. – Rešićemo to.

– Jesi li srećna?

Kakvo teško pitanje. Jesam li? Zaista nisam znala.

– Nisam *nesrećna* – bilo je sve što sam mogla da odgovorim.

– Zar ne misliš da zaslužuješ više od toga? Zar ne bi neko drugi mogao stvarno da te usreći?

Imala sam osećaj da mi je vazduh isisan iz grudi. Iz svake pore izbijala je vrelina. Nisam mogla da progovorim jer sam imala osećaj da su mi usta puna stiropora.

Pogledao me je, a njegove oči očajnički su u mojima tražile odgovor.

– Džejmse, ja... – bilo je sve što sam uspela da izgovorim.

Uhvatio me je za ruku. Kroz mene je prostrujao elektricitet i bukvalno sam se naježila.

Pred očima su mi prolazile slike kao na starom filmu, gde slika preskače pa deluje kao da je iseckan. Zamislila sam kako odlazimo u sobu na spratu. Ljubimo se u liftu, jedva uspevajući da se uzdržimo dok se vrata zatvaraju. Nestrpljivo idemo kroz zastrti hodnik, izuvamo se i na kvaku kačimo znak *Ne uznemiravaj*.

Ignorisali bismo bocu rashlađenog šampanjca na toaletnom stočiću a ja bih zamišljala nepoznate ljude kako žure prometnom ulicom ispred hotela, nesvesni prevare i izdaje koje se odvijaju samo nekoliko metara odatle.

Obavila bih noge oko njega dok me pritiska uza zid, a naši poljupci bi bili sve strastveniji dok nas je obuzimala sve veća strast. Grčevito bismo se dodirivali, skidajući odeću, dok me on nosi do kreveta. Utonuli bismo u raskošne bele čaršave, a on bi me sve vreme gledao u oči dok...

Dosta!

Zaustavila sam mozak da ne brza dalje, znajući da bismo na kraju samo ležali tamo i kajali se zbog onoga što smo uradili, želeći da to ispravimo.

– Izvini, nije trebalo... – rekao je, puštajući moju ruku.

Želela sam da me ponovo dodirne kako bih još jednom osetila tu strelu kako prolazi kroz mene.

– Volim Adama – rekla sam. – Venčaćemo se. Imamo problema, ali rešićemo ih.

– Zaslužuješ bolje – rekao je. – Adam...

– Nemoj – rekla sam, prekinuvši ga. – Ovo nije u redu.

Ustala sam sa stolice. – Žao mi je, Džejmse. Jednostavno ne mogu. Ovo je užasno pogrešno.

Pomislila sam koliko sam pažljivo jutros birala donji veš. Na šta sam, dođavola, mislila? Da li sam zaista htela da odem toliko daleko?

– Moram da idem – rekla sam, dohvatila kaput i prebacila ga preko ruke. – Stvarno mi je žao.

Kad sam otvorila obrtna vrata ka ulici, zapahnuo me je hladan vazduh, a vetar koji je šibao s Temze glasno je fijukao.

– Želim vam ugodno veče – rekao je vratar, osmehujući se i pozdravljajući me dotakavši kapu.

Nisam znala kuda da idem. Pomislila sam da pozovem Seba, da vidim da li je još uvek u gradu, ali samo što sam otkucala njegovo ime na telefonu, najednom sam poželela da se vratim kući i vidim Adama. Morala sam da znam da on ništa ne sumnja. Sebično od mene, ali u stomaku mi se sve vreme okretalo pri pomisli da on nešto zna. Šta bi rekao na ovo? Kad bi znao da sam došla ovamo da se vidim s njegovim bratom, sa samo nagoveštajem namere. Zar nije namera gotovo jednako loša kao i otići do kraja?

Zavaravala sam sebe da su suze koje su mi se slivale niz lice zbog vetra s kojim sam se borila, a ne zbog stida zbog onoga što sam mogla da uradim. Ali glava nije glupa i dok sam stigla do Čering Krosa, jedva sam uspevala da ubedim sebe da nisam ništa uradila. Osećala sam se poniženom, iako mi je telo govorilo da ne bi trebalo tako da se osećam.

Ugurala sam se u voz u 19.42. Zbog štrajka podzemne železnice napravila se tolika gužva da je voz podsećao na onaj što ide u 18.02. Putnici su bili napakovani kao sardine. Pridržavali su me da stojim uspravno debeli ćelavi čovek iza mene, koji mi je disao toliko blizu uha da je mogao da ga lizne, i mlada žena od dvadesetak godina ispred mene, koja je razmišljala dovoljno unapred i izvadila telefon da bude spreman za slanje poruka pre nego što je ušla u voz. Tako zarobljena s rukama pribijenim uz telo, nikako nisam mogla da javim Adamu da sam krenula.

Po leđima su mi izbijale graške znoja, posle jurnjave da stignem na voz. Zamišljala sam kako mi duž kičme tanka pruga znoja natapa smaragdnozelenu bluzu od svile, pomešana s vrelinom ostalih tela pribijenih uz mene. Oni najbliži prozorima, koji su imali taj luksuz da poslednjih deset minuta sede na svojim mestima i čekaju da voz krene, pružali su ruke da ih zatvore dok smo prelazili reku. Uvlačili su glavu dublje u vunene šalove, dok sam se ja borila sa nesnosnom vrelinom koja me je obavijala.

Malo sam se pomerila, odmakavši se od čoveka iza sebe. Nešto je progunđao, dok mi je okruglim stomakom pritiskao leđa. Pitala sam se da li na meni može da oseti prevaru.

Adam je bio u kuhinji. Dok sam ulazila i kačila kaput na kuku pored vrata, zapahnuo me je miris prženog crnog i belog luka.

– Hej, ti si?

Po njegovom glasu znala sam da je sve u redu i pritisak koji sam osećala u grudima počeo je da popušta. Iako sam želela, nisam znala da li ću biti iskrena prema njemu.

– Koga si drugog očekivao? – Nasmejala sam se.

– Brzo si stigla – rekao je ljubeći me, držeći varjaču u ruci. – Pre nekoliko sati je bio haos.

– Dobro sam procenila. Zato sam odlučila da malo sačekam. Da završim neki posao. – I tako sam ponovo, bez razmišljanja, odlučila da slažem.

– Uzmi pribor za jelo i sipaj nam vino. Biće gotovo za deset minuta.

– Hoću – odgovorila sam – samo da se presvučem.

Ušla sam u kupatilo, otkopčavala bluzu i izvukla se iz suknje. Želela sam da se istuširam i sperem prljavštinu, stvarnu i umišljenu, sa sebe. Voda je bila toplija nego što mi je prijalo, ali je otupela i opustila nerve. Još uvek žmureći, posegla sam za peškirom, ali sam se trgla kad me je neko uhvatio za ruku.

– Gospode! – ciknula sam, a srce mi je stalo.

Adam se nasmejao. – Izvini, nisam hteo da te uplašim. Pomislio sam da će ti ovo prijati dok si tu. – Jednom rukom mi je pružio peškir, a drugom čašu crnog vina. Osmehnula sam se i zahvalno otpila, osetivši kako mi njegova toplina preplavljuje grudi.

Sedeo je na ivici kade i posmatrao me kako se brišem, lutajući pogledom po mom nagom telu. – Ti si stvarno nešto posebno – rekao je ustajući i prilazeći mi. – Skloni to. Daj da te vidim.

Osmehnula sam se i polako raširila peškir.

Popio je gutljaj mog vina, a onda uronio prst u čašu i primakao ga mojim ustima. Očešao mi je usne, dok mi se vino koje sam sisala s njegovog prsta topilo na jeziku. Osećala sam pulsiranje u preponama dok me je gledao netremice.

Podelili smo ostatak vina. Dok mi je Adam dodavao čašu, malo se prosulo i slilo mi se niz bradu na grudi. Sagnuo je glavu i počeo polako da ih liže. Izvila sam se kad se uspravio i dotakao mi usta, prelazeći mi prstima niz kičmu, od čega su me proželi žmarci. I protiv volje sam zadrhtala.

Podigao me je, a ja sam čvrsto obavila noge oko njega dok me je nosio u spavaću sobu i spuštao na krevet.

– Bože, kako te volim – rekao je.

Zaplakala sam kad je ušao u mene. Bile su to vrele suze olakšanja i žudnje, ali najviše krivice. Kako sam mogla da rizikujem da izgubim ovako nešto?

20.

– Pričaj mi o Rebeki – rekla sam kasnije, poneta našom ponovo uspostavljenom bliskošću.

– Šta želiš da znaš?

– Želim da znam kakva je bila, šta si osećao prema njoj i šta se dogodilo između vas.

Naslonio se na uzglavlje, mršteći se.

– To je bilo davno, Em.

– Znam, ali mnogo ti je značila – kao što je Tom značio meni.

Podigao je obrve i upitno me pogledao.

– Ma hajde, odrasli smo ljudi. – Nasmejala sam se. – Nemoj sada da budeš ljubomoran.

– Da li još uvek misliš na njega? – pitao je.

– Ponekad, ali ne zato što želim da budem s njim. Samo se zapitam šta radi. Da li je još uvek sa Šarlot? Da li je njihova prevara bila vredna toga? Da li nekad pomisle na mene?

Klimnuo je glavom, ozbiljan. – Upoznao sam Rebeku kad mi je bilo dvadeset godina. Preko prijatelja na žurki.

– U Sevenouksu? – upitala sam.

– Da, ali ona je bila iz susednog mesta, iz Bresteda. U svakom slučaju, jednostavno smo kliknuli. Nijedno od nas nije pre toga bilo u ozbiljnoj vezi, tako da je to bilo nešto posebno. Bili smo mladi, mislili samo da smo zaljubljeni i sve ostalo je bilo nevažno.

– Kako je krenulo naopako? – pitala sam, ne mogavši da shvatim kako je jedna tako snažna veza mogla da svene i ugasi se.

Uzdahnuo je. – Bili smo do ušiju zaljubljeni. S pravom ili ne, zapostavili smo prijatelje, pa čak i članove porodice, koji su nam prebacivali da provodimo previše vremena zajedno. Nismo ih slušali. Zaista smo mislili da ćemo zauvek biti zajedno i da će svi ostali morati to da prihvate. Ako smo se mi pitali, drugačije nije moglo da bude.

– Ne razumem. Šta se promenilo?

– Bili smo zajedno pet godina. Meni je dobro išlo u banci, a ona je završila Pedagoški i zaposlila se u vrtiću, blizu mesta gde je živela. Unajmili smo stan u Vestramu. Bilo je to naše porodično gnezdo i taman smo se spremali da se uselimo. – Glas mu je zadrhtao.

– Pričaj mi – nežno sam ga podsticala. – Šta se dogodilo?

– Bila je veoma uzbuđena i uzela je nekoliko slobodnih dana da sredi stan. Ja sam se vraćao s posla kad je mama pozvala da kaže da se nešto dogodilo.

– Šta? Šta se dogodilo? – navaljivala sam.

– Nije imalo smisla, jer sam pozvao baš pre nego što sam izašao iz kancelarije da joj kažem da sam krenuo i zvučala je srećno. Rekla mi je da požurim jer je spremila čili.

Oči su mu se napunile suzama. Nisam nikad videla Adama da plače pa nisam znala da li da budem tužna ili ogorčena što je to zbog neke druge, a ne zbog mene.

– Trčao sam od stanice, ali dok sam stigao, bilo je kasno. Hitna pomoć je već bila tamo, ali bolničari nisu mogli ništa da urade.

Uzdahnula sam i ruka mi je poletela ka ustima.

– Bila je mrtva. – Sada je glasno, snažno jecao, duboko iz stomaka. Prišla sam da ga zagrlim.

Nisam znala da li da ga dalje pritiskam, ali bilo bi čudno da ne saznam kako i zašto se to dogodilo.

– Šta se dogodilo? – pitala sam.

– Još od detinjstva je bolovala od astme, ali držala je to pod kontrolom. Živela je normalno, išla na žurke, u teretanu – sve dok je imala inhalator, uspevala je da se izbori s tim. Iako smo o tome uvek morali da brinemo, ni u čemu nas nije sputavalo. Bila je zdrava i srećna.

– Zašto onda nije upotrebila inhalator?

Gorko se nasmejao, ali znala sam da se nije smejao meni. – E to je pravo pitanje. Nikad nikud nije išla bez njega, ali mislimo da ga je u svem onom uzbuđenju oko selidbe jednostavno zaboravila.

– Mislite?

– Ja i njeni roditelji. Ostavila je jedan kod njih, ali uvek je imala nekoliko, da joj budu pri ruci ako zatreba. Našao sam jedan u fioci u kuhinji, ali bio je istrošen. Mora da ga je smetnula s uma, ili zaboravila gde su ostali i koje treba dopuniti.

– Mnogo mi je žao – prošaputala sam. – Zašto mi ovo nisi ranije ispričao? Mogla sam da ti pomognem. Da se ne osećaš usamljeno u svom bolu.

– Dobro sam. – Šmrknuo je. – Mama je uvek bila uz mene. Ona ju je našla i pozvala hitnu pomoć. Bilo joj je teško jer je obožavala Beki koliko i ja.

Kad sam to čula, osetila sam žaoku u grudima. Iznenada je počeo da je zove „Beki", a između nje, Adama i Pami postojala je veza u kojoj za mene nema mesta i koja nikad neće moći da se prekine. Kao da je posredi takmičenje u kome nikada neću moći da učestvujem. Prekorila sam sebe što sam toliko sebična.

Trebalo bi na ovo da gledam kao na korak napred, koji će pomoći da nađem odgovore u zamršenoj dihotomiji porodice Benks. Svakako je umnogome objasnilo zašto se Pami onako ponašala prema meni pa sam se raznežila pri pomisli da je to bilo više zbog tuge za Rebekom nego iz mržnje prema meni. To sam mogla da razumem: to sam mogla prihvatim i upotrebim u njenu odbranu.

Adam se pomerio ispod mene, podigao se i seo na ivicu kreveta. Šmrknuo je i nadlanicom obrisao oči.

Iako nije bilo važno, nisam mogla da odolim. – Da li bi i sada bio s njom da se to nije dogodilo?

Frknuo je, odmahnuo glavom i ustao. – Neverovatna si – rekao je i uzeo majicu i šorts s kraja kreveta.

– Samo pitam.

– Šta želiš da ti kažem? – rekao je povisivši glas. – Da nije tako tragično umrla, da bismo još uvek bili zajedno? Da li bi ti onda bilo lakše? Da li bi se bolje osećala kad bi to znala?

Odmahnula sam glavom, najednom postiđena.

– Ne postavljaj glupa pitanja ako ne želiš da čuješ odgovore.

Nisam mislila ništa loše, ali sam razumela kako je ispalo. Mislila sam da će, sad pošto smo konačno mogli da vodimo ljubav, Adam biti srećniji i manje napet, ali i dalje sam imala osećaj da mu tik ispod površine sve vreme ključa bes, usmeren ka meni.

– Idem da završim večeru – rekao je.

21.

Ne znam kako se mama uključila u organizaciju moje devojačke večeri. Zvanično sam predala štafetnu palicu svojoj glavnoj i jedinoj deveruši Pipi, ali onda je Seb morao da iznese svoje mišljenje, za njim i mama, te smo se odjednom svi našli na minskom polju.

Pipa je gunđala zbog Sebove potrebe da sve drži pod kontrolom, mama je kukala da joj Pipa ne govori sve, a ja sam bila samo uhvaćena u zamku i nisam znala gde udaram.

Jedini uslovi koje sam im postavila bili su: bez stripera, bez identičnih majica i bez lutki na naduvavanje. – Manje je više – blago sam ih ohrabrivala, nadajući se malo otmenijoj proslavi od one koju je imala Lora, moja snaja. Odveli su je u Blekpul za vikend, imala je sve gorenavedeno, ali se srećom ničeg nije sećala. Ipak, na venčanju nas je bilo bar šestoro koji nismo popili dovoljno alkohola da izbrišemo sećanje na nju kako klizi gore-dole uz šipku i kako joj striper pleše u krilu.

Naravno, četvorodnevna terevenka koju su Stjuart i dvanaestorica njegovih prijatelja organizovali u Magalufu prošla je bez ijednog izgreda. Oni su se, izgleda, opredelili za partije golfa, rane večere i mirne noći provedene u sobi. U tome je osnovna razlika između njih i nas: muškarci, kad nešto rade, rade to u tišini i nastave kao da se ništa nije dogodilo. „Šta se desi na terenu, ostaje na terenu", mantra je koje bi svi trebalo da se pridržavamo, a mogle bismo i mi žene tako, kad nas posle dve boce proseka ne bi uhvatila nostalgija i ne bismo odlučile da sve to snimimo za buduća pokolenja, da pokažemo svojoj deci kako smo nekad bile lude.

– Stvarno mi nije važno – rekla sam mami kad je pozvala da pita da li bih želela da otputujemo u inostranstvo ili da proslavimo u Britaniji. – Mislim da Pipa već radi na tome.

– Pa, radi – rekla je – ali ne olakšava baš ljudima koji nemaju para da se švrćkaju po celom svetu. Predlaže neku jogu na Islandu, ili čak u Las Vegasu. Neki ljudi jednostavno nemaju toliko novca, Emili. – Nema ga ni Pipa, ali nju tata izdržava.

– Znam, mama. Ne želim ni ja ništa previše ekstravagantno. Osim toga, Adam i njegovi ortaci idu u Vegas, tako da je to isključeno. – Nasmejala sam se, ali ona je samo coknula. – Slušaj, Pipa zna šta radi i sigurna sam da će misliti na svakoga.

– Pami želi da ide u Jezersku oblast – ogorčeno je rekla mama. Osetila sam ubod u grudima.

– Pami? Kakve veze ona ima s tim? – pitala sam. Nadala sam se da ću time što ću za to zadužiti Pipu biti oslobođena svake odgovornosti za to ko je pozvan a ko ne. Tako, ako Tes, moja prilično dosadna koleginica s posla, ne uđe na spisak, za to neću biti kriva ja – a nisam mogla da zamislim zašto bi Pami bila na spisku.

– Zvala je juče da pita kakvi su planovi – rekla je mama. – Htela je da ti priredi neko malo okupljanje, ako se ništa drugo ne organizuje.

Znači, Pipa je *nije* pozvala, već je moja majka umešala prste. Prostenjala sam.

– Šta si joj rekla? – upitala sam, tobože veselo. Nisam rekla mami za svoje sukobe sa Pami jer nisam htela da brine. Osim toga, nisam htela da između njih stvaram nepotrebnu napetost. Ja ću na našem venčanju biti dovoljno nervozna za sve. Želela sam samo da moja porodica, posebno mama, uživa i ne brine o tome šta se dešava iza kulisa. Pami je bila *moja* briga i ja ću se pozabaviti njome.

– Rekla sam joj da tvoja prijateljica ispituje teren – odgovorila je braneći se. – Šta sam mogla da kažem? Slušaj, više ne znam šta kome smem da kažem. Malo sam se pogubila.

– Ne, u redu je, mama. Možeš da kažeš šta god hoćeš. Jedino meni ne treba da otkrivaš previše jer bi to trebalo da bude iznenađenje.

– Da, znam, dušo. To će ostati samo između mene, Pipe, Seba i Pami.

Prekinula sam vezu i razmišljala da pozovem Pipu ili Seba, samo da proverim kako idu pripreme, ali obuzdala sam svoju potrebu da sve držim pod kontrolom i pustila ih da rade svoj posao.

Bilo je još potajnih nesuglasica, sve do dana kada sam krenula na svoje tajanstveno putovanje. Pokušala sam da ih ignorišem, ali sitničarenje je počelo da mi smeta. – Tvoja mama kaže da ne bi trebalo da pozovem jednu osobu – vajkala se Pipa. – Mislim da bi tvoja rođaka Šeli trebalo da pođe, ali Seb kaže da Pipa misli da ti se to neće svideti – ogorčeno je rekla mama. Do trenutka kad sam noć uoči polaska u šest ujutro otišla u krevet, proklinjala sam dan kad sam uopšte pristala na prokleto devojačko veče.

– Buđenje, spavalice – prošaputao je Adam dok me je ljubio. – Osvanuo je dan da se još malo istutnjimo pre nego što se venčamo.

Sanjivo sam ga ćušnula. – Bolje nemoj – zapretila sam, okrenula se i navukla jorgan preko glave.

– Hajde. – Nasmejao se. – Dolaze po tebe za sat vremena.

– Zar ne možemo jednostavno naredna četiri dana da provedemo u krevetu? – pitala sam.

– Biće ti lakše čim kreneš. Ja se zapravo radujem svom momačkom vikendu – zadirkivao me je.

– To je zato što letiš u Las Vegas! – uzviknula sam. – Ja, po svemu sudeći, idem u Bognor. Ali ne brini za mene. Idi i ludo se provedi, kockajući se, cenkajući i tucajući po Nevadi.

– Hej, minus kockanje i cenkanje – doviknuo je iz kupatila. – Neću da radim ništa od toga.

Oboje smo se nasmejali, ali u dubini duše sam strepela, ne samo zbog Adama i šta bi mogao da uradi već i pri pomisli kuda bih ja mogla da se zaputim i sa kim.

Pedeset minuta kasnije, pošto sam se oprostila od Adama – koji je izgledao sportski elegantno dok je prelazio ulicu u pamučnim pantalonama i polo majici, sa izlizanom putnom torbom od smeđe kože u ruci – ugurali su me na zadnje sedište kola, s povezom preko očiju.

– Da li je ovo zaista neophodno, Sebe? – Nasmejala sam se. – Da nećeš možda i da mi staviš lisice?

– Nisam baš u tom fazonu – rekao je.

– Ima li još nekog ovde? Hej? Hej? – dozivala sam.

– Sami smo, budalo. – Nasmejao se. – Imaš li predstavu kuda idemo?

– Nadam se u hedonistički raj na Ibici, ali pošto vas dobro poznajem, verovatno ću završiti na kursu grnčarstva na Šetlandskim ostrvima.

Odvezao je povez kada smo izašli na M25 i čim sam shvatila da idemo na zapad, znala sam da je aerodrom *Getvik* moguće odredište.

Kad smo skrenuli levo u traku da se isključimo sa M23, shvatila sam da je posredi ili to ili Brajton.

Razmatrala sam sadržaj svog kofera, koji je izgledao kao da sam krenula na neki festival tokom nepredvidivog britanskog leta. Čizme, sarong, kišna kabanica i šorts od teksasa bili su poslednje što sam ubacila dok sam se usplahireno pakovala, ne znajući da li idem na zimovanje ili letovanje, ili pak nešto između.

– Šta ako nisam ponela ono što treba? – preklinjala sam Seba, okrećući se k njemu.

– Ne brini, sve je sređeno – zagonetno je rekao. Ko je sve sredio? Da je zavisilo od Pipe, prekopala bi po mom ormanu i našla odeću u koju sam se klela da ću se jednog dana ponovo uvući, one farmerke koje sam nosila sa devetnaest godina, za koje sam odbijala da poverujem da ih više nikad neću obući. Zbog večito optimističnog ponosa, živa nisam htela da priznam da su mi dva broja manje i užasno staromodne, sa onim širokim nogavicama i dugmićima na šlicu. Da je, ne daj bože, mama mogla krišom da prekopa po mom ormanu, odabrala bi cvetni kombinezon i džemper na preklop, kupljene u napadu srdžbe na letnjoj rasprodaji. I na jednom i na drugom su još uvek stajale etikete, jer sam u njima izgledala kao dvanaestogodišnja devojčica.

Progunđala sam. – Molim te, reci mi da si bar pitao Adama da ti nešto predloži. Ako neko ima predstavu šta mi se sviđa ili šta mi odgovara, onda je to on. – Pogledala sam preklinjući u Seba, ali on se samo osmehnuo i pogledao kroz prozor, kad je prepoznatljivi blesak na zadnjim vratima izidžeta preleteo nisko iznad polja pored nas.

Ponovo mi je stavio povez preko očiju kad je automobil ušao u garažu ispred južnog terminala. – Sumnjam da će ti obezbeđenje ovo dozvoliti – razmišljala sam, dok ga je Seb zatezao. – Ovaj novi pristup krijumčarenja ljudi.

Nasmejao se dok me je vodio kroz tunel na odlaznom terminalu. Do ušiju mi je dopirao žagor uzbuđenih putnika. Skrenuli smo levo pa desno a onda se zaustavili kada je iznenada zavladala zaglušujuća tišina.

– Jedan, dva... tri! – uzviknuo je Seb dok mi je skidao povez sa očiju. Zateturala sam se kad su me zapljusnuli povici i zvižduci. Moje oči nisu mogle da se usredsrede na sva lica koja su se sjatila oko mene, široko se kezeći, poput sopstvenih karikatura.

Gomila ljudi navalila je na mene, mrseći mi kosu i šaljući mi poljupce. Nisam mogla da odredim ni koliko ih je, a kamoli ko su.

– Hej, evo je – uzviknula je Pipa.

– O, bože, izgleda kao će zaplakati – rekla je Tes, moja koleginica sa posla.

Okretala sam se, izgubljena, očajnički pokušavajući da povežem sva lica sa glasovima, dok mi je na hiljade piksela lebdelo pred očima i polako se sastavljalo u slike.

– Joj, dušo, izgledaš zaprepašteno – rekla je mama, kroz smeh. – Jesi li iznenađena?

– Ne mogu da verujem koliko vas je – rekla sam.

– Ima nas devetoro – rekla je Pipa. – Dobro, bilo nas je devetoro, sada nas je desetoro.

Upitno sam podigla obrve.

– Stvarno mi je žao – nečujno je izgovorila.

Pogledala sam okupljene i zaustavila se na Pami. Ništa strašno. Posle razgovora sa mamom, pomirila sam se s tim da će i ona poći. Nije bilo načina da se to izbegne.

– Nema veze – prošaputala sam Pipi, ali ona je skrenula pogled, a na licu joj se videla napetost.

Onda sam je ugledala. Samo je stajala tamo, dok su joj plave kovrdže poskakivale na ramenima a na punim usnama igrao usiljen, gotovo sažaljiv osmeh.

Šarlot.

Činilo mi se da mi je srce stalo. Kao da mi se neka ruka uvukla u grudi i stegla ga dok nije prestalo da kuca.

Sve oko mene kao da je stalo: zvuk, svetlo, vazduh, videla sam samo nju kako mi polako prilazi sa ispruženim rukama. Bila je možda tri-četiri koraka od mene, ali moj mozak je sve preračunavao kao na usporenom snimku pa se činilo da joj je trebala čitava večnost da stigne do mene.

– Zdravo, Em – prošaputala mi je na uvo dok me je grlila, obavijena mirisom svežeg citrusa. Očigledno joj je *džo malon grejpfrut* i dalje omiljeni parfem.

– Mnogo je vremena prošlo. Previše. Mnogo ti hvala što si me uključila u svoju proslavu.

Kad sam poslednji put videla Šarlot, gola je jahala mog dečka Toma. Nikad tu sliku nisam izbacila iz glave, ali se moj um, kako bi me bar donekle zaštitio, sećao samo njihovih zapanjenih lica i uobičajenog pokrivanja čaršavom. Na kraju mi je bilo smešno što sam ih oboje videla gole više puta nego što sam jela nešto toplo za večeru, a opet su smatrali za potrebno da pokriju gornji deo svog tela, umesto da razdvoje svoje genitalije. Dva dela njihovih tela koja su, da budemo iskreni, bili presudna. Još uvek je bio u njoj kad sam izašla, bez sumnje ne više toliko čvrst.

Mislila sam da ću se udati za Toma. Praktično smo živeli zajedno, a ipak te noći me je pozvao s posla da mi kaže kako mu nije dobro te da je bolje i poštenije da prespava u svom stanu.

– Veruj mi – rekao je šmrčući – ne želiš ovo da navučeš.

Sećam se da sam pomislila kako je uviđavan.

– Verovatno je samo obična prehlada – preklinjala sam, nadajući se da ću ga ubediti da se predomisli. – Možda to iz muškog ugla deluje kao jaka prehlada, ali kad bih je ja, kao žena, dobila, sigurna sam da bi to bio tek običan šmrkavac.

– Ma odjebi. – Nasmejao se. – Ja pokušavam da budem uviđavan, a ti se sprdaš sa mnom.

– Ako dođeš kod mene, staviću ti obloge na grudi.

– Primamljivo, ali stvarno mislim da to ne bi bilo pošteno prema tebi. Stvarno, užasno se osećam – rekao je.

Očigledno ne dovoljno užasno da spreči moju najbolju drugaricu da se uvija uz njega kad sam došla da ga posetim noseći lekove i gotove lazanje iz *Sejnsberija*. Dok sam otključavala vrata i ulazila, razmišljala sam samo da li bih mogla da poturim lazanje kao svoje. *Tako bih svakako ispala mnogo brižnija devojka*, razmišljala sam, dok sam tiho spuštala ključeve na prozorsku dasku i šunjala se uz stepenice.

Mislim da sam čula zvuke negde na pola puta do gore, ali moj naivni um je njegovo stenjanje protumačio kao kašljanje, a njeno dahtanje kao zadihanost. *Možda bi trebalo da mu ponesem čašu vode*, sećam se da sam pomislila dok sam oklevala na najvišem stepeniku, još uvek ništa ne sluteći. Ponekad se pretvaram da se jesam vratila u prizemlje da mu donesem vodu i tako ih upozorila da sam tu. Zamišljam kako ju je grubo ugurao u svoj orman dok smo se mi prepuštali ludorijama.

Možda bih onda do dana današnjeg živela u blaženom neznanju i spremala se da sa drugaricama proslavim poslednje trenutke slobode pre nego što stupimo u brak. Šarlot bi mi bila glavna deveruša, a ja ne bih imala pojma šta se dogodilo.

Još uvek me je držala kad me je Pipa uzela za ruku i odvukla me.

– Hajde, moramo da se čekiramo – rekla je.

Pošto nisam bila u stanju da funkcionišem, samo sam stajala, zanemela.

– Samo se smeškaj – rekao je Seb. – Nemam pojma šta se, dođavola, dešava.

– Šta ona...? – zamucala sam. – Kako se ovo uopšte dogodilo?

– Stvarno nemam blage veze – rekao je. – Od početka nas je bilo devetoro. Pipa je rekla da se pojavila niotkuda.

– Šta ćeš sad? – pitala je dok me je gurala ka službenici *Monarha*, koja je nestrpljivo stiskala tanke usne. Kao kroz maglu primetila sam iza nje znak na kome je pisalo *Faro*, ali ništa mi nije dopiralo do svesti. Znala sam samo da želim da pobegnem što dalje odatle. Sama.

– Koje su mi opcije? – sarkastično sam pitala. – U ovom trenutku, ne vidim da ih uopšte imam.

– Možemo da je oteramo – rekla je Pipa. – Meni to nije problem, ako hoćeš.

Nisam mogla jasno da razmišljam.

Došlo mi je da zaplačem, ali, dođavola, neću Šarlot pružiti to zadovljstvo. Lice joj je bilo nasmejana mrlja iza Pipinog ramena.

– Ne mogu da verujem da se ovo događa – rekla sam.

– Dobro, šta ćemo, Em?

Pogledala sam oko sebe u sva ta uzbuđena lica, znajući da će Trudi, Nini i Semu ovo biti jedini odmor koji će cele godine imati. Dali su dosta novca za let i smeštaj. Nije lepo da to upropastim pre nego što smo i poleteli.

– Hoćeš da joj kažem? – pitala je Pipa.

Zaustavila sam um da ne razmišlja previše unapred i pokušala da se setim kome sam sve rekla za Šarlot i Toma. Sada sam imala osećaj da svi znaju i smeju mi se zbog toga svaki put kad okrenem leđa. Ali kad sam trezveno razmislila, shvatila sam da znaju samo mama, Seb i Pipa. Kad se to dogodilo, bila sam posramljena i postiđena i nisam razglasila na sva zvona. Ako bih sada napravila scenu, svi bi saznali i o tome bi se pričalo ne samo na devojačkom vikendu već i na venčanju.

– Neka pođe – oštro sam rekla. – Snaći ću se.

Toliko sam dugo zamišljala ovaj trenutak, pitajući se kako bi bilo kad bih ponovo naletela na nju. Šta bi se dogodilo? Da li bih se bacila na nju i počupala je? Ili bih je ignorisala? Ni jedno ni drugo, kako se ispostavilo. Potpuno sam otupela.

– Kuda uopšte idemo? – mrgodno sam pitala.

– U Portugaliju! – rekla je Pipa s previše oduševljenja.

Znala sam da pokušava da me obodri, da me oraspoloži.

Pokušala sam da se usredsredim na ono što mi ljudi govore dok smo sedeli na terminalu za odlaske, sa dve već iskapljene boce proseka. Svi su bili tako srećni i toliko su želeli da ovo bude nešto posebno, kao da su se nadmetali za moju pažnju. Gledala sam oko sebe, osmehivala se, pravila prenaglašene pokrete. Ali sve je to delovalo lažno, kao da se previše trudim, iz straha da će ono što me muči isplivati na površinu.

Kad su najavili naš let, svi su krenuli da ustaju čangrljajući i sudarajući se s kesama punim robe iz fri-šopa.. – Mislim da ovde imamo dovoljno cirke da potopimo oklopnjaču – rekla je Pipa. – Klif Ričard ne mora da brine da ćemo mu popiti ceo vinograd.

– Hoćemo li videti Klifa Ričarda? – ubacila se mama.

– Ne – rekla sam. – On tamo pravi vino, zar ne?

– Ja ne mogu mnogo da pijem – rekla je Tes kad smo svi krenuli. – Imam važnu prezentaciju sledeće nedelje.

Svi smo prostenjali. – Sad mi je jasno na šta si mislila kad si pričala o njoj – rekla je Pipa glasno se smejući dok me je pljeskala po leđima, već pomalo zaplićući jezikom zbog alkohola.

– Baš sam se iznenadila kad sam videla Šarlot – tiho je rekla mama, zaostavši kako bi me uhvatila nasamo. – Jeste li izgladile odnose?

Osmehnula sam se stisnutih usana.

– Baš mi je drago što ste se pomirile. Trebalo je da mi kažeš.

Nisam znala šta da kažem. Bila sam previše zaprepašćena da bih i pokušala da shvatim šta se ovde dešava.

Uspela sam da izbegnem Šarlot tokom celog puta, izmičući se svaki put kad bih osetila da mi prilazi. Pipa i Seb su bili moj zaklon, mada od neiscrpnih zaliha pića tokom leta nisu nimalo bolje rasuđivali.

– Obećavam da ću sutra biti pouzdaniji – promumlao je Seb, odustajući od borbe za moj kofer kad je Šarlot revnosno posegla za njim na pokretnoj traci.

Uzela sam ga bez reči. Nisam mogla ni da je pogledam jer sam znala da bi mi se, kad bih to uradila, vratila slika onoga što je uradila i obrušila se na mene.

Potrudila sam se da poslednja uđem u minibus, kako ne bih rizikovala da ona sedne pored mene. Ne mogu ovako da je izbegavam četiri dana, kada bi trebalo da budem srećna. Nešto je moralo da se promeni. Bezmalo sam čula sebe kako se kiselo smejem pri pomisli da će mi Pami biti najveća briga ovog vikenda.

22.

Videla sam Šarlotin odraz iza sebe dok smo obe piljile kroz prozor u mrak, radoznalo iščekujući da saznamo kuda idemo. Pitala sam se da li se i ona, kao ja, seća našeg poslednjeg puta u nepoznato, kada smo kao dve naivne osamnaestogodišnjakinje išle u Aja Napu. Zlobno smo se cerekale dok je autobus ostavljao naše saputnike kod hotela, od kojih je svaki izgledao gore od prethodnog. – Baš mi je drago što nismo odsele tamo! – uzviknula je. – Nikad ne bih ušla u onaj bazen.

Naša naivnost nije promakla vozaču, koji nas je gledao u retrovizoru smeškajući se i odmahujući glavom. Očigledno je znao nešto što mi nismo, jer, kad nas je istovario usred nigdine, nasmejao se videvši naša zbunjena lica.

– Ne, ovo mora da je neka greška – insistirala je Šarlot kad smo iz autobusa zakoračile pravo u gnjecavo blato. – U brošuri je pisalo da je u samom centru.

Vozač, koji se, kako smo videle na bedžu sa imenom, zvao Demis, odmahivao je glavom i smeškao se.

Jarki reflektor koji je bleštao iznad trema vodio nas je niz usku stazu, rasterujući guštere dok smo snuždeno vukle svoje kofere.

Doviđenja! – doviknuo je veselo Demis i odvezao se, a meni je došlo da pojurim za njim. Čak i sa onim uvijenim brkovima i sitnim očima, ulivao je više sigurnosti nego krupna sredovečna žena koja je sedela za recepcijom, preznojavajući se i terajući muve muholovkom. Trebalo nam je tri ili četiri čašice rakije od anisa da se oraspoložimo i nisam sigurna još koliko njih da se onesvestimo. Sutradan ujutru smo se probudile na plesnjivoj ležaljci, pod kiparskim suncem koje je pržilo.

Od tada smo – dobro, bar dok nismo prestale da razgovaramo – o tome govorile kao o našem putovanju „sazrevanja": mističnom bekstvu s mnogo rakije, bančenja i divljanja. Preko volje sam se osmehnula.

Pipin uzbuđeni glas trgao me je iz razmišljanja i vratio me u sadašnjost. – Mislim da smo na pravom mestu – rekla je. – Stigli smo!

Vila sa fasadom boje breskve, blago osvetljena reflektorima koji bacaju svetlost naviše, bila je predivna. Ali ja sam želela da tu budem s ljudima koje volim, a ne sa psihotičnom budućom svekrvom i ženom koja je spavala s mojim bivšim dečkom.

– Au! – uzviknuli su svi uglas.

– Nije loše, a? – rekla je Pipa.

Uzbuđeno su se tiskali oko ulaznih vrata dok je ona petljala oko brave. Ostala sam pozadi, očajnički se opirući želji da uđem u minibus koji je odlazio, mada nisam znala kuda. Potisnula sam suze koje su me pekle, a onda osetila ruku na krstima.

– Jesi li dobro? – nežno je upitala mama.

Uspela sam da klimnem glavom i progutala knedlu. Mama je tu. Sve će biti kako treba.

Pipa je rezervisala sto za večeru u *BJ's*,* restoranu na plaži. – Prikladno ime – doviknula je obično ćutljiva Tes dok smo se penjali strmim stepenicama od prljavog parkinga. – Idemo!

– Bog te mazô, koliko je popila?! – nasmejala se Pipa.

Osetila sam kako me neko cima za ruku i vuče me nazad. Kad sam se okrenula, shvatila sam da je Šarlot. – Nisi ni reč progovorila sa mnom, čak se nisi ni pozdravila – rekla je.

– Nemoj sad – odgovorila sam. – Nisam raspoložena.

– Zašto si me onda pozvala?

Ukopala sam se u mestu i okrenula ka njoj.

– Ja te pozvala? Ti misliš da sam te *ja* pozvala? – Kao da sam joj opalila šamar.

– Pa, da, tako je Pami rekla... – zamucala je. – Zar nisi?

Vrelina mi je udarila u uši. Šarlotina usta su se pomerala, ali njene reči su bile prigušene. Pami? Nikako mi nije bilo jasno kako se ovo dogodilo. Pokušavala sam da nađem neku vezu, da ih nekako spojim. Kroz glavu su mi promicale slike Pami, Adama, Džejmsa, čak i Toma.

---

* Igra reči; skraćenica od *blow job* – pušenje. (Prim. prev.)

Svi su se smejali, lica su im bila izobličena kao u lutaka iz serije *Spiting imidž*, a glave su im se klatile gore-dole. Imala sam osećaj da me gaze, ali nisam mogla da vidim ko povlači konce.

Da li se poznaju? Kako su se upoznale? Kada? Mozak mi je radio punom parom, pokušavajući da razmrsi to klupko.

Pred očima mi je prolazila scena Šarlot kako sedi opkoračivši Toma i jedva sam se uzdržala da je ne gurnem preko ivice dole u more.

– Pami? – pitala sam, moleći se u sebi da sam pogrešno čula. Telo mi je bilo napeto do pucanja dok sam premišljala da li da bežim glavom bez obzira ili borim se. Mrzela sam sebe što sam toliko slaba. Morala sam da ostanem pribrana.

– Da, rekla je da me zove u tvoje ime.

– Šta? Kako? – pitala sam odmahujući glavom.

– Ne znam – rekla je. – Znam samo da me je Pami pozvala i rekla da bi ti volela da dođem na tvoje devojačko veče. Pitala sam da li je sigurna da je dobro razumela. Rekla je da jeste i bila sam van sebe od sreće. Nisam mogla da verujem.

– Kako si mogla da pomisliš da bih, posle onoga što si mi uradila, ikad više želela da te vidim? – Oči su mi se napunile suzama kad sam je prvi put zaista pogledala. Trgla sam se kad su mi zbrkana osećanja zatrovala mozak neizdrživom željom da je zagrlim. Potisnula sam taj poriv, mada nije bilo lako. Nisam shvatila koliko mi nedostaje dok se nije našla tu preda mnom.

Oborila je pogled. – Zaista mi je žao – rekla je, jedva glasnije od šapata. – Još uvek ne mogu da verujem da sam to uradila.

– Ali uradila si – kruto sam rekla, okrenula se i sišla niz stepenice.

Trebalo mi je piće, a čaše su nam, srećom, već bile napunjene vinom dok sam stigla do stola. Popila sam veliki gutljaj i pre nego što sam sela.

– Dobro, ko je za *fazi dak*? – doviknula je Tes. – Dame, poređajte čaše.

– I gospodine – ispravio ju je Seb.

Mogla sam samo da se smeškam i gledam pred sebe jer, ako bih pogledala levo, videla bih Šarlot, ako bih pogledala desno, videla bih Pami, a trenutno nisam mogla da je pogledam u oči jer sam se plašila šta bih mogla da uradim.

– Šta kažete na igru „istina ili izazov”? – predložio je Seb.

– Možeee! – uzviknula je Tes.

Nisam skidala kruti osmeh s lica, razdvajajući usne samo kako bih popila još jedan gutljaj vina. Od njega sam već pomalo počinjala da otupljujem.

Boca od terakote koja je donedavno bila puna lanser rozea klatila se i kotrljala dok se okretala, a onda je usporila i zaustavila se na Sebu.

– Istina ili izazov? – pitala je Pipa.

– Izazov!

– Dobro – rekla je. – Kad te konobar bude pitao šta želiš da jedeš, moraš da se potrudiš da naručiš na portugalskom.

Osmehnuo se i pozvao konobara.

– Dobro... ja bih *ze*, kako se kaže, *spaghetti bolognesia con pan du garlic* kao aperitiv.

Nismo mogli da obuzdamo smeh. – Zbrčkao si bar tri različita jezika, ali kladim se da nijedan od njih nije portugalski – zakikotala se Tes.

Svi su se nasmejali, mada sam ja čula samo glasnu tišinu koja je dopirala s kraja stola. Dopunila sam svoju čašu, iskapila je i pogledala u Pami. Prostrelila me je prkosno pogledom, kao da me izaziva.

Niko drugi ne bi to primetio, ali, opet, niko je ne poznaje tako dobro kao ja. Ne znaju da je draga starica koja lagano kaska i izigrava mučenicu zapravo proračunata prepredena kučka. Ali ako želi da igra tu igru, da polako radi na tome da me oslabi, nadajući se da će me sasvim slomiti, onda sam spremna.

Boca se zavrtela i zaustavila na Šarlot.

– Istina ili izazov? – pitao je Seb.

Pogled joj je poleteo ka menu. – Istina.

– Ja imam jedno pitanje – doviknula je Pipa. – Zbog čega se najviše kaješ?

Kao da je znala šta se sprema. – Glupo sam verovala da sam zaljubljena – rekla je. – Jedini problem je bio u tome što mi je bio nedostupan. Bio je dečko moje najbolje drugarice.

Osetila sam kako su se Pipa i Seb nakostrešili pored mene.

Tes je glasno uzdahnula.

Šarlot je nastavila: – Naivno sam verovala da će sve ispasti dobro, ali naravno nije. Nikad ne ispadne dobro.

– I, šta se dogodilo? – pitala je Tes. – Da li je tvoja drugarica saznala?

Šarlot je gledala pravo u mene. – Da, na najgori mogući način i nikad neću zaboraviti izraz na njenom licu. Bila je skrhana.

Grudi su mi se stezale.

– Da li je bilo vredno toga? – navaljivala je Tes. – Da li ste ostali zajedno?

– Ne – tiho je rekla. – Oboje smo voleli više nju nego što smo voleli jedno drugo i kad smo shvatili koliko smo je povredili, bilo je gotovo. Glupa greška, sa toliko posledica. – Niz obraz joj se skotrljala suza, koju je brzo obrisala. – Ne bih to nikome savetovala – gorko se nasmejala, pokušavši da okrene na šalu.

Progutala sam vrele suze tek tada zaista shvativši koliki sam bol zadržavala u sebi svih tih godina. Nikad zapravo nisam zastala da sagledam koliko je grozno bilo to što sam izgubila dečka i najbolju drugaricu koji su me izneverili. Jednostavno sam nabijala glavu u pesak i gurala dalje, odbijajući da prihvatim koliko me je to povredilo. Možda sam mislila da će, ako to ne priznam, nekako nestati, kao da se nikad nije ni dogodilo. Bezmalo sam ubedila sebe da je to najbolje što mi se ikada dogodilo; žito se odvojilo od kukolja i bilo mi je bolje bez njih. Samo što nije bilo tako. Do tog trenutka, Tom je bio ljubav mog života, čovek s kojim sam htela da imam decu. A Šarlot? Ona je bila uz mene otkako smo se upoznale u trećem razredu osnovne škole.

– Nerazdvojne su – rekla je moja mama njenoj na kapiji škole. – Biće zauvek prijateljice. – Njena mama je klimnula glavom osmehujući se i od tada nije prošao ni dan da nismo razgovarale jedna s drugom. Pohađale smo istu srednju školu, išle zajedno na odmore, čak našle prve poslove nekoliko ulica jedna od druge iza Oksford Cirkusa. Pozvala bih njenu mamu na svakih nekoliko dana da vidim kako je, kao i ona moju. Delovalo je kao da smo izlivene iz istog kalupa. Ali ona je dokazala da smo potpuno različite.

Dok sam je sada gledala kako briše suze, žalila sam za vremenom koje smo izgubile. Za ljubavlju i smehom koje smo mogle da imamo umesto bola i mržnje.

– Dobro, ko je sledeći? – uzviknuo je Seb, ponovo zavrtevši bocu.

Hor povika bio je sve glasniji kako je boca usporavala.

– Emili! – Uzviknuli su pljeŠćući. – Potpuno zasluženo – doviknuo je neko. – Slavljenica mora da se pokaje za svoje grehe.

Neubedljivo sam se osmehnula. – Nemam šta da krijem.

– To ćemo još da vidimo – rekla je Pipa kroz smeh.

– Mogu li ja da pitam? – preklinjala je Tes.

Iskapila sam svoju čašu i okrenula se ka njoj iščekujući. – Istina ili izazov? – pitala je.

– Istina.

– Dobro, jesi li ikada bila neverna? – pitala je.

Nisam morala ni da razmislim. – Nikad.

Svi su istovremeno prostenjali. – Šta, nikad? Čak ni kad si bila mlađa? – pitala je Tes.

– Ne, nikad. – Pogledala sam u Šarlot, koju sam najduže poznavala, da to potvrdi.

Odmahnula je glavom.

– Sve zavisi od toga šta smatraš neverstvom – rekla je Tes, bez imalo okolišanja. – Mislim, da li pričamo o ljubakanju, seksualnim odnosima ili žestokom seksu?

Nasmejali su se, tobože zapanjeni rečitošću obično nerazgovorljive Tes.

– Šta se uopšte podrazumeva pod seksualnim odnosima? – upitala je Pipa. – Stalno pričaju o tome u onoj emisiji na televiziji Džeremija Kajla, znate, kad razotkrivaju nešto veliko pomoću detektora laži. „Da li ste, otkako ste počeli da izlazite sa Šarmejn, imali seksualne odnose s nekim drugim?"

– To je više od poljupca, ali ne baš kao pravi seks. – Tes se zakikotala. – Tako da mora da je u pitanju nešto između.

– E pa sad je mnogo jasnije, Tes. Hvala što si nas prosvetlila – rekao je Seb.

– Možda je u pitanju čak i više od toga – ubacila se Pami. – Možda se i sama namera može podvesti pod neverstvo?

– Pobogu, Pami! – uzviknula je Pipa. – Ako sama pomisao na to znači da si neveran, ja bih bila najveća drolja ne svetu.

Nasmejala sam se, a Pami se zgađeno namrštila. – Ne pričam o pomisli na to. Pričam o veoma stvarnoj nameri da uradiš nešto pogrešno, recimo da pristaneš da se nađeš sa nekim iako znaš kako će se to završiti.

– Nisam sigurna da bi se to moglo nazvati neverstvom, Pami – izjavila je Pipa.

– Jeste ako za taj sastanak ne kažeš partneru... bez obzira na to da li si nešto uradio ili nisi. Sama činjenica da si otišao da se nađeš s nekim svestan onoga šta bi moglo da se dogodi... po mom mišljenju, to je neverstvo.

Društvo je coktalo i negodovalo. – To znači da sam ja nekoliko puta bila neverna Denu – ubacila je Trudi, iznenada se snuždivši na tu pomisao.

– Znači, sastala si se s nekim s namerom da spavaš s njim? – pitala je Pami.

– Pa, ne, ali dok sam izlazila, upoznavala sam momke koji su mi bili privlačni.

– Jesi li se ikad s nekim od njih dogovorila da se ponovo vidite, a da pritom oboje znate zašto to radite? Jer, budimo iskreni, to bi bilo jedino realno očekivanje.

– Pa, ne... – rekla je Trudi.

– E pa, onda je sve u redu – nastavila je Pami. – Samo kažem da, ako se sa nekim nađeš s namerom da prevariš partnera, čak i ako to ne uradiš, zar ipak nisi neveran?

Usledilo je nešto više nemog klimanja glavom nego kad je prvi put postavila to pitanje.

– Zato mislim da bi možda trebalo ponovo da postaviš to pitanje Emili – nastavila je.

Čkiljila sam u nju dok su mi uši gorele. Zamislila sam sebe i Džejmsa: kako udobno sedimo u uglu kafića u sporednoj ulici; nas dvoje na barskim stolicama u ekskluzivnom hotelskom baru, njegova ruka preko moje, govor tela koji mora da je vrištao „hoće li ili neće?". Znam kako je meni to izgledalo, tako da sam mogla samo da pretpostavim kako bi izgledalo nekom sa strane. Da li nas je neko video? Da li je to htela da kaže?

Tes je pogledala u mene. – Dobro, onda vas pitam ponovo, gospođice Emili Havistok, da li ste ikada imali nameru da budete neverni?

Pami je prekrstila ruke na grudima i podigla obrve, kao da čeka moj odgovor. Ne može nikako da zna, zar ne? Ne postoji nijedan razlog da joj je Džejms ispričao. Zašto bi? A šanse da nas je neko video i sabrao dva i dva bile su milion prema jedan. Samo sam paranoična.

Pogledala sam pravo u nju. – Ne, nikad.

Nakostrešila se u svojoj stolici. Ostali su se okrenuli ka sledećem igraču, ali ona je nešto tiho promrmljala i bila sam sigurna da je rekla: – Džejms.

23.

– Baš zabavno veče – rekla je mama dok smo stajale pred ogledalom u kupatilu i skidale šminku. Obe smo se njihale. Dobro, ja jesam. Možda mi se zato što sam se ja njihala činilo da se njiše i ona.

– Godinama se nisam toliko smejala – rekla je dok je podizala jednu nogu da otkopča cipelu.

Osmehnula sam se. – Mislim da se onaj konobar zagrejao za tebe.

– Ma prestani! – Nasmejala se, a onda nesigurno nagnula ka meni, s jednom nogom još uvek u vazduhu. – O, Em, pomagaj!

Uhvatila sam je dok se naginjala ka meni. – Šta pokušavaš? – zakikotala sam se.

– Kad bih samo mogla... – rekla je, a onda počela blesavo da se smeje. Uhvatila sam je za oba lakta pre nego što je pala na pod. Nikad je nisam videla takvu.

– Jel' ti drago što si ponovo videla Šarlot? – upitala je. – Baš mi je drago što ste se pomirile. Šteta je izgubiti prijateljicu zbog dečka, posebno prijateljicu kao što je Šarlot. To sam rekla i Pami.

Odmah sam se otreznila čim sam čula njeno ime. – Šta si joj rekla? – pitala sam, trudeći se da zvučim bezbrižno.

– Samo to – rekla je još uvek sedeći na podu kupatila, što mi nije bilo ni od kakve pomoći. – Kad sam joj ispričala šta se dogodilo, rekla sam koliko je to bilo tužno jer ste bile veoma bliske, zar ne?

Pod kožom je počela da mi ključa vrelina. Sela sam pored nje na pod. – Zašto ste pričale o tome, mama?

– Pami je pitala da li možda postoji neko koga smo izostavili sa spiska pozvanih. Samo je proveravala da li dolaze svi koji bi trebalo da dođu na venčanje. Rekla sam da mislim da smo sve pozvali, ali kad je počela da zapitkuje o tvojim prijateljima iz mlađih dana, to me je navelo na razmišljanje.

– Ah, sad mi je jasno – rekla sam, iako sam u sebi vrištala: *kakve to veze, dođavola, ima s njom*?! Sami plaćamo svoje venčanje, a mama i tata su platili medeni mesec. Pami nije imala prava da postavlja bilo kakva pitanja.

– Tako sam joj rekla da je jedina osoba koja nije pozvana, a koja bi pod bilo kojim drugim okolnostima bila pozvana, Šarlot.

Klimnula sam glavom, glumeći strpljenje i očajnički pokušavajući da se otreznim.

– I onda si joj ispričala sve što se dogodilo?

– Pa, donekle. Mislila sam da nije zgodno ulaziti u to *kako* si saznala. Samo sam rekla da su se Tom i Šarlot viđali iza tvojih leđa.

Nešto me je steglo u grudima.

– Dobro, hajde da te podignem – rekla sam hvatajući je pod miške.

Kikotala se sve vreme dok sam je vodila u krevet, tiho izašla iz sobe i zatvorila vrata.

Prešla sam preko odmorišta i niz hodnik do spavaće sobe u zadnjem delu kuće, a korak mi je postajao sve brži.

Otvorila sam širom vrata, bez kucanja.

– Šta ti, dođavola, zamišljaš? – prosiktala sam.

Pami nije ni podigla pogled s knjige koju je čitala. – Pitala sam se koliko će ti trebati.

– Kako se usuđuješ? – frknula sam. – Kako se usuđuješ da se sama pozoveš na moje devojačko i povedeš *nju* sa sobom?

– Mislila sam da će ti biti drago – rekla je. – Da će to biti divna prilika da se ponovo zbližite.

Spustila je knjigu pored sebe na krevet i skinula naočare, trljajući koren nosa.

– Prava je šteta – nastavila je – imati dobru prijateljicu i izgubiti kontakt s njom. Da li ste se posvađale oko nečeg određenog?

Znači, hoće da igra igru? Dobro, igraćemo se.

– Ne, zapravo ne – jednostavno sam rekla. – Samo smo se udaljile.

– Kad sam čula da se poznajete još iz škole i da ste bile tako bliske, nisam mogla da dozvolim da neko tako poseban ne bude tu na tvoj važan dan – rekla je, a oči su joj blesnule. – Potražila sam preko onog na kompjuteru, kako ga zovete? Bukfejs ili tako nešto?

Bože, dobra je. Ali izgleda da je zaboravila da Adam sada nije tu. Nije mogao da čuje njen tugaljivi ton ili vidi njeno glupavo smeškanje. Nema sumnje da bi blistao od ponosa zbog genijalno obavljenog detektivskog posla. – Joj, divna je – zagugutao bi. – Kako je samo uviđavna? Zar nije neverovatna?

Osmehnula sam se. – Fejsbuk, Pamela. Zove se Fejsbuk.

Trgla se i naglo podigla, a detinjasto foliranje je u trenu nestalo. – Ne moram da budem učtiva prema tebi – prosiktala je. – Ali, sviđalo se to meni ili ne, bićeš mi snaja.

Iscerila sam se. – Baš tako. I ja jedva čekam.

– Bolje prestani da budeš sarkastična – rekla je. – Ne pristaje ti.

– A ti bolje prestani da budeš takva kučka.

Oči su joj ljutito blesnule dok je razvlačila tanke usne otkrivajući desni iznad dva prednja zuba, kao iskešeni pas. – Zašto si tako nevaspitana? Zar stvarno misliš da će moj sin ostati s nekim kao što si ti do kraja života?

Pošto sam osetila da sledi još nešto, stajala sam prekrštenih ruku i čekala da se napad nastavi.

– Mogao bi da ima koju god poželi – nastavila je. – Ne znam zašto se, za ime boga, zadovoljio tobom. Ali na kraju će se urazumiti, pazi šta ti kažem. Nadam se samo da će se to dogoditi što pre.

Osmehnula sam se, kao da me njene zlobne reči ne pogađaju, ali svaka reč je bila poput mača koji preseca niti koje mi drže srce na mestu. Imala sam osećaj da sam se vratila kroz vreme, da sam preneta nazad u osnovnu školu, kad se užasna Fiona nadnela nad mene na igralištu i smejala se dok sam ležala na zemlji u plavoj kariranoj haljini zadignutoj oko struka.

– Zašto su ti gaćice prljave? – rugala mi se. – Pogledajte! Emili se ukakila.

Ostala deca prišla su upirući prstom u mene i smejući se, dok sam ja brzo spuštala haljinu i pokušavala da ustanem. Fiona mi je pružila ruku, ali kad sam posegla da je uhvatim, ona ju je izmakla i ponovo sam pala. – O, glupa, štrokava Emili. – Smejala se, a ostali su joj se pridružili, ako ni zbog čega drugog, ono iz straha da i sami ne budu ismevani. – Možda bi trebalo da odeš da se presvučeš, jer niko neće želeti da sedi pored nekog kô smrdi na govna.

Još uvek sam osećala taj stid i poniženje. Vrelinu od koje su mi goreli obrazi, iako sam grozničavo pokušavala da je zaustavim. Potrčala sam ka toaletima, gde mi je uobičajeno jato dece preprečilo put. Progurala sam se kroz njih baš kad se oglasilo zvono da označi kraj odmora.

– Emili Havistok, zvonilo je – povikala je gospođa Kolder s drugog kraja igrališta, kao da ima oči na potiljku. Rešila sam da je ignorišem, spremna da radije istrpim njen gnev nego Fionin. Zalupila sam i zaključala vrata kabine, a onda spustila gaćice da proverim jesu li prljave. Nije bilo ničeg osim traga prljavštine tamo gde sam pala na prašnjavi beton. Ne znam zašto sam verovala da će biti još nečeg. Tada su mi potekle suze, one koje se svim silama trudite da zadržite jer znate da se, kad jednom krenu, možda nikad neće zaustaviti.

Baš one koje su pretile da poteku sada, dvadesetak godina kasnije, dok sam stajala pred još jednim siledžijom. Progutala sam ih i uputila Pami ledeni pogled.

– Kada ćeš shvatiti da ćemo Adam i ja zauvek biti zajedno? – rekla sam, a glas mi je blago zadrhtao.

Coknula je i prevrnula očima. – Ne bih rekla. – Uzdahnula je. – Nemaš nikakve šanse.

Prišla sam joj. – Udajem se za tvog sina i ma šta ti rekla ili uradila, nećeš to sprečiti. To će se *dogoditi*, sviđalo se tebi ili ne. Zato predlažem da se navikneš.

Nagnula se još bliže, tako da su nam se nosevi gotovo dodirivali. – Samo preko mene mrtve – frknula je.

24.

– Izgleda da imaš veliku obožavateljku – razmišljao je Adam dok se privijao uz mene. Bilo je dva ujutro. Bio je kod kuće već skoro sat vremena, što smo uglavnom proveli vodeći ljubav. To nikad ne bih odbila, posebno pošto smo četiri dana bili razdvojeni, a on je bez sumnje u međuvremenu bio suočen sa svim mogućim iskušenjima. Ali sada sam bila umorna i morala sam malo da odspavam pre nego što se u šest oglasi alarm.

– Mhm – promrmljala sam. – Koga?

– Mamu – oduševljeno je rekao. – Rekla je da se sjajno provela i da si se potrudila da se oseća zaista dobrodošlo.

Duboko sam udahnula, čekajući da završi sa sarkazmom i kaže mi šta je zaista rekla. Bože, zar ga je stvarno tako brzo obrlatila i stigla da razgovara s njim i pre mene? U Engleskoj je tek nekoliko sati.

– Zato... hvala ti – prošaputao je između poljubaca u obraz.

Okrenula sam se ka njemu.

– Šta? – Nasmejao se.

Setila sam se šta sam se zarekla – da je, posle venčanja, više nikad ne vidim – kad je dovela u pitanje moj odnos sa Sebom.

Njena opaska je došla niotkuda, dok sam se jutro posle naše svađe sunčala pored bazena. – Jasno ti je da, kad prođe venčanje, nećeš moći toliko često da se viđaš sa Sebom? – upitala je.

Nisam bila svesna ni da je budna, a kamoli da leži do mene pored bazena. Nisam ni mišić pomerila, samo sam otvorila oči ispod naočara za sunce i videla Tes i Pipu kako se brčkaju u plićaku.

U blizini nije bilo nikog drugog.

– Ma nije valjda? – odgovorila sam.

– Da, jeste – odbrusila je. – Nije lepo da budeš toliko bliska s nekim muškarcem. Adam je spreman da to trpi do venčanja, ali kad se budete venčali, moraćeš da se oprostiš od Seba.

I dalje se nisam pomerala, iako su mi mišići podrhtavali. Došlo mi je samo da skočim i iskopam joj oči.

Trudila sam se da mi glas ostane smiren. – To je Adam rekao?

– Da, to ga je oduvek brinulo. Još na samom početku, rekao mi je koliko mu se to ne sviđa.

– Ne znam da li ti je promaklo, Pamela, ali Seb je gej. – Čim sam izgovorila, želela sam da povučem reči. Imala sam osećaj da joj se pravdam jer nema ničeg lošeg što se družim s nekim ko je gej.

– Potpuno sam svesna toga – prezrivo je frknula. – Ali nije u redu. On ne bi trebalo da bude ovde. Adam je bio užasnut kad je saznao da si ga pozvala.

Adam mi nije rekao ni reč o tome. Ne bi se usudio. Ali, sad kad razmislim, nikad nismo razgovarali o tome. Moje i Sebovo prijateljstvo je jednostavno oduvek bilo takvo kakvo je, mnogo pre nego što se Adam pojavio, i mislila sam, zapravo pretpostavljala da je on to prihvatio, ali možda ipak nije.

– Dobro, šta je rekao? – samouvereno sam pitala.

– Jednostavno nije mogao da veruje – rekla je. – Gej ili ne, on je ipak muškarac i luduje s njegovom devojkom, ide na njeno devojačko. I sramota ga je zbog toga.

Skinula sam naočare i uspravila se u sedeći položaj, ali ako je i primetila, Pami to nije pokazala. Ostala je da leži, s mekim šeširom preko lica.

– Adam ti je zapravo rekao da ga je zbog mene sramota? – pitala sam. Mrzela sam sebe što sam upala u njenu zamku.

Osmehnula se, zagrejavši se za razgovor. – Jeste, ali koga ne bi bilo sramota? Nije Adam kriv, to je samo uobičajena muška reakcija. Ne znam nijednog muškarca koji bi bio srećan da mu žena provodi toliko vremena s drugim muškarcem koliko ti provodiš sa Sebom. Neko ko je veren i sprema se za venčanje ne bi trebalo tako da se ponaša.

– Ne živimo u osamnaestom veku – rekla sam, ugrizavši se za jezik da ne izgovorim ono što sam zaista želela. – Vremena su se promenila. Žene su se promenile. – I dalje sam pokušavala da pred njom opravdam naše prijateljstvo.

– Možda – mirno je rekla, dok joj je na usnama i dalje igrao osmeh. – Ali samo kažem, zapravo za tvoje dobro, kako bi izbegla svađu sa Adamom, da to mora da prestane. On to neće trpeti posle venčanja.

– Neću prestati da se viđam sa Sebom – prosiktala sam. – Već s tobom.

Šešir joj je pao na pod dok je pokušavala da se uspravi na ležaljci. – Šta?

– Čula si me. Ako ja neću da te vidim, znaš šta to znači?

Pogledala me je, a lice joj je bilo izobličeno od mržnje.

– Adamu će biti mnogo teže da te viđa.

– Srećno ti bilo – mirno je rekla, a glas joj je skrivao strah koji je možda osećala. – Da li zaista misliš da će odabrati tebe a ne mene?

– Sa kim živi? Sa kim deli krevet? Sa kim vodi ljubav? Rekla bih da su ti izgledi prilično slabi.

– Ne bih računala na to – rekla je, a onda ustala i polako krenula ka kući, dok joj se kaftan sa kašmir dezenom vijorio na vetru. – Zabavljate se, deco? – pitala je Tesu i Pipu dok je prolazila pored bazena, naizgled bezbrižna. Psihopata.

Sada priča Adamu da se sjajno provela i da sam se potrudila da se oseća dobrodošlo? Odmah sam se osetila ugroženo, kao da sa mnom igra igru mačke i miša. Nije bilo teško pogoditi ko je miš.

Adam nam je navukao jorgan preko glave i osetila sam da se ponovo ukrutio dok me je privijao uz sebe. – Prošlo je četiri dana. – Nasmejao se kad sam coknula. – Ne mogu da se uzdržim.

– Spavaj – umorno sam rekla. – Za nekoliko sati treba da ustanemo.

– Hoću, obećavam. Udariću se po prstima i neću ti više dosađivati, samo ako mi učiniš jednu uslugu.

– Šta, pobogu? – Nasmejala sam se.

– Mama je pitala da li može da pođe s tobom na generalnu probu.

– Šta? – Uzdahnula sam, naglo sela u krevetu i okrenula se ka njemu. – Ti to ozbiljno?

– Rekla je da ste se mnogo dobro slagale na putu, pa se pitala da li bi bilo u redu da pođe da vidi tvoju venčanicu. – Namrštio se kao da očekuje oštar odgovor.

Zinula sam.

– Molim te, Em. Mnogo bi joj značilo. Kao što je rekla, nema ćerku i nikad neće moći da podeli s njom taj poseban trenutak. Ti si najbliže ćerki što ima. Bilo bi joj baš drago.

– Ali... – zaustila sam.

– Tvoja mama ju je već videla, tako da time nikog neće ugroziti ili povrediti.

– Ali Pipa je još nije videla, a nije ni Seb. Nas četvoro smo hteli da se nađemo u subotu, odemo na ručak pa na probu.

Adam se nalaktio. – Seb?

Prestala sam da dišem.

– Seb ide s vama?

Ponovo sam se zavukla pod jorgan, dok mi je srce udaralo u grudima. Da li samo umišljam da se raspoloženje promenilo? Mora da je tako, jer Seb je problem koji je Pami stvorila u *svojoj* glavi, ne u Adamovoj. Zašto onda imam osećaj da sam nagazila na minu i čekam zakasnelu eksploziju?

– Naravno – nehajno sam rekla. – Zašto ne bi išao?

– Zato što je to ženska stvar – osorno je rekao.

Okrenula sam se ka njemu i privila se uz njegove tople grudi, prebacivši mu ruku preko leđa. – Pričaš kao seksista – rekla sam kroz smeh.

Osetila sam kako se povlači i fizički i mentalno. – Znači, Seb će da sedi u prodavnici venčanica sa grupom žena? – pitao je s nevericom. – Videće tvoju venčanicu pre mene?

– Ma daj, ne budi smešan – pobunila sam se. – To je *Seb*, pobogu. – Da li je uspela da ga obrlati? Da li mu je ona ubacila ovu besmislicu u glavu?

– Da budem iskren, to je malo previše – oštro je rekao. – Ipak, ako *on* ide, stvarno ne vidim zašto ne bi mogla i moja mama, zar ne?

Nisam znala šta da odgovorim. Osetila sam kako tonem u dušek, potučena i potištena. Šta treba da uradim da oteram tu zlu ženu iz svog života?

25.

Čak je i mama jedva uspevala da sakrije iznenađenje kad sam joj rekla da Pami ide sa nama u naš poseban izlazak. – Oh, dobro, dušo, kako god želiš. To je tvoj dan – demokratski je rekla.

– Jebote, šališ se? – dreknula je Pipa, koju ništa nije sprečavalo da se slobodno izrazi.

Dan ranije posramljeno sam pozvala Seba da mu kažem da sam se predomislila u vezi s tim da on vidi venčanicu.

– Ali želim da te vidim pre svih ostalih – rekao je. Osetila sam da je razočaran.

– I videćeš je – rekla sam. – Kad mi budeš sređivao kosu na dan venčanja.

– Dobro onda – iznenada je rekao i prekinuo vezu.

Ne znam zašto sam podlegla pritisku, ali učinilo mi se da je tako jednostavnije. Tako je rešen jedan problem, što je značilo da imam jedan manje oko kojeg treba da se bakćem i brinem. Imala sam briga preko glave, a sve što sam želela bio je miran život.

Čekali smo dvadeset pet minuta na stanici Blekhit kad se Pami smilovala da se konačno pojavi, tako da smo zakasnili na zakazani termin u butiku venčanica. Mrzim da kasnim, pitajte koga hoćete šta nimalo ne liči na mene i reći će „da kasni". Mnogo me nervira kad ljudi malo cene tvoje vreme pa su spremni da ga traće. Ne prihvatam to ni na poslu ni u privatnom životu, osim naravno ako ne postoji veoma dobar razlog. Kada su u pitanju požar, zemljotres i smrt, to je opravdano, ali Pami je mogla samo da ponudi: – Izvinite, propustila sam voz, ne kasnimo valjda zbog mene?

Okrenula sam glavu od neiskrenog poljupca koji mi je poslala i produžila napred, uz brdo, ka vresištu, ostavivši mamu i Pami da mašu za mnom i Pipu, koja zadihano pokušava da nas sustigne.

Vrata prodavnice su zazvonila dok smo ulazili i odmah me je udarila vrelina sunca koje je bleštalo kroz prozore. Na okruglom stočiću u sredini butika stajao je veliki cvetni aranžman od belih ljiljana.

– Dobro jutro, Emili – zagugutala je Frančeska, koja mi je dizajnirala venčanicu, dok nam je prilazila. – Ostale su još samo dve nedelje do velikog dana! Jesi li spremna?

Onako zajapurena, s pečatima po licu, osetila sam kako mi se znoj skuplja u dnu kičme. – Gotovo. – Osmehnula sam se.

– Stvarno mi je žao, ali pošto kasniš pola sata, malo smo u stisci s vremenom jer mi sledeća nevesta dolazi za trideset minuta.

Ovo je trebalo da bude poseban dan, opušten i bezbrižan, a ja sam već osećala stezanje u grudima, sabijenu oprugu strepnje.

– Ali ne brini – nastavila je, pokušavajući da ublaži prethodne reči. – Sigurna sam da ćemo sve stići.

Želela sam da sednem, popijem čašu vode i smirim se pre nego što uđem u vrelu kabinu, ali izgleda da vreme to nije dozvoljavalo. Nije bila dobra zamisao da obučem debele hulahopke jer su se crni čupavi komadići razleteli po mekom bledosmeđem tepihu i zavlačili mi se između znojavih nožnih prstiju. Ovo se nije odvijalo onako kako sam želela i jedva sam se uzdržavala da ne zaplačem. Opomenula sam sebe da bih onda izgledala kao razmažena princeza koja drami zbog beznačajnih sitnica.

Frančeska mi je polako spuštala haljinu preko glave dok sam ruke držala podignute, a onda mi ju je navukla preko ramena i grudi. – A sada, trenutak istine – rekla sam, zadržavajući dah, kao da će to pomoći da mi venčanica bolje pristaje. – Da vidimo da li treba da se popusti. – Osmehnula sam joj se, sigurna da sam održala odgovarajuću kilažu, ali istovremeno sumnjajući u snagu svoje volje.

Uhvatila sam svoj odraz u ogledalu i bezmalo nisam prepoznala ženu koja je gledala u mene. Ukrašena naborima od šifona koji su mi blago obavijali grudi, sa strukom pritegnutim nevidljivim šavovima, svila boje slonovače padala je u savršenim talasima do poda.

Zar se stvarno udajem? I dalje sam se osećala kao dete, koje se igra venčanja, ali evo me, navodno sam odrasla, spremna da prihvatim odgovornosti supruge. Adamove supruge. Zamišljala sam ga kako stoji kod oltara, ozarenog lica, ali ukočen od nervoze dok mu prilazim. Moja porodica se osmehuje, ponosna na ženu u kakvu sam izrasla, mama u tamnoplavom šeširu s mrežicom, a tata u otmenom novom odelu („znaš, ima prsluk"). Moj brat i njegova mala porodica, beba Sofi, koja pokušava da pobegne iz majčinih ruku kako bi se igrala na klupama u crkvi. Onda okrenem glavu nadesno, ka Adamovom bratu i kumu Džejmsu, koji stoji pored njega, i srce mi se steže od griže savesti. Njegova majka ga drži pod ruku, a lice joj je izobličeno od mržnje.

– Jesi li spremna? – pitala je Frančeska, provirivši iza zavese.

Nervozno sam klimnula glavom. Čula sam ćeretanje s druge strane, a Pamin kreštavi glas cepao me je poput bodljikave žice.

– Hajde onda – nagovarala me je Frančeska – izađi pred svoju publiku.

Pomerila sam tešku somotsku zavesu u stranu i izašla.

– Jaoj, Em! – uskliknula je mama.

– Predivno izgledaš – rekla je Pipa, razrogačenih očiju, pokrivši dlanom usta.

– Misliš? – pitala sam. – Da li je onako kako si očekivala? – Pitanje sam uputila Pipi, ali je odgovorila Pami.

– Ne – rekla je, oklevajući. – Mislila sam da će biti... ne znam... recimo, veća.

Pogledala sam u haljinu elegantnog kroja koja je pratila liniju mog tela, struka i bedara, završavajući na podu.

– Mislim da je jednostavno savršena, Em – ushićeno je uzviknula Pipa. – Baš je u tvom stilu.

– Divno izgleda, dušo, zaista – dodala je Pami. – Dobro ćeš je iznositi, to je sigurno. Odlično će ti poslužiti za neku posebnu priliku.

Njene reči su zabolele, ali Pipa i mama to nisu primetile. To je ono kod Pami: da ti kompliment koji svi čuju, da bi za njim usledila zajedljiva primedba koju niko drugi ne primeti, osim, naravno, mene, kojoj je bila upućena.

– Hoćeš li uraditi nešto sa kosom? – pitala je. – Da je malo doteraš.

Frančeska je uskočila sa jednostavnom dijamantskom dijademom, prikačenom za jednostruki veo.

– Hoćeš li da podigneš ili pustiš kosu? – uzbuđeno je pitala Pipa.

– Razmišljam da je podignem – rekla sam mršteći se, još uvek neodlučna. Frančeska mi je podigla kosu, izvukla mi pramenove oko lica i tu i tamo je prikačila sa nekoliko ukosnica pre nego što mi je nežno stavila ukras za glavu.

– Da vidiš kako bi otprilike izgledalo – rekla je.

– Dobro, neće biti baš *tako*, zar ne? – podsmešljivo je rekla Pami. – Pretpostavljam da ćeš za venčanje unajmiti profesionalce.

Bilo je to retoričko pitanje, na koje, kako sam smatrala, ne moram da odgovorim.

– Znači, sviđa vam se? – pitala sam. – Šta mislite da će Adam da kaže?

Radnjom je odjeknuo hor povika „fenomenalno", „oduševiće se", „predivno", ali reč „zanimljivo" kao da je bila najglasnija.

U glavi mi je damaralo kad smo najzad izašli odatle, tačno trideset tri minuta kasnije. Nisko, blistavo sunce preseklo mi je vidno polje dok smo se vraćali kroz selo.

– Rezervisala sam da idemo na ručak u tvoj omiljeni restoran, *Due amiči* – uzviknula je Pipa. – Malčice smo poranile, ali sigurna sam da će nam naći mesta, ili ćemo popiti piće za šankom.

– Zapravo, da li bi ti smetalo ako to odložimo? – pitala sam.

Pipa se okrenula ka meni, podigla obrve i čekala da nastavim.

– Ubija me glavobolja i da budem iskrena, najradije bih samo negde sela i popila čaj.

Uhvatila me je za mišicu i odvukla od Pami i majke, koje su bile previše zaokupljene razgovorom da bi primetile. – Jesam li dobro shvatila? – upitala je Pipa. – Da li je ovo *odjebavanje*?

Osmehnula sam se. Odavno nismo upotrebile tu reč. Bar ne otkako sam ja sa Adamom. Bio je to naš tajni znak za „izvuci me odavde" i sećam se da sam je poslednji put upotrebila kada me je neki tip pijanu ubedio da odem njegovoj kući pošto sam ga upoznala na karaoke večeri *u Dog i daku* u Ulici Bruer. Pipa se žvalavila s njegovim ortakom u ćošku i sve je zvučalo kao odlična zamisao dok smo se opijale i ružile pesmu „Nutbush City Limits". Ali kad smo se svi našli u taksiju, Pipa zajahavši svog novog prijatelja, iznenada sam se, srećom, dozvala pameti. Nisam želela to da uradim i nisam želela da budem tu. – Odjebavanje! – uzviknula sam, a Pipa se naglo uspravila, kao da je čula Tarzanov krik u džungli.

– Ozbiljno? – povikala je.

– Da. Odjebavanje. – Izgovorila sam to polako, ne toliko zbog nje koliko zbog sebe. Bog će znati kakav su ludi provod momci mogli da očekuju da su to pogrešno shvatili.

– Igra ti po živcima, zar ne? – pitala me je Pipa sada, pokazujući glavom na Pami.

Klimnula sam glavom i osetila kako me oči peku od suza.

– Dobro, hoćeš da se vratimo kod mene?

Pomislila sam na Adama, koji kao na iglama čeka kod kuće, nestrpljiv da čuje kako je protekao moj poseban dan, i jednostavno nisam želela da se uhvatim ukoštac s tim. Nisam mogla da se pretvaram da sam srećna i lažem ga u lice i kažem da je sve prošlo savršeno, a opet nisam htela da mu kažem šta se zaista dogodilo: da je njegova majka ponovo sve upropastila. Živeo je u zabludi da se nas dve u poslednje vreme mnogo bolje slažemo, a izgleda da smo, sve dok je u to verovao, nas dvoje bili bliži. Nije bilo glupih svađa oko onoga što je on smatrao mojom neopravdanom paranojom kad god bismo pomenuli Pami. Naučila sam da je mnogo jednostavnije da slušam kad priča o njoj, osmehujem se i prelazim preko toga, jer iznenada sam shvatila da, kada bi došlo do trenutka odluke i kada bih ga naterala da bira, zaista ne znam šta bi odlučio.

– Dame – rekla je Pipa dok se okretala ka ostatku društva. – Emili se ne oseća baš najbolje, pa ću je odvesti kući.

– Oh, šta je bilo, dušo? – uzviknula je mama, gladeći me po leđima. – Hoćeš da pođem s tobom?

Odmahnula sam glavom. – Ne, hvala, mama. Biće mi dobro, samo mi je malo pozlilo.

– Verovatno ne vodi računa o sebi – ubacila se Pami, kao da ja nisam tu. – Sigurno pokušava da smrša i drži neku suludu dijetu kako bi ušla u onu haljinu.

Pipa mora da je videla izraz na mom licu jer me je brzo povela odatle, sprečivši me da kučku koja se u sve meša raspalim po licu.

– Da li sam ja kriva? – pitala sam, kad smo se bezbedno smestile na njenu sofu, sa šoljom supe iz kesice u ruci. – Svi kažu kako je ona obzirna i ljubazna, a ja vidim samo đavola crvenog lica, s rogovima.

– Ali takva je prema svima ostalima. Vide je kao nedužnu staricu koja te je prijatno iznenadila pozvavši tvoju staru drugaricu na devojačko veče, preklinjala te da pođe sa tobom na probu venčanice jer nikada neće imati ćerku s kojom bi podelila to posebno iskustvo... *bla-bla-bla*. I, da budem iskrena, Em, svi su naseli na to. Čak ni njen rođeni sin ne može da je prozre i vidi koliko te ona povređuje.

– Znači, ipak sam *ja* kriva? – Progutala sam knedlu, osetivši kako mi naviru suze.

– Naravno da nisi – rekla je, primakla se na sofi i zagrlila me. – *Ja* vidim šta ona radi, ali ti ne mogu mnogo pomoći, osim u ovakvim trenucima. – Privukla me je k sebi. – Moraš da imaš podršku svog budućeg muža, da ga navedeš da uvidi šta ona radi i koliko si zbog nje nesrećna. Ne možeš s nekim graditi zajednički život opterećena tolikom mržnjom jer će to na kraju, ako ne tebe, uništiti vaš brak. Moraš da razgovaraš s njim, da mu sve ispričaš.

– Pokušala sam! – uzviknula sam. – Ali kad to naglas izgovorim, zvučim tako jadno, kao da sam razmaženo derište. Čak i *meni* tako izgleda, bog te pita šta Adam misli o tome.

– Šta je rekao za to što je Šarlot bila na tvojoj devojačkoj večeri? Tu ne možeš da zvučiš jadno. To je vrlo jasna granica koju je prešla, nešto što mnogi ne bi ni pomislili, a kamoli uradili.

– Nisam mu rekla.

– Šta?! – uzviknula je Pipa. – Udaješ se za dve nedelje a nisi mu rekla nešto tako važno?

Odmahnula sam glavom. – Vratili smo se tek pre nekoliko dana i ono malo vremena što smo bili zajedno, pričali smo o Las Vegasu i venčanju.

– Guraš glavu u pesak – kruto je rekla. – To nije dobro.

Slabašno sam klimnula glavom, svesna da se sve ovo loše odražava na mene. – Razgovaraću večeras s njim.

Kad sam došla kući, Adam je gledao ragbi utakmicu na televiziji.

– Možemo li da razgovaramo? – tiho sam upitala, bezmalo ne želeći da me čuje i nadajući se da ću još nedelju dana moći da ono neizbežno guram pod tepih.

– Da, naravno – odsutno je rekao. – Ali može li da sačeka dok se ne završi utakmica?

Klimnula sam glavom i otišla u kuhinju. Uzela sam iz frižidera nekoliko paprika i počela žustro da ih seckam. Nije me ni pitao kako mi je prošao dan.

– Zapravo, ne, ne može – rekla sam i uletela nazad u dnevnu sobu, još uvek držeći nož.

Malo se uspravio, ali samo da bi preko mene video televizor. Zgrabila sam daljinski upravljač sa stočića i isključila televizor.

– Koji ti je đavo? – uzviknuo je. – Gledam polufinale.

– Moramo da razgovaramo.

– O čemu? – prostenjao je kao mrzovoljno dete.

Sela sam na stočić tačno ispred njega, tako da ne može da se vrpolji i da mi izmigolji. Oprezno je pogledao u nož u mojoj ruci.

– Moramo da razgovaramo o tvojoj majci – rekla sam, spuštajući ga polako na drvenu površinu stola pored sebe.

Prostenjao je. – Stvarno? Opet? Mislio sam da smo o tome već razgovarali?

– Moraš da popričaš s njom – nastavila sam. – Njeno ponašanje je jednostavno neprihvatljivo i neću dozvoliti da nam stvara trzavice.

– Ne stvara nam trzavice – naivno je rekao. – Mislio sam da se sad bolje slažete. Bar sam takav utisak stekao nakon proslave tvoje devojačke večeri.

Zarila sam lice u šake, trljajući oči da bih imala vremena da smislim kako najbolje ovome da pristupim. – Uradila je nešto potpuno neoprostivo u Portugaliji – počela sam. – I to me je toliko uznemirilo i povredilo da ne mogu da nastavim dalje dok ti sve ne ispričam i ne shvatiš šta je uradila te kako sam se zbog toga osećala.

Nagnuo se napred, ali videla sam da se premišlja da li da me dotakne da me ohrabri ili da se uzdrži kako ne bi ispalo da staje protiv svoje majke. Odlučio se za ovo drugo. – Dobro, šta je to tako strašno uradila?

Nakašljala sam se. – Pozvala je Šarlot.

Čekala sam da skoči i kaže: „Šta, jebote?", ali nije se ni pomerio. – Ko je Šarlot? – mirno je pitao.

Ovo se nije odvijalo onako kako sam želela. – Šarlot. Tomova Šarlot!

Zbunjeno je odmahivao glavom.

– Da li ti to namerno radiš? – vrisnula sam. – Moja najbolja drugarica, ona što je spavala s Tomom.

Izgledao je zbunjeno. – Otkud ona?

– Baš to ti pričam! U tome i jeste stvar. Tvoja mama je pomislila da bi bila dobra zamisao da nas ponovo zbliži, pa ju je našla i dovela u Portugaliju.

– Ali to nema nikakvog smisla – rekao je. Konačno je počinjao da shvata, ali nije mi nimalo olakšavao.

– Uradila je to da mi napakosti – nastavila sam. – Baš se namučila da je nađe.

– Ali ona nije mogla da zna – rekao je, braneći je. – Kako je mogla da zna šta se dogodilo među vama?

– Moja majka joj je ispričala!

– Ma daj, ne budi smešna – rekao je ustajući sa sofe. – Da je mama imala bilo kakvu predstavu o tome šta se među vama dogodilo, nikad to ne bi uradila. Očigledno je mislila da radi nešto dobro, htela je da bude ljubazna, da te iznenadi.

– Adame, šta ti ovde nije jasno? – zaurlala sam, dok su mi navirale suze. – Namerno je to uradila. Znala je zašto smo se posvađale i pozvala ju je kako bi me povredila.

– Ali ona to ni u snu ne bi uradila – rekao je. – Mislim da si samo paranoična.

– Moraš da razgovaraš s njom, da saznaš u čemu je njen problem, jer ako to ne uradiš, ona će nas uništiti.

Kratko se nasmejao. – Da nisi malo melodramatična?

– Ozbiljna sam, Adame. Moraš to da rešiš s njom. Mora prestati da mi pakosti.

– Nikada nije rekla ništa o tebi, ili protiv tebe, ili nešto da te omalovaži. – Sada je stajao.

– Misli šta god hoćeš, ali kažem ti, živiš u oblacima. Ne želiš to da prihvatiš.

– Ona je moja majka, pobogu! Rekao bih da je poznajem bolje nego ti.

Pogledala sam ga trudeći se da mi glas bude smiren i siguran. – Šta god da je njen problem, morate to da rešite. Neću to više da trpim.

Osmehnuo se i popustljivo odmahnuo glavom.

– Čuješ li me? – viknula sam, uporno insistirajući na tome.

Otišla sam u spavaću sobu i zalupila vrata. Ako on nije spreman da se uhvati ukoštac sa Pami, onda ću to uraditi ja.

26.

Kliznula sam pod vodu kad se oglasilo zvono na vratima. Zvuk je iznenada zagušilo pucketanje penušave kupke koja je tiho prskala iznad mene.

Odlazi, nečujno sam preklinjala.

I taman kad sam mislila da su moje molitve uslišene i pridigla se, stanom je ponovo odjeknulo grubo zvono.

– Ma ostavi me na miru! – rekla sam glasno.

Zujalo je unedogled.

– Dobro, evo – promrmljala sam, ljuta što su me prekinuli dok sam uživala u kupci. Peškirom sam obmotala kosu i dohvatila kućnu haljinu sa kuke na zidu.

– Bolje bi bilo da je nešto važno – rekla sam dok sam otvarala vrata, očekujući da ću ugledati Pipu ili Seba.

– Džejmse! – Nagonski sam se čvršće umotala u haljinu, uzalud se ponadavši da ću se tako osećati manje ranjivo. – Adam nije kod kuće – rekla sam, ne otvarajući vrata ni pedalj više. – Izašao je na piće s momcima sa posla.

– Nisam došao da vidim Adama – rekao je, pomalo zaplićući jezikom. Polako je gurnuo vrata.

– Sada nije zgodan trenutak – rekla sam. Srce mi je tuklo kao ludo dok sam bosom nogom pokušavala da zadržim vrata.

– Moramo da razgovaramo – rekao je. – Nisam došao da pravim nevolje.

Pogledala sam u njegove tople oči i blago lice, pune usne, malčice izvijene naviše. Pio je, ali delovao je prijateljski, pristupačno. Popustila sam pritisak na vratima, sklonila se u stranu i pustila ga da uđe. Osmehnuo se i sklonio kosu s očiju. Kao da sam gledala Adama od pre deset godina, onda kada je bio s Rebekom. Pitala sam se da li su sede kojima su bile prošarane Adamove slepoočnice i stalno ljutito mrštenje bili rezultat Rebekine prerane smrti. Sigurno mu nije bilo lako; bio je mlad, započinjao je nov život i nameravao da ga podeli sa ženom koju voli, da bi je onda iznenada i tako nepotrebno izgubio. Nisam Adamu odala dovoljno priznanja što je prebrodio ono što ga je snašlo i što se nije predavao.

– Uzmi nešto da popiješ – rekla sam, pokazujući na kuhinju.

Osmehnuo se i sugestivno podigao obrve.

– Mislim, čajem ili kafom. Idem samo da se presvučem.

Čula sam kako vadi pampur iz boce dok sam češljala mokru kosu pred ogledalom u kupatilu, još uvek zamagljenom od vrele kupke. Nivo vode je opao a mehurići pene su splasnuli pa sam zavukla ruku da izvučem čep. Onda savila upotrebljeni peškir i okačila ga na zagrejanu šipku.

Nije bilo važno kako izgledam – zašto bi? – ali ipak sam želela da se pogledam u ogledalo. Obrisala sam krug na zamagljenom ogledalu i uzmakla ugledavši Džejmsa kako stoji iza mene, sa čašom crnog vina u ruci.

Vreme kao da je stalo, a jedini zvuk bilo je klokotanje vode u kadi dok je oticala.

– Džejmse, ja... – Okrenula sam se k njemu i kućna haljina na preklop rastvorila se na grudima.

– Izvini... ja... – promucao je. – Ostaviću te da završiš.

Brzo sam obukla crne helanke i jednu od Adamovih košulja, zavrćući rukave dok sam ulazila u dnevnu sobu. Palo mi je na pamet da sam možda podsvesno napravila simboličan izbor kako bih pokazala da sam Adamova devojka.

– Dobro, otkud ti? – pitala sam najnehajnije što sam mogla.

– Čisto mi je palo na pamet da svratim – rekao je.

Otišla sam do prozora. – Nisi valjda vozio? – Nisam videla njegova kola dole na ulici.

– Ne, uzeo sam taksi – rekao je.

– Čak od Sevenouksa? – uzviknula sam.

Klimnuo je glavom.

– Pa, kao što sam rekła, Adam nije tu, džabe si dolazio.

– Nisam došao da vidim Adama.

Sipala sam sebi čašu crnog vina iz boce na radnoj površini da se smirim.

– Dobro... – rekla sam, odlučivši da ostanem da stojim i ne sednem na sofu pored njega.

– Hteo sam da razgovaram s tobom. Moram da razgovaram sa tobom.

– Džejmse, nemoj – rekla sam i obišla kuhinjsko ostrvo. Osećala sam se nekako bezbednije s metrom granita između nas.

– Moraš nešto da znaš – rekao je i krenuo da ustane.

Osetila sam kako moja odbrana popušta. S jedne strane, želela sam da čujem šta ima da kaže, a s druge da zapušim uši. Bilo mi je dovoljno zbrke u životu. Adam i ja napravili smo ogroman korak napred otkako sam poslednji put videla Džejmsa. Ako mi kaže šta oseća, plašila sam se da ću se ponovo vratiti dva koraka nazad.

– Mislim da treba da odeš – rekla sam osećajući kako uzmičem.

– Možeš li, molim te, da me saslušaš na trenutak? – rekao je i uhvatio me za ruku. – Ako mi pružiš priliku i daš mi samo nekoliko nedelja, dokazaću ti koliko mogu da te usrećim. – Njegove prodorne oči napeto su zurile u mene.

– To nije pošteno, Džejmse. Uskoro se udajem za tvog brata. Zar ti to ništa ne znači?

– Ali on neće brinuti o tebi kao što bih ja brinuo.

Kada bih bila poštena prema sebi, priznala bih da je verovatno u pravu. Džejms je bio srušta suprotnost svom bratu. Adam je uvek zračio samopouzdanjem; uvek se prvi predstavljao, preuzimao inicijativu u restoranu, ili spuštao pantalone za vreme pevanja ragbi himne. Eto, takav je bio Adam a ja sam bila svesna toga da se, da on nije bio toliko neposredan, nikada ne bismo ni smuvali. Džejms je bio povučen, uglađeniji i kao da je uvek premišljao pre nego što nešto kaže ili uradi. Nastavio bi da me sluša mnogo nakon što bi se Adam isključio. I bio bi tu da me pridrži kad bi sve oko mene počelo da se ruši.

Glava mu je bila samo nekoliko centimetara od moje, usne toliko blizu da sam bezmalo mogla da ih okusim. Trebalo je samo da zažmurim i prepustim se.

– Zaslužuješ bolje – promrmljao je. – Obećavam da te nikad neću povrediti.

Odmakla sam se. I pored svih mana, znala sam da me Adam nikad ne bi namerno povredio. Da li Džejms nagoveštava da bi ipak mogao?

– Adam je dobar prema meni...

Trgla me je buka na odmorištu. Kad sam se okrenula, ugledala sam Adama, koji je očigledno bio obeznanjen. Oboje smo se trgli, kao da nas je prodrmala struja. Nisam ga ni čula kad je ušao.

– Hej, hej, šta se ovde dešava? – promrmljao je, naslanjajući se na okvir vrata dnevne sobe i popuštajući već olabavljenu kravatu.

– Ja... mi... – zaustila sam, oborene glave, pokušavajući da sakrijem krivicu, sigurna da će mi se jasno videti na licu.

– Sad ću da dobijem opkladu – rekao je Džejms, posegao iza mog vrata i povukao kragnu. – Rekao bih da je ovo moja košulja. Mora da si je ćornuo kad smo prespavali kod mame za Božić.

– E baš nije – rekao je Adam, pokušavajući da krene ka nama a da ne vrluda. – Samo da znaš, to je moja *gant* košulja.

Kad se nagnuo da pogleda, osetila sam Džejmsov vreli dah na vratu. – Ha, eto! Rekao sam ti! Moja je, lopužo jedna.

Znači, sada nosim Džejmsovu košulju? Kakva ironija.

– Zdravo, dušo – rekao je Adam zaplićući jezikom i sočno me poljubio. Nagonski sam se odmakla. Zaudarao je na alkohol, kebab i dim.

– Šta je bilo, dušo? Zar ti nije drago što me vidiš?

– Naravno da mi je drago – nervozno sam se nasmejala – ali baš zaudaraš. Jesi li pušio? – Iznenadila bih se da jeste, jer je znao da je to nešto što najviše mrzim.

– Šta? Ne, naravno da nisam. – Omirisao je svoj sako i zbunjeno me pogledao, kao da dokazuje da sam to umislila.

Nehajno me je obgrlio rukom i naslonio se svom težinom na moje rame.

– I, otkud ti, Džej? – upitao je Adam, povisivši glas.

Pogledala sam u Džejmsa razrogačenih očiju, nadajući se da ima spremno opravdanje.

– Moram da uzmem račun za vaše prstenje – mirno je rekao.

Adam se slobodnom rukom smeteno potapšao po džepovima. Druga je i dalje bila prebačena preko mog ramena i pritiskala me.

– Nije kod mene, ti si ga uzeo – zbunjeno je rekao. – Jašno se... – Odmakao se od mene i čučnuo na pod, smejući se. – Ovaj – rekao je, nakašljavši se. – Jasno se sećam da si ga ti uzeo.

– Možda si u pravu – rekao je Džejms. – Proverio sam u novčaniku, ali možda je u džepu pantalona.

– *Mora* da je tamo – rekao je Adam, uzviknuvši prvu reč, a onda gotovo nečujno promrmljavši ostatak rečenice.

Džejms i ja smo se pogledali, strpljivo se osmehujući. – A ti još brineš da si se ti napio? – rekla sam.

– Hajde, momčino – rekao je Adamu pružajući ruku k njemu. – Da te odvedemo u krevet.

– Samo ako ti pođeš sa mnom. – Adam se nasmejao. Nismo znali kome se obraća.

Džejms je uhvatio Adama pružajući mu oslonac svojim telom.

Požurila sam u kupatilo i brzo otkopčala košulju koju sam nosila. Ne znam da li sam bila iznenađena kada sam videla da na etiketi jasno piše „gant”.

27.

Pet dana pre venčanja, Pami je pozvala da pita da li još šestoro gostiju može da dođe na službu. Četiri dana pre venčanja pitala je da li noć pred venčanje može da ostane u hotelu sa mnom. Tri dana pre venčanja, želela je da joj se imejlom pošalje raspored sedenja.

Sve sam to glatko odbila.

– Samo hoće da pomogne – objasnio je Adam kad sam se požalila što se u sve meša. – Jadna žena, šta god uradi, ne valja.

Ošinula sam ga pogledom, razočarana, ali daleko od toga da sam bila iznenađena. Jasno je stavio do znanja kakav je njegov stav. Da budem iskrena, mislim da ništa drugo nisam ni očekivala.

Kao što se moglo i pretpostaviti, Pami je počela da cmizdri i glumila nevinašce kad ju je Adam nekoliko dana ranije, navodno, ispreslišavao za ručkom. Tvrdila je da nema pojma zašto smo se Šarlot i ja posvađale i uporno se klela da su sve sumnje koje imam u vezi s njom potpuno neosnovane. – Ona više od svega želi da ti bude prijatelj – rekao je Adam kad je stigao kući.

– Znači to je sve? – pitala sam s nevericom. – Dovoljno je da ti kaže da joj poveruješ? Kraj priče?

Slegao je ramenima. – Šta je drugo trebalo da uradim?

– Da poveruješ *meni* – rekla sam i izašla.

„Porodična večera" je bila početak naše proslave, malo, prisno okupljanje, vreme da budemo sa svojim najbližim pre nego što upadnemo u ludilo oko važnog dana. Da je bilo po mom, došla bi samo *moja* porodica, ali nisam toliko sebična da stavim svoje želje ispred Adamovih.

– Kako izgledam? – pitala sam ga dok sam poravnavala crnu haljinu od krepa i nameštala svilenu ešarpu.

– Predivno – rekao je i poljubio me u obraz.

– Nisi ni pogledao – zadirkivala sam ga.

– Ne moram – odgovorio je.

– To je bilo otrcano čak i od tebe.

Stavila sam u tašnu dva ruža, jedan jarkocrven, za ozbiljne večernje izlaske, drugi boje kože, za onda kad veče počne da usporava i bliži se kraju. Ipak, pretpostavila sam da bih večeras mogla na kraju da stavim crveni. To je, uostalom, bilo veče uoči našeg venčanja i nemam nameru da ovo ikada više radim ponovo.

Kad smo stigli, mama, tata, Stjuart i Lora su već bili u baru restorana *Ajvi*. Mama nam je, sva zajapurena, razdragano nazdravila čašom šampanjca dok su nam uzimali kapute.

– Uh, tvoja mama je već cugnula. – Adam se nasmejao.

– Verovatno je proseko, a ne pravi šampanjac – rekla sam. – Bar dok ne sazna da mi plaćamo.

Veče bi bilo savršeno da smo ostali samo nas šestoro, ali nad mene se nadvio tamni oblak Paminog predstojećeg dolaska. Kako su minuti prolazili, osećala sam kako mi se telo povija pod teškim bremenom koje me pritiska.

Pola sata posle ugovorenog vremena, Pami se pojavila sa Džejmsom.

Potpuno sam se spetljala kad sam ga videla, ali nisam htela da dozvolim da me to poremeti. Večeras ću biti oličenje samokontrole.

– Drago mi je što te vidim – rekla sam Džejmsu. Njegove usne kao da su se zadržale na mom obrazu sekund previše.

– I meni – tiho je rekao. – Kako si?

– Sve je sjajno – rekla sam svesna da očima prenosim isto osećanje. – Kloi nam se neće pridružiti? – pitala sam gledajući oko njega.

– Ne, plašim se da neće. Mislio sam da ti je mama rekla.

Odmahnula sam glavom i podigla obrve.

– Rastali smo se – rekao je.

– Oh, žao mi je što to čujem – promucala sam.

– Tako je najbolje – rekao je. – To nije bilo to, ona nije bila ona prava.

– Nikad se ne zna – rekla sam, gotovo veselo. – Možda je mogla da bude.

– Ne bih rekao. Prosto odmah znaš kad nađeš ono pravo, zar ne? – Gledao me je u oči.

Ignorisala sam ga i okrenula se da pozdravim Pami. Usne su joj bile stisnute u tanku liniju.

– Pamela, divno što si došla – ushićeno sam rekla. – Zar ovo nije uzbudljivo?

Obe smo znale da su moje reči pune sarkazma, ali da to niko drugi ne bi primetio.

– Emili. – Mrštila se. Čekala sam njenu opasku tačno znajući kako će da me potkači: koliko sam kilograma nabacila, ili izgubila, u zavisnosti od toga kako je raspoložena; primedbu na boju moje kose, malo svetliju nego obično, ili na haljinu koju sam obukla. Prvi put sam osećala da sam zapravo spremna za to, ali ona nije rekla ništa.

– Dušo – rekla je okrećući se ka Adamu i grleći ga, ali usta su joj i dalje bila stisnuta, kao da ih drži zatvorena strahujući šta bi iz njih moglo da izleti.

– Mama, kako si? – pitao je, srdačno je grleći.

Brzo je oborila pogled. – Moglo bi i bolje – snuždeno je rekla. U sebi sam preklinjala Adama da ništa ne pita, da joj ne pruži to zadovoljstvo. Kad je mama ustajući sa barske stolice prosula piće, moje molitve kao da su bile uslišene.

– Oh, izvinjavam se – rekla je, ponovo uspostavivši ravnotežu. – Nisam bila svesna da sam toliko visoko.

Adam se nasmejao dok joj je uzimao čašu, uhvatio je za lakat i poveo do našeg stola. Pamino tužno lice moglo je samo da krene za njima. Mora joj se odati priznanje. Već je odredila raspoloženje za stolom a da ni reč nije izgovorila.

– Dobro, jeste li spremni? – nestrpljivo je upitala mama, iako je odgovor bio isti kao i prethodna tri puta kad me je tog dana pitala. Ali bila je uzbuđena, a njeno uzbuđenje bilo je zarazno. Radije bih se bavila i time nego se borila s teškim bremenom koje je Pami unela sa sobom. Neka se Adam bakće time.

– Da, sve je spremno – rekla sam. – Bilo je nekoliko začkoljica početkom nedelje, ali smo ih sredili i ne vidim šta bi od danas do subote moglo da krene naopako. – Dotakla sam donju stranu drvenog stola. – Ostao je još samo jedan dan.

– Ja ne bih bila toliko sigurna – gorko se ubacila Pami. – Na dan kada sam se udavala za svog Džima, nije došla muzika. Rezervisali smo bend koji izvodi Abine pesme, a onda smo posle večere saznali da neće doći.

Adam se nasmejao, bez sumnje pokušavajući da malo smanji napetost. – I, šta se dogodilo, mama?

– Poslali su zamenu – nastavila je bezizrazno, bez uobičajenog povisivanja i pevuckanja. – Pomalo su podsećali na Blek sabat.

Svi za stolom prasnuli su u smeh, ali Pamino lice nije ni zadrhtalo. Toliko se umusila glumeći ojađenost da je samu sebe nadmašila.

Gledala je u krilo, kršeći prste. *Evo je opet*, pomislila sam, mada su postojali veliki izgledi da sam to izgovorila naglas, jer se Adam okrenuo i pogledao me.

Pami radi ono u čemu je najbolja.

Nisam imala nameru da zadovoljim njenu potrebu za pažnjom time što ću je pitati šta nije kako treba, ali je mama, ne znajući šta ova radi, postavila to pitanje umesto mene.

– O, Pami, šta ti je, za ime moga?

Odmahivala je glavom i brisala jednu zalutalu suzu, jedinu koju je uspela da iscedi.

– Ma ništa – promucala je, onako kako samo ona ume poručujući „ne brinite zbog mene”, što je zapravo značilo „*svi* brinite zbog mene”, a meni je to dozlogrdilo.

Iskapila sam čašu šampanjca, a predusretljivi konobar ju je dopunio pre nego što sam je i spustila na sto. – Hajde, hajde, glavu gore, Pi – rekla sam, dižući čašu – moglo je da bude i gore.

– Emili – prekorila me je mama.

– Ne bih se složila – promrmljala je Pami jedva čujno.

Teatralno sam se nasmejala, travestit iz britanske pantomime. – A što? – pitala sam, usmerivši svu pažnju pravo na nju, baš kako ona voli. Hajde da joj damo to što želi, pomislila sam, da prebrinemo to i nastavimo s večerom. Možda ćemo onda moći da se posvetimo Adamu i meni, kao što bi trebalo da bude.

– Em – tiho je rekao Adam. – Prekini.

– Ne, hajde, Pamela – nastavila sam, ignorišući ga. – O čemu se radi?

Ponovo je oborila glavu, tobože posramljena zbog scene koju pravi.

– Nisam htela večeras da pominjem – rekla je. – Mislila sam da ne bi bilo lepo.

– Svi smo se pretvorili u uvo, slobodno kaži – rekla sam.

Nervozno se igrala ogrlicom, ne gledajući nikog od nas u oči i prelećući pogledom preko punog restorana.

– Plašim se da imam prilično loše vesti – graknula je svojski se trudeći da iscedi još jednu suzu.

Adam je pustio moju ruku i uzeo njenu.

– Šta je bilo, mama? Plašiš me.

– Imam rak, sine – rekla je. – Žao mi je. Zaista nisam želela da ti večeras kažem. Nisam htela da upropastim ovo posebno veče.

Svi za stolom su zanemeli. Mama je sedela otvorenih usta, a ostatak moje porodice smeteno je odvraćao pogled. Džejms je pognuo glavu, kao da je već znao. Nisam znala da li da se smejem ili da plačem.

– O, bože. – Nisam mogla da odredim ko je to izgovorio. Pred očima mi se zamaglio i sve se odvijalo kao na usporenom filmu.

– Šta? Kako? – Bio je to Adam.

– Rak dojke – tiho je rekla. – Treći stadijum, tako da još uvek postoji tračak nade.

– Kad si saznala? Ko... gde si bila? – pitao je Adam, a njegova pitanja sva su se stapala u jedno.

– U dobrim sam rukama, sine. Imam divnog lekara u bolnici *Prinses rojal*.

– Šta su preduzeli?

– Uradiće sve što je u njihovoj moći. Obavili su dosta analiza i uradili biopsiju. – Napravila je grimasu i stavila ruku na grudi da pojača dejstvo svojih reči. – Još uvek nisu sigurni koliko se raširio. Stvarno nisam htela da to pominjem večeras. Hajde, nećemo da pokvarimo ovo posebno veče.

Nisam mogla ni u mislima da sastavim reči koje sam htela da kažem, a kamoli da ih naglas izgovorim, ali tako je verovatno bilo i bolje.

– I, kada će znati nešto više? – pitao je Adam. – Kada ćemo znati sa čime se suočavamo?

– Svakako ću ići na lečenje – rekla je – ali još uvek ne znaju koliko dugo. – Neveselo se nasmejala. – I da li uopšte vredi prolaziti kroz to. Ali moraš da prihvatiš sve što ti ponude, zar ne? Ko zna kakvo malo čudo može da se dogodi?

Adam je zario lice u šake.

– Hajde, hajde – rekla je, najednom živnuvši. – Zaboravimo na to sada. Sada su važni Adam i Emili. Nećemo znati ništa više dok se ne vratite s medenog meseca.

– Ne idemo nikud dok ovo ne prebrodiš – rekao je Adam.

– Šta? – čula sam sebe kako kažem.

Adam se okrenuo ka meni i ogorčeno me pogledao.

– Ne budi smešan. – Osmehnula se i stegla mu ruku. – Vi tu ništa ne možete da uradite. Vas dvoje treba da idete na medeni mesec. Sve mora da se odvija kao što je planirano.

– Ali šta je s lečenjem? – upitao je.

– Od ponedeljka počinjem s hemoterapijom. Odložila sam je za posle venčanja, za slučaj da mi opadne kosa. – Malodušno se nasmejala. – Moram da budem u najboljem izdanju.

Pogledala me je i sažaljivo se osmehnula. Pogledala sam je u oči, čikajući je da pokaže i tračak griže savesti, mrvicu kajanja zbog onoga što je upravo uradila. Ali duboko iz nje izbijalo je samo čudno zadovoljstvo.

28.

Nimalo čudno, posle Pamine zaprepašćujuće vesti, večera je završena pre vremena, a Adam i Džejms su insistirali da je odvedu kući i uvere se da se dobro smestila.

Mama je pošla kući sa mnom, a tata se vratio sa Stjuartom i Lorom.

– Skuvaću nam čaj – rekla je mama, uposlivši se u kuhinji dok sam ja ukočeno sedela na sofi. – Bolje ćemo se osećati.

Hoćemo li? Ne znam zašto mi Britanci tako mislimo.

Još uvek je bila u šoku posle Pamine objave; kao i ja, ali iz sasvim drugog razloga.

Donela je u dnevnu sobu dve šolje koje su se pušile i stavila ih na stočić. – Pa – rekla je. – Nikako ne razumem, a ti?

Odmahnula sam glavom. – Zaista deluje prilično neverovatno.

Ako je i primetila ton u mom glasu, nije to pomenula. Izvadila je maramicu iz rukava tamnoplavog sakoa, koji je kupila baš za ovo veče, i izduvala nos. – Samo mi je teško da shvatim. Jednog trenutka misliš da si dobro, a sledećeg ti saopšte ovakvu vest. Ne smem ni da pomislim šta u sad sve prolazi Pami kroz glavu. – Oborila je glavu. – Jadna ona.

Pogledala sam u mamu, svoju ponosnu mamu, koja je želela samo najbolje za mene i Stjuarta, pazila na tatu, privremeno ostavila posao medicinske sestre kako bi se brinula o nama i uzbuđeno se isfenirala za večeras. A onda sam pomislila na Pami, koju je toliko izjedala ljubomora da je rešila da me uništi zbog svoje izopačene zabave.

Ovo nije pošteno. Meni može da radi šta god hoće, ali da ovako potrese moju majku? To ne mogu da dozvolim.

Pomerila sam se do nje i uzela je za drhtave ruke.

– Mama, moram nešto da ti kažem. I želim da me pažljivo saslušaš.

Suze su joj tekle niz obraze kad me je pogledala, zabrinuta i uplašena zbog onoga što bi moglo da bude u pitanju. – Šta? Šta je bilo? – rekla je.

– Pami nema rak.

– Šta? Kako to misliš? – upitala je zbunjeno odmahujući glavom. – Maločas nam je rekla da ima.

– Znam šta je rekla, ali laže.

– O, Emili – uzdahnula je i pokrila dlanom usta. – Kako možeš tako nešto da kažeš?

– Mama, molim te saslušaj me. Nemoj ništa da kažeš dok ne završim, a onda reci šta god ti je na umu. Važi?

Sve sam joj ispričala. Počela sam od samog početka, od drugog dana Božića sve do onoga što je uradila sa Šarlot za moje devojačko veče. Mama je sedela otvorenih usta, ne znajući šta da kaže. Pokušavala je, ali nije uspevala da sroči.

Kad sam najzad završila, zaridala sam a ona me je privila uz sebe i njihala. – Nisam imala pojma – zajecala je. – Zašto mi nisi rekla?

– Zato što sam znala da ćeš se sekirati – rekla sam. – I sada sam ti ispričala samo zato što ne mogu da podnesem da te vidim takvu.

– Znači, *Pami* je dovela Šarlot na devojačko veče? – pitala je u neverici. – Čak i posle svega što sam joj ispričala?

Klimnula sam glavom. – Da.

– Da sam imala predstavu šta se događa, nikad ne bih... A šta je sa onim nesrećnim momcima? Ko bi tako nešto mogao da uradi rođenoj deci?

– Ja ću brinuti o Adamu – rekla sam.

– Hoćeš li mu reći? – pitala je. – Hoćeš li mu reći to što znaš? Jesi li sigurna da nisi pogrešila, Em? Tako opasnu optužbu ne možeš tek tako da izneseš i ako grešiš...

– Pobrinuću se za Adama kad za to dođe vreme – rekla sam. – Hajde da završimo sa venčanjem, a onda ću nešto da smislim. Pokušala sam da mu kažem, ali on to jednostavno ne uviđa. Po njegovom mišljenju, ona ne može da uradi ništa loše. Ali nešto će se dogoditi. Pustiću je da sama sebi dođe glave.

– Jesi li sigurna da treba da ideš do kraja s venčanjem, ako nisi sigurna...? – pitala je.

– Volim Adama svim srcem i jedva čekam da postanem njegova žena. Ne udajem se za njegovu majku, ona je samo nešto sa čim ću morati da nađem načina da se izborim.

– Žao mi je, Em.

– Smisliću nešto – uveravala sam je. – Osim toga, Šarlot i ja ponovo razgovaramo, prema tome, nije sve ispalo tako loše.

Slabašno smo se osmehnule jedna drugoj i zagrlile se. Već sam se osećala milion puta bolje.

29.

Kad je Adam stigao, mama je već bila nevoljno otišla kući. – Sigurna si da ćeš biti dobro? – rekla je na vratima. – Ostaću ako želiš.

– Biću dobro – rekla sam. – Moram samo da se uverim da je Adam dobro. Videćemo se u hotelu sutra po podne. Znaš šta treba da poneseš, zar ne?

Osmehnula se. Već stotinu puta smo prošle kroz to. – Imam spisak – rekla je mašući dok je ulazila u tatina kola.

Adam je izgledao slomljeno, kao čovek skrhan u hiljade komadića. Mnogo sam želela da odagnam njegov bol, ali morala sam da čekam. Morala sam da budem strpljiva. Nisam mogla tek tako da stanem pred njega i ispričam sve ono što sam ispričala majci. On je bio drugačiji. U pitanju je njegova majka i morala sam da budem veoma oprezna.

– Ne mogu da verujem da se ovo događa – rekao je dok je sedeo za trpezarijskim stolom s licem zarivenim u šake.

Prišla sam mu s leđa i zagrlila ga, ali se ukočio u mom zagrljaju. – Preguraćemo ovo – rekla sam tešeći ga. – Kad prođu venčanje i medeni mesec, smislićemo neki plan.

– Kako da odem na Mauricijus i ležim na plaži dok se mama ovde bori za život? To nije u redu.

– Ali još uvek ne znamo sa čim se suočavamo – rekla sam. – Dok se vratimo kući, imaćemo više informacija. – Nisam očekivala da će ona moći da nastavi ovu surovu farsu mnogo duže od toga.

– Možda je tako, ali ako u ponedeljak ima prvu hemoterapiju, želim da budem s njom – rekao je.

Osetila sam kako mi se grudi stežu i naterala se da ostanem mirna.

– Sutra ćemo se.... venčati – rekla sam, gledajući na sat. – Hajde da razmišljamo o tome dan po dan.

– Sada ne znam ni da li da pravimo venčanje – prasnuo je. – Mislim da nije u redu da slavimo kad mama možda umire.

Nisam rekla ni reč. Samo sam mirno izašla, ostavivši ga da shvati da to što govorim ima smisla. Kad sam ušla u spavaću sobu, ćutke sam gnevno udarala u jastuk.

Spavala sam kad je ušao, ali sam se probudila kad je legao u krevet.

– Kako si? – pitala sam. – Bolje?

Teško je uzdahnuo. – Mislim da treba da odložimo venčanje.

Uspravila sam se tako naglo u krevetu da mi se zavrtelo u glavi. – Šta?

Nakašljao se. – Mislim da pod ovim okolnostima ne možemo, ja ne mogu. Ovo je užasan udarac i treba mi vremena da razmislim.

– Jesi ozbiljan?

Klimnuo je glavom.

– Stvarno, ne šališ se? – Govorila sam sve glasnije, a glas mi je sa svakim slogom bio za oktavu viši.

– Jednostavno nije u redu, Em. Priznaj. Ovo nije najbolji trenutak da se venčamo. Ne želimo valjda da nam venčanje bude na sramotu...?

Ako je očekivao potvrdu, obratio se na pogrešnu adresu.

– Tvoja mama ima rak. – Prstima sam napravila navodnike.

– Šta to, jebote, znači? – Skočio je samo u boksericama i provukao prste kroz kosu. – Ona ima *rak*, Em. Bože!

Gledala sam ga kako se šetka po sobi i doslovce osećala nemoć i bes koji izbijaju iz njega. Izgledao je kao kvočka zatvorena u kavez i nema kud, ne može da iz sebe izbaci ono što se skupljalo. Mogla bih bar malo da mu olakšam i oslobodim ga pritiska koji je osećao. Da mu kažem da mislim da ona laže, da *znam* da laže. Mogla bih da mu kažem da sam uverena da je sve izmislila kako bi sprečila venčanje. Ali to je zvučalo tako besmisleno. Ko bi to uradio? Nijedna normalna, razborita osoba ne bi mogla ni da zamisli da izgovori tako gnusnu, odvratnu laž. Mogla bih da mu ispričam sve što mi je uradila i rekla otkako smo nas dvoje zajedno, kako nije birala načine da nas rastavi, minirala me na svakom koraku i sada je pribegla ovome, dosad najpodlijem gestu za osam meseci gunđanja i zlostavljanja. Da li bi mi poverovao? Teško. Da li bi me mrzeo? Bezmalo sigurno. Da li bi ona pobedila? Bez sumnje.

Ne. Ne bih ništa dobila ako bih mu rekla istinu, ali, dođavola, neću joj dozvoliti da se izvuče sa zlobnim lažima. Venčaćemo se, sviđalo se to njoj ili ne.

– Smiri se – rekla sam, ustajući iz kreveta i prilazeći mu.

– Da se smirim? Da se *smirim*? Sutra bi trebalo da se održi moje venčanje, a moja majka ima rak. Kako, dođavola, misliš da se smirim?

– Sutra je *naše* venčanje – rekla sam, ispravivši ga. – Zajedno smo u ovome.

Krenula sam da ga zagrlim, da obavijem ruke oko njega, ali on je podigao ruku i zaustavio me.

– Nikako nismo zajedno u ovome – odbrusio je. – Nisi se ni trudila da sakriješ šta osećaš prema mojoj majci i da budem iskren, ne bi se ni popišala po njoj i da se zapali, zato hajde da se ne pretvaramo da ti je stalo i saosećaš sa mnom.

Ustuknula sam. – Nije pošteno. Nemoj mene da kriviš za ovo. Tvoja majka se svojski potrudila da se osetim nepoželjno od dana kada sam te upoznala, a ja sam se stvarno upinjala da se lepo slažem s njom. Ali znaš šta, Adame? Zbog nje to nije bilo moguće!

Ruka mu je poletela i na trenutak sam pomislila da će me udariti, ali okrenuo se i tresnuo pesnicom o orman. Kutije od šešira u kojima sam čuvala uspomene skliznule su s vrha i rasule se po podu.

Stajala sam kao ukopana. Zaustila sam da nešto kažem, ali reči nisu dolazile.

– Izvini, Em – vrisnuo je i pao na kolena. – Ne znam... jednostavno ne znam.

S jedne strane, pošto sam ga volela, želela sam da kleknem pored njega i zagrlim ga, s druge, bio mi je neobično dalek, imala sam utisak da gledam ucveljenog stranca kako se batrga, pokušavajući da sastavi slomljene deliće svog života. Otkriće ove nove strane čoveka koga volim, koju nikad ranije nisam videla, dan pre našeg venčanja, podjednako me je uznemirilo i prestravilo.

Ponovo sam sela na krevet i čekala. Trebalo mi je vremena da prihvatim ono što se dešava, da budem sigurna da ću zadržati potpunu kontrolu, jer je želja da izbacim sve ono što mi je u glavi bila neizdrživa. Kao i panika koju sam osećala u grudima kad sam počela da shvatam da bi on zaista mogao da otkaže venčanje.

– Žao mi je, Em – počeo je ponovo, bezmalo dopuzavši do mene i naslonivši mi glavu na kolena. – Jednostavno ne znam šta da radim.

Mazila sam ga po potiljku. – Sve će biti dobro. Obećavam.

– Kako? Kako možeš da obećaš? Ona bi mogla da umre.

Došlo mi je da vrisnem: *Neće umreti jer nije ni bolesna!* Ali rekla sam: – Brinućemo o njoj. Biće joj dobro.

Pogledao me je zakrvavljenim očima. – Stvarno tako misliš?

Klimnula sam glavom. – Mislim da bi ona želela da održimo venčanje. Zapravo, znam da bi to želela. Ne bi volela da se previše uzrujavamo i sve otkažemo. – Bezmalo sam čula sebe kako se smejem.

– Verovatno si u pravu.

– Svaki dan čuješ da nekom dijagnostikuju rak. – Još dok sam to izgovarala, mrzela sam sebe što Pami svrstavam među milione onih koji se zaista bore s tom opakom bolešću. – Danas imaju dobre šanse.

Tužno je klimnuo glavom.

– Mnogo bolje nego nekada. Napravljen je veliki pomak u lečenju.

Po njegovim zacakljenim očima videla sam da ne dopirem do njega.

– Ova bolest može da se izleči, mnogi su se izlečili. – Uhvatila sam ga za ruke i stegla ih. – Postoje veliki izgledi da će ozdraviti. Hajde da vidimo sa čime se suočavamo i pomognemo joj da to prebrodi.

– Znam. Znam sve to. – Šmrknuo je. – Ali jednostavno ne mogu sada povrh svega da se borim sa ovim.

– Razumem, zato hajde da nastavimo kako smo planirali. Imaćemo više posla ako budemo otkazali venčanje. – Glasno sam uzdahnula.

– Pre bih i to nego da se bakćem venčanjem. Trenutno ne mogu da se usredsredim na bilo šta drugo osim mame. Moram da budem uz nju.

Nije me slušao. Pobrojala sam u mislima sve ljude koje ću morati da pozovem ako venčanje bude otkazano. Nisam smela ni da razmišljam o tome. Ovo se ne dešava. Neću to dozvoliti.

Uhvatila sam ga za ručne zglobove i čvrsto ih stegla, zagledavši mu se u oči. – Slušaj me – odlučno sam rekla. – Sutra ćemo da se venčamo, i tvojoj mami će biti dobro. Uživaće u tom danu, svi će lepo brinuti o njoj, a onda ćemo otići na medeni mesec. Džejms je dovoljno sposoban da se brine o njoj dok mi nismo tu, a kad se vratimo, otići ćemo oboje s njom u bolnicu, saznaćemo o čemu se radi i videti šta ćemo dalje. Važi?

Klimnuo je glavom, ali još uvek nisam bila sigurna da sam doprla do njega.

Ustao je s poda i počeo da se oblači.
– Šta to radiš? – upitala sam, osetivši kako počinjem da se gušim od panike. – Kuda ćeš?
– Idem kod mame – rekao je.
– Šta?! Ne možeš da ideš, pet sati je ujutro.
– Moram da je vidim.
– Pobogu, Adame, preteruješ.
– Kako neko može da preteruje ako mu majka boluje od raka? – prosiktao je, primakavši lice mom.
Bila sam uplašena. Uvek je bio staložen, čovek za primer. On je bio taj od koga su svi tražili pomoć. Neko ko je predvodio tim analitičara, kome su se svi iz porodice obraćali za savet i neko ko je u moj život uneo red. I pored svega toga, sada je bio poput zeca uhvaćenog pred farovima, koji ne zna da li da trči ka njima ili da beži. Bilo je tužno gledati ga i mrzela sam Pami još više zbog onoga što mu je uradila. Što je uradila nama.
Suze su mi navrle na oči. – Ne možeš tek tako da me ostaviš – rekla sam. – Potreban si mi.
– Ne, nisam – rekao je. – O čemu ti imaš da brineš osim da otkažeš prokleti bidermajer i tortu?
Gledala sam ga otvorenih usta.
– Moja majka umire, a ti kukaš oko torte? Dozovi se pameti.
– Ako odeš, kunem se...
Vrata su se zalupila taman kad sam ustala i shvatila da mi nema druge nego da pokažem svetu Pamino pravo lice.

30.

Nisam verovala da ću zaspati, ali mora da sam zadremala jer je, kad sam ponovo otvorila oči, već svanulo. Pogledala sam na sat na noćnom stočiću: 8.02. U glavi mi je bubnjalo kad sam se pridigla i osećala sam napetost poput sabijene opruge spremne da iskoči. U grlu sam osećala knedlu koju nikako nisam mogla da progutam. Odbauljala sam do ogledala i ugledala podbule oči i lice sa crvenim pečatima. Od jastuka su mi ostale pruge preko obraza.

Nije ovako trebalo da provedem veče uoči svog venčanja, ako će ga uopšte i biti.

Opipala sam oko kreveta tražeći telefon i usredsredila se na ekran, očekujući da vidim spisak propuštenih poziva i poruka načičkanih preko moje i Adamove fotografije.

Nije bilo ni poruka ni propuštenih poziva. Nisam imala predstavu gde je Adam ni šta se kog đavola događa. Pozvala sam ga, ali odmah se uključila govorna pošta. Pokušala sam još jednom i opet isto.

Pošto nisam htela da pružim Pami to zadovoljstvo i pozovem je, odlučila sam se za sledeću opciju – Džejmsa.

Javio se posle drugog zvona. – Zdravo, Em?

– Da... – uspela sam da izustim. – Da li znaš gde je Adam? Izašao je rano jutros i ne mogu da ga dobijem.

– Zvučiš uznemireno, jesi li dobro?

Ne. Tvoja porodica je ozbiljno sjebana.

Rekla sam samo: – Da, dobro sam. Imaš li bilo kakvu predstavu gde bi mogao da bude?

– Sa mamom je. Zamenio me je pre nekoliko sati kako bih mogao da odem kući i malo odspavam.

– Da li ti je nešto rekao? – pitala sam poletno, trudeći se da mi se u glasu ne oseti očajanje. – Posvađali smo se i pričao je o tome da će sve otkazati, Džejmse. Ne znam šta da radim.

– Gospode!

– Kao da čvrsto veruje da tako treba.

– Hoćeš da dođem?

Ne. Da. Ne. Ne znam.

– Em? Hoćeš da dođem? – zabrinuto je povisio glas.

– Ne, samo mu reci da me pozove. Ne javlja se na telefon.

– Možda je ovako najbolje – gotovo nečujno je rekao.

Šta? Jesam li ga dobro čula?

– Oboje ćete imati vremena da proverite da li ovo zaista želite.

– Kako misliš, ovako je možda najbolje?! – uzviknula sam. – A opet, zašto bih od tebe bilo šta drugo i očekivala? Od samog početka si hteo da pokvariš ovu vezu. Kladim se da uživaš u ovome?

– Uvek sam ti želeo samo najbolje.

– Jedino što si želeo jeste da u nečemu nadmašiš brata.

– Nije tačno – tiho je rekao.

– Sada, stvarno me nije briga. Samo želim da saznam šta se, dođavola, dešava.

– Idem sad kod mame pa ću te pozvati – ozbiljno je rekao.

Nisam mogla trezveno da razmišljam dok ne popričam s Adamom. Imali smo o mnogo čemu da razgovaramo. Ne može sada da odustane. Šta će ljudi misliti? Pretumbavanje rasporeda i žrtvovanja koja su podneli kako bi bili tamo i uživali u našem posebnom danu. Slobodni dani na poslu, bebisiterke, vozne karte – a to su samo naši gosti. Šta ću reći ovima u hotelu, matičaru, cvećaru, bendu?

Pozvala sam Pipu. Bilo je dovoljno da izgovorim njeno ime i već je krenula ovamo. – Ne mrdaj. Stižem za deset minuta – rekla je.

Samo me je pogledala na vratima i rekla: – Tako mi boga, ako te je pipnuo...

Ukočeno sam odmahnula glavom. – Pami ima rak, a Adam je nestao bez traga.

Upitno je podigla obrve.

– Baš tako – rekla sam.

Nije mogla ništa da uradi, osim da mi skuva čaj i čeka. Neizvesnost je nepodnošljiva.

Bilo je već prošlo deset ujutro kad mi je telefon zazvonio. Na ekranu se pojavilo Adamovo ime.

U tom deliću sekunde Pipa je uletela, istrgla mi telefon iz ruke i uključila spiker.

– Slušaj me ti, đubr... – rekla je.

– Em? – rekao je muški glas.

– Ako se za pola sata ne dovučeš kući... – nastavila je Pipa.

– Em, Džejms je.

Pipa mi je pružila telefon. – Da li je on s tobom? – pitala sam bez daha.

– Da, ali nemam dobre vesti. Izgleda da je čvrsto rešio.

Srce mi se slomilo na hiljade komadića. – Daj ga na telefon.

– Ne želi sad da priča s tobom – rekao je pravdajući se.

– Daj ga odmah na telefon! – gotovo sam vrisnula.

Pipa me je gladila po nozi i uhvatila me za ruku kojom sam mlatarala, očajnički tražeći nešto opipljivo za šta bih se uhvatila da se pridržim, iako sam već sedela.

Čula sam mrmljanje a onda Adamov glas. – Tako sam odlučio – jednostavno je rekao. Kako može da bude tako hladan? – Odlažemo venčanje dok se mama ne oporavi.

– Ali...

– Gotovo je, Em. Već sam počeo da obaveštavam ljude, bar one čiji broj imam. Pozvao sam i ženu iz turističke agencije, koja proverava da li može da pomeri medeni mesec ili nam vrati novac.

Ako krv može da se ohladi, onda sam to tada osetila. Ledena studen krenula mi je od vrata i spuštala se naniže kroz grudi vrtložeći mi se u utrobi. Kad je stigla do vrele kiseline u mom stomaku, bacila sam telefon na Pipu i odjurila u kupatilo da se ispovraćam.

Imala sam utisak da mi govori iz velike daljine i nisam razumela ni reč dok sam se naginjala nad klozetsku šolju, a stomak mi se grčio od samog pogleda na nju, gurajući mi vrelu žuč uz grlo.

Nakon nekoliko sekundi, Pipa je klečala pored mene, pridržavala mi kosu i mazila me po leđima.

– Sve će biti u redu – prošaputala je. – Ja ću sve srediti.

Htela sam da odmahnem glavom, ali sam se ponovo ispovraćala.

Pipa me je naterala da se istuširam i operem kosu, uveravajući me da će mi posle toga sve izgledati bar malčice manje strašno.

Dala sam joj telefonski imenik i dok sam se vratila u dnevnu sobu, trebalo je još samo pozvati hotel i matičara.

– Bojim se da to moraš ti da uradiš – rekla je. – Iz njihovog ugla, ja bih mogla da budem bilo ko.

Tužno sam klimnula glavom.

– Skuvaću nam čaj – rekla je i otišla u kuhinju, gde se uz mnogo lupe i treskanja bacila na posao.

– O, bože, to je baš neuobičajeno – rekla je bezosećajna organizatorka venčanja u hotelu. – Još nam niko nije ovako kasno otkazao.

– Nisam ja odlučivala o tome – hladno sam rekla, jedva svesna šta mi uopšte govori. Radila sam sve mehanički, nesposobna da se suočim sa stvarnim ljudima i emocijama. Osećala sam se kao robot koji pravi unapred programirane pokrete, plašeći se da ne dođe do kratkog spoja.

Kao kroz maglu osetila sam kako mi neko uzima telefon iz ruke.

– Zdravo, ja sam Pipa Hokins, deveruša, ja ću vam pomoći oko svega ostalog što vam bude bilo potrebno...

Glava mi je pala na prekrštene ruke na stolu, a telo je počelo da se trese kad sam zajecala.

31.

Adam se konačno pojavio sat vremena pre nego što je trebalo da se venčamo. Dok je on bio odsutan, kroz naš stan su neprestano prolazili ljudi, u želji da vide kako sam i uvere se da se nisam bacila s mosta. Ali kad se konačno vratio kući, raščupan i crven u licu, samo je Pipa ostala.

Hiljadu puta sam zamišljala taj trenutak, ali sada, dok sam sedela za trpezarijskim stolom a on stajao ispred mene, ličio je na nekog koga sam davno poznavala. Ne na čoveka koga sam volela i s kojim sam živela prethodnih osam meseci. Imala sam osećaj da smo se u nekom trenutku u prošlosti nakratko sreli i jedva se sećam pojedinosti. Nisam znala da li to mozak pokušava da me zaštiti od stvarnosti. Da ublaži silinu onoga što se zaista događa.

Krajičkom oka videla sam Pipu kako uzima svoj kaput, ali gledala sam pravo u njega, čikajući ga da me pogleda, ali on je izbegavao.

– Idem ja – rekla je Pipa. – Važi?

Klimnula sam glavom, ne odvajajući pogled od Adama.

Tugu i poniženje koje sam osećala sada je zamenio bes, tako blizu površine da sam se osećala kao divlja životinja koja se cimaju na povocu. Bilo je dovoljno da kaže jednu, bilo koju reč i lanac bi se pokidao.

– Moraš da razumeš – rekao je.

Toliko sam naglo ustala da se stolica prevrnula na pod.

– Nemaš prava da mi govoriš šta treba da radim – frknula sam. – Živa sam se pojela, a ti se usuđuješ da mi popuješ i govoriš mi kako moram da razumem?

Na trenutak sam pomislila da će me udariti – zabacio je ramena i isprsio se, ali onda je splasnuo, kao izduvan balon, i vazduh je bukvalno izbio iz njega. Nisam znala šta bih više volela. Da je uzvratio, bar bih znala na čemu sam, imala bih na šta da odgovorim. Ali bilo je tužno gledati ovu ispražnjenu verziju čoveka kakav je nekada bio, raspadnutu ruinu prema kojoj je bilo teško osećati poštovanje. Želela sam da se jasno izjasni, ne da se sruši preda mnom poput deteta.

– Moramo da razgovaramo – tiho je rekao.

– Nego šta nego moramo – rekla sam.

– Kao odrasli ljudi. – Izvukao je stolicu s druge strane stola, jedino što me je sprečavalo da se ne bacim na njega, i umorno seo. Izgledao je onako kako sam se ja osećala. Iscrpljeno.

Na trenutak sam pomislila da mu je možda rekla istinu. Da je imala petlje da mu kaže šta je zapravo uradila, ali kad sam probala da zamislim tu scenu, jednostavno nisam uspevala.

– Dakle? – pitala sam.

– Moraš da se smiriš – rekao je.

– I opet mi popuješ. Ako misliš da bilo šta postignemo, bolje prestani.

Pognuo je glavu. – Izvini.

– E pa, pošto ja nisam uradila ama baš ništa loše, počni od toga što ćeš objasniti gde si dođavola bio i zašto si bio nedostupan skoro trideset šest sati? – Grizla sam unutrašnji deo usne i osetila metalni ukus krvi na jeziku.

– Mogu samo da objasnim kako sam se osećao, kako mi je bilo – rekao je.

Prekrstila sam ruke i čekala.

– Bio sam potpuno rešen da se danas venčamo. To moraš da znaš.

Nisam ni trepnula.

– Ali kad nam je mama saopštila šta se dešava, ceo svet mi se srušio. Sve se urušavalo oko mene. Pomislio sam na venčanje, na medeni mesec, maminu dijagnozu i ništa od toga nije delovalo stvarno.

– Nisi mogao trezveno da razmišljaš – pokušala sam.

– Da, možda si u pravu. Ali jednostavno sam imao osećaj da ne mogu da funkcionišem. Ne bih mogao da uđem u tu kapelu i ostanem pribran.

– Niko to od tebe nije tražio – rekla sam. – Trebalo je da se venčamo i saznao si da tvoja majka ima rak. Sasvim je prirodno što si reagovao tako emotivno.

– Ali imao sam pravi napad panike, Em. Osećao sam stezanje u grudima, a mozak kao da mi je bio paralisan. Ne bih uspeo da se saberem do venčanja.

– Ali evo, izgleda da si se oporavio, a ostalo je još samo četrdeset pet minuta – ogorčeno sam primetila.

– Hoćemo li moći da preguramo ovo? – pitao je, oborene glave.

– Moram neko vreme da budem sama, da razmislim.

Snuždeno me je pogledao.

– Ne zanima me kuda ćeš da odeš, ali ne želim da budeš ovde, dok ne razmislim.

– Ozbiljna si? – upitao je.

Na to pitanje odgovor je bio suvišan.

– Mama i tata će večeras ostati ovde, pošto su mislili da idu na ćerkino venčanje pa sad nemaju druga posla. I Pipa i Seb će biti tu, tako da...

Ustao je sa stolice. – Idem da spakujem stvari.

– Važi – rekla sam, okrenula se i otišla u kuhinju, gde sam nasula sebi izdašnu čašu sovinjon blana.

Malo kasnije, čula sam kako se ulazna vrata tiho zatvaraju, bacila se na sofu i rasplakala se. Da li zato što je danas trebalo da se udam, ili zato što je Pami konačno pobedila? Bukvalno sam joj se nasmejala u lice kad je rekla da će se Adam oženiti mnome samo preko nje mrtve. Više mi nije smešno.

32.

Deset dana nisam odgovarala na Adamove pozive. Ne zato što sam se poigravala njime ili tražila pažnju, već zato što sam zaista želela da budem sama i da razmislim šta želim a da on ne utiče na mene. Naterala sam sebe da se vratim na posao iako sam bila uzela slobodne dane, naivno verujući da ću se bolje osećati ako se usredsredim na nešto. Ali kad sam zatekla Adama kako čeka ispred moje kancelarije, nisam više mogla da ga ignorišem. Sve to vreme nisam znala kako ću se osećati kada ga ponovo budem videla, i da li ću išta osećati, pa kad sam bukvalno ostala bez daha čim sam ga ugledala, pomislila sam da to mora nešto da znači. Gušila sam se, kao da je vazduh isisan iz mene.

– Nije pošteno. Ne možeš ovako da me otkačiš – preklinjao je.

– Nemoj da mi govoriš šta je pošteno – odvratila sam, ne zaustavljajući se na putu za stanicu metroa Totenhem Kort Roud. – Daj mi vremena i prostora.

– Moramo da razgovaramo.

– Još nisam spremna da razgovaram o tome – rekla sam, ubrzavajući.

– Možeš li samo na trenutak da staneš?

Okrenula sam se k njemu. Oslabio je. Dobro skrojeno odelo visilo je na njemu, a na kaišu nije bilo još jedne rupe da ga pritegne oko struka, tako da je zjapila praznina dovoljno velika da stane moja šaka. Lice mu je bilo ispijeno i kao da se nije brijao otkako sam ga poslednji put videla.

– Zašto? – zarežala sam, svesna da više lajem nego što ujedam. Nisam više imala snage, bila sam potpuno iscrpljena.

– Možemo li, molim te, da sednemo i o svemu popričamo?

Pogledala sam preko u Trg Golden, njegove ponosne narcise, ali, kako je sunce zalazilo, nije bilo baš toliko toplo da se sedne na neku od klupa. Pokazala sam na jedan kafić na uglu. – Pet minuta – rekla sam. – Možemo da odemo tamo na kafu. – Mada bi mi prijalo nešto jače.

– Hvala – rekao je s olakšanjem.

Ironično, tih toliko traženih pet minuta proveli smo pričajući o svemu osim o onome zbog čega smo bili tu. Rekla sam mu da je malena Sofi prohodala, a on meni da treba da obnovi članarinu za teretanu. Bilo je užasno neprijatno ćaskati sa čovekom sa kojim sam živela. Bio mi je tako dalek, kao da je stranac. Kad sam to shvatila, vrela suza zapretila je da će poteći, ali uzdržala sam se da ne trepnem i zaustavila je.

Još pet minuta polako je prolazilo i u jednom trenutku oboje smo pogledali kroz prozor, ne znajući šta bismo rekli.

– Ovde smo već deset minuta, a nisi ni pitala kako je mama – rekao je.

Nije mi palo na pamet. Zašto bi? Jer sam znala da je potpuno zdrava: da nema rak, niti savesti i obraza.

– Izvini, molim te – rekla sam, ne mogavši da sakrijem gorčinu. – Kako je Pami?

– Nećemo moći da nastavimo dalje ako ne budeš prihvatila nju i ono što se dogodilo – rekao je. – Niko nije kriv za ovo, Em. Jednostavno se desilo.

– Treba li da joj oprostim za to što kaže da je bolesna? – pitala sam.

– Ona ne *kaže* da je bolesna, ona *jeste* bolesna – ozbiljno je rekao. – Kako bi se osećala da se, bože sačuvaj, nešto dogodi?

Slegla sam ramenima. Bilo me je baš briga.

Začkiljio je u mene. – Moraš da sagledaš širu sliku. Možemo da se venčamo bilo kada. Mama možda neće još dugo biti s nama.

– Baš tako, zato si i doneo pogrešnu odluku – rekla sam. – Trebalo je da se venčamo kako bi tvoja mama mogla da bude s nama.

– Možda je tako, ali šta je bilo, bilo je. Moramo to da preguramo, zajedno.

– I, kako je Pami? – rekla sam, ignorišući njegovu prikrivenu molbu.

– Dobro je, hvala – odgovorio je s primesom sarkazma. – Prošle nedelje smo bili na prvoj hemoterapiji, uskoro ima još jednu.

Osećala sam se kao da me je pregazio kamion. – Mi?

Klimnuo je glavom. – Da, odvezao sam je u bolnicu prošlog ponedeljka. Hteo sam samo da se uverim da je dobro. I ti bi to uradila za svoju majku, Em, zar ne?

Pokušavala sam da shvatim. Otišao je s njom? Na lažni pregled? Kako je to, dođavola, izvela?

– Užasno je to kroz šta moraju da prolaze – nastavio je. – Posledice lečenja zasad nisu toliko strašne, malo joj je muka i umorna je, ali rekli su joj da će s vremenom biti gore. – Protrljao je oči. – Stvarno, ne bi to poželela ni najgorem neprijatelju.

Bila sam toliko zapanjena da nisam imala snage ni da ga uhvatim za ruku da ga ohrabrim. Prvi put otkad nam je saopštila tu vest, zapitala sam se da možda zapravo nije govorila istinu. Od tog saznanja preplavila me je vrelina, krenuvši od nožnih prstiju ka vratu, dok mi nisu buknuli obrazi. Krišom sam smaknula kaput, pokušavši da se rashladim.

Ni na trenutak mi nije palo na pamet da ona govori istinu. Pomislila sam kako ću onda ja izgledati. Kako će moje nedavno ponašanje izgledati u očima ljudi oko mene. Računala sam na to da će njene laži biti otkrivene. Da će ona biti razotkrivena kao okrutna varalica, kakva je i bila. Ali šta ako je sve bilo istina?

– Kako je tamo? – uspela sam da izustim. – Mislim, u bolnici. – Morala sam da se uverim da govori ono što mislim.

– Trude se da pacijentima bude što ugodnije – rekao je, a srce mi se stezalo sa svakim slogom. – Znaš, ima još nekoliko žena u sobi i sve boluju od iste bolesti, što mami pomaže, jer znaš kakva je, nije od onih koji izbegavaju društvo. – Osmehnuo se. – Dobro je za nju da ima s kim da ćaska, sazna šta bi moglo da je čeka i pripremi se šta god to bilo. Pomaže joj i da shvati da nije sama, i mislim da je to najvažnije.

Pognuo je glavu. – Mada, ne izgleda baš najbolje, Em – rekao je, a ramena su mu klonula i zadrhtala dok su mu se grudi podizale i spuštale.

Prešla sam na njegovu stranu stola i skliznula do njega na klupi. Zajecao je kad sam ga zagrlila, a onda me čvrsto stegao za ruku i primakao je ustima. – Volim te – prošaputao je. – Mnogo mi je žao.

– Š-š-š, u redu je. – Nisam znala šta da još da kažem. Toliko sam vremena provela sa svojim mislima, razmišljajući o tome koliko sve ovo nije pošteno i o zaveri za koju sam verovala da je Pami orkestrira od dana kada me je upoznala, da nisam pomislila kako se Adam oseća. Jednostavno sam ga smatrala budalom i slabićem jer je dozvolio da bude nasamaren. Ali nije bilo tako; bio je slomljen. Otkazao je venčanje sa ženom koju voli i verovao je, jer nije imao razloga da ne veruje, da njegova majka umire.

– Ovo možda nije bilo najzgodnije mesto za razgovor – rekla sam bezmalo kroz smeh, dok smo posmatrali ljude kako promiču pored prozora.

– Ne, izgleda da nije – složio se, a onda se okrenuo i poljubio me u čelo. – Hoćeš li da dođeš da vidiš mamu? Stvarno želi da te vidi, verovala ili ne, da ti kaže koliko joj je žao.

I preko volje sam malo uzmakla. – Ne znam – rekla sam, ne kontrolišući više svoje misli i ono što pričam.

– Molim te, mnogo bi joj značilo, značilo bi oboma.

Klimnula sam glavom. – Dobro. Možda.

– Ide na hemoterapiju sledeće srede, kada imaš slobodan dan. Možda bi mogla da dođeš pa da se nađemo posle toga? Naravno, osim ako mi ne dozvoliš da se vratim kući pa možemo zajedno da odemo?

Više ni u šta nisam bila sigurna. Umesto da smiri misli koje su mi se rojile po glavi, Adam ih je samo još više uzburkao saopštivši mi da ide u bolnicu sa Pami, tako da su zujale i brujale dok nisu počele da mi damaraju u slepoočnicama.

33.

Nisam imala neizdrživu glavobolju zbog Adamovog povratka kući. Bila sam napeta zbog pritiska što idem da vidim Pami. Doslovce sam osećala kako mi se napetost širi ramenima i uvlači u vrat.

Nagonski sam otvorila frižider da uzmem bocu vina, ali sam se ukopala u mestu. Alkohol mi je prilično otupio nerve, ali nisam mogla zauvek da u njemu tražim spas. Morala sam da se saberem i usaglasim se sa svojim umom i telom, da vidim šta ono oseća, umesto što živim u magličastom oblaku depresije i omamljenosti kojim sam dve nedelje bila obavijena.

Pogledala sam čežnjivo u savršeno rashlađenu bocu sovinjon blana. Sigurno ju je Pipa donela kad je dolazila na večeru u nedelju uveče, mada je bilo pravo čudo što je preživela do sada. Ni tada nisam htela da pijem, ali kad sam joj rekla da sam se videla sa Adamom, zahtevala je da dođe i sazna sve do tančina.

Sedela je otvorenih usta na sofi, dok sam se ja šetkala tamo-amo ispred nje, gušeći je i najsitnijom pojedinošću razgovora s Adamom. I pored očiglednog stresa pod kojim sam bila, bilo je divno što je Pipa sa mnom. Nedostajao mi je naš zajednički život i ćaskanje. Ona je bila moj rezervni glas razuma; kad bi me sopstveni izdao, njen bi stupio na scenu kad god mi zatreba.

– Jesi li sigurna da postupaš ispravno? – pitala je. – Time što mu dozvoljavaš da se vrati.

Polako sam klimnula glavom, kršeći prste, jer više nisam bila sigurna ni u sopstvene odluke.

– Ali moraćeš da se suočiš s *njom* – rekla je Pipa. Nije mogla da se natera ni da joj izgovori ime, „Pami". – Ona će uvek biti tu. Da li je Adam vredan toga?

– Volim ga, Pip. Šta treba da uradim? Hajde da je ne optužujemo unapred. Možda zapravo i govori istinu.

– Ma kakvi, ne nasedam ja na to – rekla je odmahujući glavom. – Sećaš se kad sam rekla da na svetu nema baš toliko psihotičnih šezdesetogodišnjaka?

Klimnula sam glavom.

– Pogrešila sam. – Obe smo se nasmejale.

Trgle smo se kad mi je zazvonio mobilni.

– Zdravo. – Još uvek sam se smejala dok sam se javljala na telefon.

– Kako si, strančе? Drago mi je što te čujem srećnu – rekao je Seb.

Odmah sam osetila grižu savesti što se smejem umesto da budem tužna, ali onda sam shvatila da sam se sada prvi put nasmejala za poslednje dve nedelje. Iako nisam ništa loše uradila, slutila sam da će mi Seb sada reći drugačije.

– Izvini – rekla sam. – Bila sam u nekom mnogo čudnom raspoloženju.

– Toliko da nisi verovala prijatelju da će ti pomoći da se iz toga izvučeš?

Uzdahnula sam. Bila sam bolno svesna toga da nisam odgovorila na nekoliko njegovih poziva, svaki put obećavajući sebi da ću mu se javiti sutra, ali nikako nisam stizala i to me je još uvek izjedalo. Naše prijateljstvo nikada nije bilo naporno. Na pamet mi je padao samo jedan razlog zašto više nije tako, ali mogla sam samo sebe da krivim što sam dozvolila da nešto spolja pokvari vezu kakvu smo imali.

– Stvarno mi je žao – pokušala sam.

– Jesi li kod kuće? Mogu li da dođem? – pitao je.

Oklevala sam. – Ovaj...

– Bez brige, očigledno si zauzeta – utučeno je rekao.

Šta ja to, dođavola, radim? – Naravno da možeš. Pipa je ovde. Biće mi drago da te vidim.

Poljubio me je jednostavno u obraz kad je ušao, ni traga od zagrljaja koji sam očekivala, s obzirom na okolnosti. Usiljeno smo ćaskali dok smo ispijali prvu bocu vina, zaobilazeći ono što se izgleda isprečio između nas, mada nisam znala šta je u pitanju. Bio je ćutljiv i neobično bezvoljan, pa sam bila na oprezu i čekala da to prevali preko jezika. Jesam ga izbegavala od otkazivanja venčanja, a opet, izbegavala sam sve osim Pipe i mame. Ali u dubini duše sam znala da bi mi obično Seb bio oslonac kada mi je teško, a znao je i on.

Otvarao je drugu bocu pino griđa kad je rekao: – Dobro, zašto zapravo nisi htela da dođem na probu venčanice?

Od svih mogućih scenarija koji su mi se tokom prethodnih sat vremena rojili u glavi, ovo mi nije bilo ni na kraj pameti. Obrazi su mi istog trena buknuli.

– Kao što sam ti rekla – odsečno sam odvratila. – Htela sam da je sačuvam za venčanje. – Zar to nije bilo istina? Svakako sam se svojski trudila da ubedim sebe da jeste.

– Znači, nije imalo nikakve veze s onim što ti je Pami rekla? – Podigao je pogled sa boce koju je držao između kolena.

– Šta? Kada? – pitala sam mada sam već počela da shvatam užasnu istinu.

– Kad ste bile pored bazena u Portugaliji.

Okrenula sam se ka Pipi, da mi potvrdi ono što sam mislila da Seb želi da kaže, ali ona je samo slegla ramenima.

– Izvini, ne znam o čemu pričaš – rekla sam, nadajući se da ću ga naterati da kaže šta mu je na umu.

– Sedeo sam na klupi s druge strane žive ograde – rekao je. Srce mi je stalo dok sam očajnički pokušavala da se setim svega što sam rekla Pami.

– Nadao sam se, zapravo, računao sam na to da si, kad si rekla da ćeš odabrati mene a ne nju, zaista tako mislila.

Piljila sam u njega otvorenih usta. – Ali... tako je i bilo. Mislim, odabrala sam tebe.

Upitno je podigao obrve. – No ipak si mi, čim smo stigli kući, rekla da ne želiš da dođem na probu venčanice i nijednom mi se nisi javila otkako je venčanje otkazano. Ne želim da ti budem teret, Em, zato, ako ti stvaram probleme, voleo bih da mi to jednostavno kažeš...

Ogorčeno sam odmahivala glavom jer me je pogodio u živac, kao da sam pokušavala da istinitost tih reči izbacim iz uma. – Nije baš tako – rekla sam.

– Dobro, da li Adam ima nešto protiv mene? – upitao je.

Setila sam se kako je reagovao u bioskopu, pre nego što je i upoznao Seba, i njegovih otrovnih primedbi kad je saznao da će Seb videti venčanicu. Odbacila sam te sumnje.

– Ne budi smešan – rekla sam. – Adam te nikada ne bi video kao pretnju. Za sve je kriva Pami... znaš kakva je. – Prišla sam mu i zagrlila ga. – Izvini ako sam ispala neučtiva, nije bilo drugog razloga osim, pretpostavljam, to što me je bilo sramota i stid zbog venčanja.

Privukao me je u nežan zagrljaj, onaj koji sam očekivala i želela kad sam ga prvi put ugledala. – Ali to sam ja – rekao je. – Kada smo to nas dvoje dozvolili da se sramota i stid isprečе između nas?

Osmehnula sam se.

– Uvek ću biti uz tebe – rekao je. – I u dobru i u zlu.

– Sunce ti! – prekinula nas je Pipa. – Možda bi *vas* dvoje trebalo da se venčate.

Tada smo se sve troje nasmejali, što je do pre samo nekoliko dana delovalo nemoguće.

Ali sada, dok sedim u Adamovim kolima, na putu za Sevenouks, život nije delovao tako bezbrižno i zažalila sam što ipak nisam popila ono piće, samo da se malo opustim. Bila sam toliko sluđena da od drveća nisam videla šumu.

– Jesi li dobro? – Adam se osmehnuo, osetivši da sam napeta.

Uzvratila sam mu osmehom, a on me je uhvatio za ruku. – Sve će biti kako treba – uveravao me je. Sumnjala sam u to, ali onda sam se setila da se sada zapravo ne radi o meni. Radi se o Pami, koja možda ima a možda nema rak (verovala sam čas u jedno čas u drugo, ali u devet od deset puta obično bih se priklonila ovom poslednjem). Ipak, dok ne budem bila sasvim sigurna u to, obećala sam sebi da ću pretpostavljati najgore. Ironično, osetila sam kako pritisak malo popušta kad sam sebi dozvolila da poverujem da ona govori istinu. Onda bismo bar imali nešto opipljivo sa čime bismo mogli da se suočimo i svi bismo mogli da joj pomognemo da to prebrodi. A šta ako ne govori istinu?

– O, Emili, dušo, tako mi je drago što te vidim – rekla je, grleći me na ulaznim vratima. – Ne mogu da ti opišem koliko mi je žao. Stvarno. Mnogo mi je žao. Ništa ne bih rekla da sam i na tren pomislila da...

Kiselo sam se osmehnula. Bila da je bolesna ili nije, prema njoj nisam morala da osećam naklonost.

– Dušo! – uzviknula je kad joj je Adam prišao. – Bože, koliko si mi nedostajao.

– Nije me bilo samo dva dana. – Nasmejao se prevrćući očima.

– Da, da, znam. Treba da budeš kod kuće sa Emili, tamo ti je mesto. – Nisam znala da li pokušava da ubedi nas ili sebe.

– Kako ste? – upitala sam najiskrenije što sam mogla. – Kako se osećate?

Oborila je pogled. – O, znaš već. Bilo je i bolje, ali ne mogu da se žalim. Nisam imala jake mučnine a još uvek mi je tu sva kosa. – Potapšala se po temenu.

– Dame, hoćemo li unutra pre nego što nas cela ulica čuje? – rekao je Adam gurajući nas kroz hodnik s niskom tavanicom.

– Naravno, samo mi je mnogo drago što ste došli. Oboje. – Uhvatila me je za ruku i povela me do dnevne sobe.

– Kako si ti? – upitala me je gotovo iskreno. – Mnogo sam razmišljala o tebi.

Pogledala sam u Adama, a on mi se nežno osmehnuo, kao neki ponosan otac. Verovao je u svaku reč koju je izgovorila. Vrtela ga je oko malog prsta. Osetila sam jak ubod razočaranja. Ništa se nije promenilo.

– Dobro sam, zapravo – slagala sam.

Usledila je neprijatna tišina, ali Adam kao da to nije primećivao dok smo tako stajale i odmeravale se. – Nemamo mnogo vremena – rekao je. – A i prilično je velika gužva u saobraćaju.

– Ah, onda bi trebalo da krenemo – rekla je Pami, uzimajući džemper i tašnu sa stolice. – Ostavimo ćaskanje za kasnije.

Na silu sam se osmehnula.

– Nego, napravila sam sendviče, za slučaj da ogladniš. Samo skini celofan kad budeš htela da jedeš, a imaš i kolač u limenoj kutiji u ostavi. Kolač s limunom, sama sam ga napravila – ponosno je rekla.

– Baš divno – rekla sam, svesna usiljenosti našeg razgovora. Ne sećam se kad smo poslednji put tako ćaskale. – Nije trebalo da se mučite.

– Ne budi smešna, to je najmanje što mogu da učinim da ti se odužim što si došla čak ovamo. Nećemo dugo da se zadržimo, samo me prikače na ono čudo i idemo. – Zavrnula je rukav bluze da pokaže jastučić gaze zalepljen s unutrašnje strane ruke. – Mogle bismo lepo da se ispričamo kad se vratim?

Klimnula sam glavom, ali pogledala sam u Adama.

– Zar ne želiš da Emili pođe sa nama? – upitao je primetivši da sam zbunjena. Nije mi ni palo na pamet da bi mogli da odu bez mene.

– Zaboga, ne! – rekla je. – Nema potrebe. Popićemo čaj i poslužiti se kolačem kad se vratim, važi? – Pogledala je u mene pa u Adama i mi smo ćutke klimnuli glavom.

– Izvini, nisam znao da je želela da ostaneš ovde – prošaputao je Adam, naginjući se da me poljubi na rastanku. – Vraćam se što pre.

– Bez brige – kruto sam rekla. – Vidimo se kad se vratiš.

– Raskomoti se – doviknula je Pami dok su izlazili.

Gledala sam je kako se gega stazom, a onda govori Adamu šta da uradi sa njenom tašnom pre nego što joj je pomogao da uđe, zaštitnički joj stavljajući ruku na glavu dok se polako spuštala na suvozačko sedište.

Skuvala sam sebi čaj i sela na sofu, pitajući se kako da ispunim sate koji su se protezali preda mnom. Uvek mi je bilo neprijatno da budem sama u tuđoj kući dok domaćin nije tu. Ima nečeg stvarno uznemirujućeg u tome kada si okružen tuđim stvarima koje znaš da ne bi trebalo da diraš. Uzela sam sa stočića časopis *Ledi* i prelistala ga, ali bio je pun članaka i oglasa usmerenih na neki drugi svet, ne na moj. Avaj, meni trenutno nisu trebali batler, telohranitelj ili osoblje za jahtu.

Pomislila sam da uključim televizor, da razbije tišinu, ali onda sam ugledala stereo-uređaj u uglu, zastarelu muzičku liniju za tri CD-a. Imala sam jedan takav u svojoj sobi kad sam bila tinejdžerka i sećam se da je meni i tati trebalo celo popodne da proučimo tehnička uputstva. Ma koliko da su se vremena promenila i tehnika napredovala, ipak mi je trebalo dosta vremena da nađem dugme za uključivanje i pritisnem dugme za izbacivanje. Najveći hitovi Sajmona i Garfankla, jedan od maminih omiljenih albuma, već je bio unutra, pa sam ga ponovo zatvorila i pritisla plej. Sobu su ispunili uvodni gitarski akordi pesme „Mrs Robinson", vrativši me u ona subotnja jutra kada je mama usisavala oko naših nogu dok smo Stjuart i ja sedeli na sofi. – Diži! – rekla bi, a mi bismo se zakikotali.

Albumi s fotografijama koje je Pami ponosno pokazivala tokom moje prve posete bili su poređani na polici iznad, uglavljeni između dva midi-zvučnika. Gledala sam na hrbatima godine ispisane debelom crnom olovkom. Sećala sam se samo da je album koji mi je pokazivala bio od kestenjastomrke kože, ali sada sam, kad sam ih dotakla, videla da su od jeftine plastike, koja je samo podsećala na kožu. Izvukla sam prvi od tri kestenjastomrka albuma, čija je lepljiva korica prianjala uz one pored. Stranice su bile prepune slika Pami i Džima dok su bili mladi, očigledno u prvom zanosu ljubavi, s obožavanjem su zurili jedno u drugo, dok su ih ostali oko njih samo gledali. Adam je bio pljunuti Džim kao mladić od dvadesetak godina, ali Džejms je još više ličio na njega. Džim je ponosno grlio Pami, kao da svojim držanjem šalje upozorenje svim mogućim udvaračima. Na drugoj fotografiji Pami je stajala naslonjena na haubu hilman impa, u haljini ravnog kroja s geometrijskom šarom, dok su njene drugarice, iskrivljenih lica, bile uredno smeštene unutra. Mogla sam samo da zamislim kakav su samo ljubomorni razgovor vodile, dok je zgodni Džim stajao iza foto-aparata i divio se svojoj devojci. Na sledećoj stranici, Pami, Džim i prijatelji leže na izletničkom ćebetu, koje je, iako zaklonjeno iza peščanih dina, ipak od tla odizao jak vetar. Nema sumnje, Engleska u leto – možda Kamber Sends ili Lejsdaun na južnoj obali. Zamišljala sam slobodu koju mora da je pružala mladost šezdesetih i osetila žaoku ljubomore. Živeli su tako bezbrižno i nesputano i zbog toga se sigurno osećali moćno. Pitala sam se da li ćemo i mi tako razmišljati o sadašnjosti kad se u budućnosti osvrnemo na ovo vreme.

Četiri para, momci sa zulufima i devojke sa ogromnim loknama, svi su se osmehivali ali Pami i Džim su izgledali kao zvezde. Oni su očigledno bili Elvis i Prisila svog društva, uvek u centru pažnje i glavna atrakcija.

Čini se, dakle, da je Pami oduvek bila u centru pažnje. Tako se najbolje osećala, naivno verujući da se tako na neki način potvrđuje i da bi, da nema drame, bila nevažna. Pomislila sam koliko to mora da iscrpljuje, kad neprestano tražiš da se sve vrti oko tebe.

Pri kraju albuma, crno-bele fotografije bile su tu i tamo prošarane bleskom boje, kako je crno-belo postepeno zamenjivao verodostojni sjaj polaroida. Na licima ljudi na fotografijama videlo se iskreno zaprepašćenje dok su se divili ludilu ovog modernog izuma. Da li će moji unučići, ili čak deca, pregledati prastari ajfon i videti istu zapanjenost na našim licima?

Sećam se kad sam videla prvu sliku na početnoj strani sledećeg albuma, na kojoj Džim i Adam stoje pored ribnjaka i hrane patke. Adam sa pola parčeta hleba u ruci, sa strahopoštovanjem gleda u oca. Zapitala sam se da li bi, da su znali da im je ostalo tako malo vremena da budu zajedno, uradili bilo šta drugačije. Kažu da ne bismo želeli da znamo kada ćemo umreti, čak i kada bismo mogli, ali dok gledam slike poput ove, pitam se da li bi možda bilo bolje da znamo, kako bismo mogli pametnije da iskoristimo vreme i provedemo ga s ljudima koje volimo.

Ponovo sam sela na sofu sa albumom na krilu i prelistala ga do kraja, gde sam, koliko se sećam, videla sliku Adama i Rebeke, gde ga je Pami tako zgodno ostavila otvorenog. Kad malo razmislim, svaka i najmanja sitnica koju je Pami uradila, od samog početka, bila je smišljena, pažljivo isplanirana kako bi me uznemirila i uzrujala. Naravno, niko drugi ne bi primetio – e tu je pokazala koliko je pametna. – Kakva dušica – svi su uzviknuli kada je tako ljubazno spremila obilnu božićnu večeru, iako je znala da sam već večerala, i kad je krišom sredila da se moja davno izgubljena prijateljica pojavi na mojoj devojačkoj zabavi, iako je odlično znala da je ova spavala s mojim bivšim dečkom. Aha, „dobra stara Pami".

Listala sam napred-nazad, pa opet nazad, tražeći Rebekinu fotografiju. Ovo je bez sumnje bio taj album; sećala sam se svih slika u njemu. Prelistala sam ga još jednom, stranu po stranu, ali nije bilo ni fotografije ni natpisa „Draga Rebeka – nedostaješ mi svakog dana".

Gde je, dođavola? I zašto ju je izvadila? Pogledala sam po sobi i ugledala fioke ispod stereo-uređaja. Već sam zabadala nos u ono što me se ne tiče i samim tim što sam pregledala album, ali i pored nervoze u stomaku, osećala sam potrebu da odem dalje. Polako sam otvorila jednu fioku i ugledala gomile čekovnih knjižica, sve iskorišćene i spojene gumicom. Izveštaji i računi bili nakoso su ispadali iz plastičnih fascikli. Uzela sam ih, pazeći da ih previše ne poremetim i polako iz gumice izvukla čekovnu knjižicu s vrha. Prelistala sam palcem odsečke, na kojima je uredno bio zapisan datum, primalac i isplaćena suma. Brzo sam preletela pogledom: računi za gas, struju, Adam, prodavnica opreme za kuću, račun za kablovsku, Adam, knjižara *Voterstouns*, račun za vodu, Adam. Kad sam bolje pogledala, videla sam da je Pami godinama plaćala Adamu dvesta funti mesečno, ali kad sam pokušala da nađem takvu isplatu Džejmsu – uostalom, to bi bilo pošteno – nije bilo evidencije o njoj. Zbunjena, pažljivo sam vratila fasciklu u fioku i pokušala da ubedim sebe da se zaustavim na tome, ali kao da sam zagrebala krastu i neću se smiriti dok je ne raskopam. Pravdala sam se time da tražim fotografiju koja nedostaje, ali ova žena je imala toliko toga da sakrije da sam osetila uzbuđenje pri pomisli šta bih još mogla da nađem.

Pošto je druga fioka zapinjala, morala sam da je cimnem levo-desno kako bih je otvorila. Unutra su bila dva svežnja šarenih dopisnica, uvezanih trakom. Izvukla sam dopisnicu na vrhu, rođendansku čestitku za nju od Adama. Ona poslednja bila je dopisnica u kojoj se izražava saučešće, a unutra je bila poruka napisana Adamovim rukopisom:

Najdraža mama,

Samo ti možeš da razumeš kako je kad tako iznenada, tako nepotrebno izgubiš nekog. Neprestano se pitam: „Šta bi bilo kad bi bilo...?", kao što si se sigurno i ti milion puta pitala. Šta bi bilo da sam ja bio tamo? Da li bi bilo drugačije? Da li bih mogao da je spasem? Ima li kraja takvim pitanjima, mama? Možeš li noću čvrsto da spavaš znajući da je sve moglo da bude drugačije...

Dok sam čitala te gorke reči, srce mi se slamalo zbog njega i osetila sam samo mrvicu saosećanja prema Pami. Nisam mogla ni da zamislim kako je to izgubiti nekog tako bliskog. Druga hrpa, mnogo veća od prve, bila je upućena njoj od Džejmsa, povodom svih mogućih prigoda: rođendani, Božići, Dan majki, pa čak i one za koje nisam ni znala da postoje čestitke – Uskrs, Dan Svetog Davida. Bila je srećna što ima sinove kao što su Adam i Džejms, koji bi je se tako često setili. Prava šteta što to nije htela ni sa kim da podeli, već je odlučila da u svakoj ženi koja bi im se približila vidi pretnju, nekog ko će joj oduzeti vreme i ljubav koje su joj oni poklanjali. Do sada je verovatno mogla da ima i dve brižne snaje, koje bi joj vrlo rado pomogle da pregura ono što je možda najteža bitka koju je do sada vodila.

Pošto u dnevnoj sobi više nije bilo skrovitih kutaka za čuvanje tajni, na brzinu sam pretražila kuhinju, ali, osim neizbežne „muške fioke", u kojoj su stajale stare baterije, jelovnici restorana za dostavu hrane i ključevi za koje više nisu postojale brave, našla sam samo pribor za jelo i posuđe.

Zamislila sam kako se vraćam u dnevnu sobu, uzimam čaj i slušam „Homeward Bound", pesmu koja je sada išla sa CD-a. Zašto mi je onda noga sada na najnižem stepeniku stepeništa? Pogledala sam u uska gazišta i izlizanu stazu, i zapitala šta se dešava tamo gde stepenice skrenu desno i nestanu. Kičaste limun-žute tapete sa jarkim dezenom rododendrona izbledele su na mestima gde ih je u različito doba dana nagrizalo sunce. Ali u vrhu stepeništa, koje je stalno bilo u senci, lišće je još uvek bilo treperavo i blistavozeleno.

Ubedila sam sebe da se penjem kako bih ih bolje pogledala i divila se toj tamnoj boji, ali nisam se ni zaustavila. Noge kao da su same od sebe kročile na ta poslednja tri stepenika, koja se ne vide s hodnika, i u sobu s otvorenim vratima.

Bračni krevet i mali orman bili su dovoljni da popune sobu, ali naspram njih, u nišama levo i desno od kamina, bile su visoke komode s fiokama. Kunem se da sam još uvek osećala miris bora koji je izbijao iz nameštaja, a svaki komad bio je različite narandžastosmeđe nijanse.

Sunčevi zraci dopirali su kroz procep u tankim zavesama, bacajući snop svetlosti preko sobe. Podne daske zaškripale su kad sam obišla krevet i sela na pod ispred komode najdalje od prozora.

Donja fioka delovala je teško, pa sam je podigla sa nosača dok sam je otvarala. Bila je puna ukrasnih kutija i drangulija. Nervna vlakna u mojim šakama su zabridela dok su se nespretni prsti mučili s kopčom na drvenoj kutiji za nakit koja je upravo počela da se otvara. Unutra, na crvenom somotskom jastučiću pažljivo su bili poređani mlečni zubi, čija je bela gleđ tokom godina požutela, i dve narukvice s Adamovim i Džejmsovim imenom. Osetila sam grižu savesti kad sam ugledala dva potamnela dugmeta za manžetne, verovatno Džimova, i zalupila poklopac. Naslonila sam glavu na dušek, dok su mi savijene noge bile zarobljene između komode i kreveta. Šta ja to, dođavola, radim? Ovo ne liči na mene. Ja ovako nešto ne bih uradila. Dozvolila sam da postanem gora od te žene. Uprkos svim strahotama koje je uradila, nikad joj neću dozvoliti da me iz temelja promeni: da izopači vrednosti i moralna načela koja su mi s toliko truda usadili roditelji. Vratila sam kutiju u fioku, iskosivši je kako bih je ugurala. Trgla sam se kad je tresnula na zadnju stranu, tako da joj se donja strana okrenula naviše, otkrivajući skriveni pretinac.

Gledala sam u njega neko vreme, setivši se mantre koju sam upravo izrecitovala i ubeđivala sebe da je ignorišem. – Zatvori fioku – ponavljala sam naglas, u nadi da će me to što čujem sebe sprečiti da uradim ono što sam već znala da ću uraditi. Ponovo sam je pažljivo izvukla i namestila. Ne znam šta sam očekivala da ću videti, stare kosti, šta li, tako da sam se razočarala kad sam našla samo stari inhalator kakav sam videla kod jedne devojčice u školi. Mislim da se zvala Moli. Nikad neću zaboraviti kad se srušila na času fizičkog, odmah pošto su nam rekli da istrčimo dva kruga oko terena, kako bismo se zagrejale za netbol. Prvo smo mislili da se šali, ali onda je počela da se guši, hvatajući se za grudi. Slabo sam je poznavala, ali te noći nisam mogla da spavam i gotovo sam zaplakala kad su nam na zboru sledećeg jutra rekli da će joj biti dobro.

Nisam znala da Pami boluje od astme, ali možda je Džimov, razmišljala sam. Ljudi nalaze utehu u najčudnijim uspomenama. Ispod njega je bilo nešto, isečak ili slika. Polako sam ga podigla da bolje pogledam. Brzo sam zatvorila oči, kao da ću ih time sprečiti da glavi pošalju poruku koju su one već primile. Pokušala sam da je povučem, gnevno se boreći sa sobom da je izbrišem pre nego što stigne do dela uma koji je prepoznaje. Ali videla sam je i to se nikako nije moglo poništiti. Rebeka. Stoji pored čoveka koga voli i osmehuje se. Fotografija iz albuma koja je nedostajala.

– Hej, vratio sam se – doviknuo je Adam iz prizemlja.

Šta on, dođavola, radi ovde? Nema pola sata kako je otišao. Ispustila sam kutiju, inhalator je ispao u fioku. Nespretno sam pokušavala da ga podignem i sve vratim na mesto. Žilama mi je pokuljalo uzbuđenje, pumpajući dodatnu snagu u moje šake, tako da nisam mogla da napravim ni najjednostavniji pokret a da ne zadrhtim.

– Jesi li tu? – pitao je. Čula sam škripanje podnih dasaka dok je išao hodnikom do kuhinje. – Em?

Kad bih bar mogla da smirim ruke. Mogla bih sve da vratim na mesto. Čula sam njegove korake u hodniku, a odatle je mogao da ode samo na jedno mesto. Vrela kiselina prostrujala mi je grudima, a grlo mi se grčevito steglo pokušavajući da je zadrži.

– Hej, šta radiš gore? – upitao je ušavši baš kad sam sela na ivicu kreveta, polako nogom zatvarajući otvorenu fioku koju on nije video.

– Ja... Ja samo... – zamucala sam.

– Gospode, Em, bleda si kao smrt. Šta je bilo?

– Ja... Malo mi je pozlilo dole u prizemlju, mora da je migrena, pa sam se dovukla gore da malo prilegnem. – Potapšala sam jastuke ispod vezenog prekrivača, još uvek netaknutog i savršeno zategnutog.

– Oh – rekao je, ništa ne primetivši. – Kako si sad?

– Malo bolje, mora da sam samo naglo ustala kad sam te čula. Brzo si se vratio. Da li je Pami dobro? Nadam se da joj neće smetati što sam ovde.

– Još se nije vratila, za nekoliko sati treba da odem po nju. Jesi li za sendvič i čaj?

– Izvini, ostavio si Pami tamo? – kratko sam pitala.

– Da, ne voli da ulazim s njom.

– Ali ušao si s njom prošli put?

– Ne, i tada sam je ostavio – rekao je. – Ne želi da je vidim takvu, prikačenu na one sprave ili šta im već rade tamo. Glupo je, znam, jer siguran sam da sam joj baš tada najpotrebniji, ali neće ni da čuje da budem tamo.

– Ali... prošli put... rekao si mi da ima još pacijentkinja, da lepo razgovaraju?

– Tako mi je ona rekla – odvratio je, ni na trenutak ne shvatajući na šta ukazuje to što je rekao. – Sigurno da bi me manje grizla savest što ne ulazim. Navodno sve dolaze same, tamo ne ohrabruju pacijente da dolaze u pratnji, jer je soba mala da ne prave gužvu.

– Dobro, kuda ide kad je ostaviš? – pitala sam, a moje jezik je bio prebrz da bi ga mozak pratio. – Kuda?

– Soba 306, ili tako nekako. – Nasmejao se. – Ne znam. Samo radim šta mi kaže i vodim je do glavnog ulaza.

– Znači, samo dotle ideš s njom?

– Šta je sad to, Em? – upitao je još uvek se smešeći, ali u vazduhu se osećala napetost.

Morala sam da sednem i u tišini razmislim. Imala sam osećaj da će mi glava pući od tih novih saznanja koja su me bombardovala sa svih strana. Inhalator, Rebekina fotografija i slika Pami kako prolazi kroz bolnicu i izlazi s druge strane, ništa nije imalo smisla.

– Stvarno ne izgledaš dobro – rekao je Adam. – Što ne prilegneš, ja idem da skuvam čaj.

– Ne mogu – rekla sam, odjednom poželevši da izađem odatle. – Moram da izađem. Treba mi svež vazduh.

– Hej, čekaj malo – rekao je. – Samo polako. Evo, uhvati me pod ruku, pomoći ću ti da siđeš niz stepenice.

– Ne, mislim... ne mogu da ostanem ovde.

– Šta ti je, dođavola? – rekao je malo glasnije. – Uskoro moram nazad po mamu, zato popij čaj i smiri se.

– Povezi me do stanice kad kreneš. Ići ću kući vozom.

– Ne budi luda – rekao je. – Moraćeš da prođeš kroz ceo London da bi izašla u Blekhitu. To nema nikakvog smisla.

Znala sam da nema, ali više ništa nije imalo smisla. Nakon svega što je uradila, pružila sam Pami priliku, bila spremna da sve ostavim iza nas i da zajedno prođemo kroz lečenje, kao porodica. Ali ovo? Ovo je bilo nešto sasvim drugačije, nešto o čemu nisam smela ni da razmišljam.

– Hajde – rekao je Adam, pokazujući mi da mu priđem. – Imali smo nekoliko teških nedelja i to je na sve nas ostavilo traga.

Mazio me je po leđima grleći me, srećom nesvestan saznanja koje mi je polako trovalo um; spoznaje da Pami nije samo lažljivi, prevrtljivi spletkaroš koji je naumio da mi uništi život već i Rebekin gnusni ubica.

34.

Pripala mi je muka dok sam je gledala iz kola kako hramlje preko parkinga, pridržavajući se za Adamovu ruku. Naterala ga je da čeka na prepunoj recepciji dok je ona primala „hemoterapiju". Ponudio mi je kafu iz kafeterije dok je ona odugovlačila, verovatno kako bi delovala uverljivije, ali nisam mogla da je gledam. Htela sam da me ostavi na stanici kako ne bih morala da se suočim s njom, kako ne bih više bila deo njenih zlih laži i prevara. Ali Adam je odbio.

– Sad sasvim dobro izgledaš – insistirao je i prošao pored stanice na putu do bolnice. – Vratila ti se boja u lice.

– Stvarno mi nije dobro. Zar ne možeš samo da me odbaciš do tamo? – rekla sam.

– Ali mama će se mnogo razočarati. Uvrediće se ako bar ne popiješ čaj s njom.

Da sam imala malo više snage, odvukla bih ga u bolnicu, zahtevala da nas upute na odgovarajuće odeljenje i pozovu je da izađe. Tek tada bi saznao šta je uradila i na šta je sve spremna. On bi ljutito pregledao spisak odbijajući da poveruje da ona nije na njemu, dok bi ona, ništa ne sluteći, veselo tumarala po prodavnicama u gradu, verovatno se časteći novom bluzom. Ali to bi mu otvorilo oči. Shvatio bi kroz šta sam zbog nje morala da prođem i onda bismo oboje rekonstruisali šta je uradila Rebeki.

Kad se kanap jednom povuče, klupko će se raspetljati zapanjujućom brzinom, ali trebalo mi je vremena da razmislim za koju nit prvo da se uhvatim. Adam je morao da vidi njeno pravo lice, da poveruje da bi ona mogla nekom ozbiljno da naudi. Pomislio bi da nisam normalna kada bih je optužila za Rebekino ubistvo bez čvrstog dokaza, a ako mi ne bude poverovao, to bi za nas bio kraj. Nisam mogla to dozvolim, ne samo zato što ga volim već zato što odbijam da joj dozvolim da pobedi.

Poželela sam da još uvek osećam bes koji sam tako dugo nosila u sebi, da me natera da ustanem i uradim ono što treba, dok još imam priliku. Ali tu izluđujuću srdžbu koja je uvek bila na ivici da eksplodira zamenio je strah: ne samo za vezu sa čovekom koga volim već i za sopstveni život. Ova žena, za koju sam najpre mislila da je samo dosadna ali bezazlena preterano brižna majka, ljubomorni je psihopata i neće prezati ni od čega kako bi dobila ono što želi.

Smešno je razmišljati tako dok je gledam sada, onako pogrbljenu, u suknji sa faltama i čvrsto zakopčanom toplom džemperu, kako se polako gega, kao da joj je svaki korak bolan. Da nisam bila toliko uplašena, bilo bi mi smešno.

– Dušo, da li bi ti smetalo da sedneš pozadi? – rekla je kad je stigla do kola. – Užasno mi je muka posle terapije pa mi je lakše napred.

Nisam rekla ni reč. Samo sam izašla i premestila se.

– Hvala ti mnogo. Zaista, ne mogu da opišem kakav je to osećaj.

Čik, probaj, došlo mi je da kažem. Objasni mi kakav je osećaj kad se pretvaraš da imaš rak, kad bezbrižno tumaraš po prodavnicama dok tvoji prijatelji i porodica ostavljaju sve po strani da bi se molili za tvoj oporavak.

– Kako je bilo? – pitala sam suvo iako je srce htelo da mi iskoči iz grudi.

– Nije baš prijatno – rekla je. – Kažu da će biti sve gore. Ne smem ni da pomislim šta ću i kako ću kad to dođe.

– Možda će vam biti dobro – kratko sam rekla. – Ljudi različito reaguju na hemoterapiju. Sve je individualno. Možda ste vi jedan od srećnika.

– O, čisto sumnjam – rekla je.

– U šta sumnjaš? – nežno je pitao Adam dok je sedao na vozačko mesto.

– Emili kaže da ću ovo lako da prebrodim, ali mislim da potcenjuje ovu bolest.

Osmehnula sam se i s nevericom odmahnula glavom, baš kad se Adam okrenuo ka meni pogledom mi govoreći: *Šta je s tobom?*.

– Kako je prošlo, mama? – pitao je. – Jesi li dobro?

Ponovo je zavrnula rukav džempera, kao da je dovoljno da pokaže lopticu vate da dokaže da boluje od raka.

– Malo sam ošamućena – rekla je. – Mislim da se i od same bolnice čovek oseća čudno. Čega se sve ne naslušaš. Samo to je dovoljno da skreneš.

– Zašto sledeći put ne dozvolite Adamu da uđe s vama? – upitala sam. – Možda bi mogao malo da vam skrene misli.

– Ma, ne, ne želim da me vidi takvu – rekla je.

– Voleo bih da uđem s tobom, mama. Ako bi ti tako bilo lakše?

– Ne, ti si veoma osetljiv – rekla je i potapšala ga po butini. – Ne želim da se uznemiriš. A sad, dosta crnih misli, hajdemo kući na čaj.

Skuvala sam čaj dok je ona ležala na sofi, dajući uputstva Adamu kako da joj namesti jastuke tako da sedi dovoljno uspravljeno, ali ne previše.

– Zar ovo nije divno – prokomentarisala je dok sam unosila poslužavnik sa čajem. – Samo još kad bih se ja bolje osećala.

– Ne brini, mama, siguran sam da ćeš biti kao nova dok trepneš. Do tada ćemo samo morati dobro da te pazimo.

– E, baš sam to htela da pomenem – rekla je dok je nesigurno uzimala šolju i tacnu sa poslužavnika. – Kao što vidiš, nisam baš najbolje. – Podigla je drhtavu ruku kao da želi to da dokaže. – Pala sam onog dana kad si se vratio da živiš sa Emili.

– O, ne! – zabrinuto je rekao. – Jesi li se povredila?

– Ma, nisam, i kao što znaš, uvek sam bila vrlo nezavisna, ali... – zaćutala je.

Okrenula sam se i pogledala kroz prozor, čekajući ono što sam znala da sledi.

– Ali baš mi je teško – nastavila je. – Teško mi je da priznam, ali tako je. Stvarno bi mi značilo kada bi ti malo češće bio ovde. Tokom ove dve nedelje, navikla sam da si tu – znam da nije u redu, ali šta da radim. Osećam se ranjivo sad kad si otišao.

Naterala sam sebe da ostanem tu gde jesam, usredsredim se na suncokrete u punom cvatu na kraju bašte, koji su svojom vedrinom odudarali od tamnosivih oblaka nadvijenih nad njima.

– Ne mogu duže da ostanem – rekao je Adam. – Moram da budem kod kuće sa Emili. Ali navraćaću, a i Džejms je uvek tu.

– Znam, znam. – Uzdahnula je. – Ali na Džejmsa se u poslednje vreme ne možeš baš osloniti, sad kad je upoznao tu novu devojku.

Okrenula sam se mnogo brže nego što je trebalo.

– Novu devojku? – Stomak mi se okrenuo pri pomisli da je on sa nekom drugom, ne zato što sam ga želela već zato što nisam želela da ga ima ijedna druga.

Pogledala me je. – Upoznao ju je pre oko mesec dana u baru u gradu. Izgleda da ga je oborila s nogu. – Trudila sam se da mi lice ostane bezizrazno, ali svaki mišić mi se trzao. – Mislim da ga nikad nisam videla takvog.

– Da li je planirao da je dovede na venčanje? – nehajno sam pitala.

– Ne, razgovarali smo o tome, ali oboje smo mislili da je prerano. Zajedno su tek nekoliko nedelja i previše je rano da joj priredimo vatreno krštenje i predstavimo celom klanu.

– Jeste li je upoznali? – upitala sam.

– Ne, ne još, ali nadam se da ću je upoznati tokom narednih nedelja – kad god Džejms bude spreman.

Zvučala je veoma razborito, veoma uverljivo. Gledala sam je i pitala se šta joj prolazi kroz glavu. Kakav pakao sprema toj nesrećnoj devojci, ako ta veza postane ozbiljna?

– Mada, izgleda da ga je opčinila – nastavila je. – Vas dvoje bolje pripazite – kako stvari stoje, možda će pre vas stati pred oltar.

– Mama! – Adam se nasmejao, tobože uvređeno.

Pitala sam se kada je otkazivanje našeg venčanja dvadeset četiri sata pre nego što je trebalo da se održi postalo nešto o čemu je prihvatljivo šaliti se, pogotovo mladoženji.

– Pa, raskid se očigledno nije odrazio na tvoj apetit? – rekla je, čim je Adam izašao iz sobe.

Osmehnula sam se i potapšala se po ravnom stomaku. – Ili sam možda trudna od toliko dobrog seksa posle pomirenja?

Izvila sam obrve, a ona se zgađeno namrštila.

– Zar ne brinu kako bi ova terapija mogla da utiče na vašu astmu?

– Astmu? – pitala je iskreno iznenađena. – Ja nemam astmu.

– Oh, kao kroz maglu se sećam da je Adam pomenuo kako ste imali napad kad je bio mlađi. Čitala sam negde da neke vrste hemoterapije mogu nepovoljno da deluju na astmatičare. – Pucala sam naslepo, ali morala sam da budem potpuno sigurna da inhalator nije njen, iako sam već znala da nije.

– Ne, nikad – rekla je, zviznuvši i kucnuvši o drvo.

– Šta nikad? – pitao je Adam vraćajući se u sobu.

– Ništa, sine.

– Šta sam propustio? – upitao je osmehujući se. – Vas dve kao da imate neku tajnu.

Osmehnula sam se i odmahnula glavom. – Samo sam rekla da sam ubeđena da si mi rekao da je tvoja mama imala astmatični napad kad si bio mlađi, ali sigurno sam sanjala. – Videla sam kako mu se vilica stegla i znala sam da izazivam sudbinu, pa sam se nasmejala da to okrenem na šalu. – Užasnuo bi se kad bi znao šta ja sve sanjam.

– Pa kad ćete vas dvoje golupčića ponovo da zakažete venčanje? – upitala je Pami, očigledno očajnički želeći da promeni temu. – Pretpostavljam da neće biti uskoro? Bilo bi teško ponovo sve organizovati tako brzo, treba ponovo okupiti sve te ljude, i još je pitanje da li će u hotelu biti slobodnih termina.

Nastavila je da brblja, dajući na svoja pitanja odgovore kakve je želela da čuje. Ali nisam imala nameru da Pami pružim to zadovoljstvo. – Ne, mislim da će biti uskoro – rekla sam, iako sam odlično znala da hotel bar šest meseci nema slobodnih termina. Osetila sam kako mi iznenada naviru vrele suze i žmirnula sam da ih potisnem. Nikad joj neću pružiti zadovoljstvo da pomisli kako svojim postupcima može da me rasplače. – Nadam se da će biti za mesec-dva.

Lice joj se zbrčkalo. – Oh, to bi bilo tako veliko olakšanje, dušo – zakreštala je, vadeći maramicu iz obližnje kutije i brišući oči. – To bi mi bar malo umirilo grižu savesti.

– Nisam baš siguran, Em – rekao je Adam, mršteći se. – Mnogo toga treba obaviti za to vreme. – Čučnuo je pored Pami. – A tebe nema zbog čega da grize savest, mama. To je bila moja odluka.

Pogledao je u mene. Ako se nadao osmehu, nagoveštaju oproštaja, prevario se.

Ali namestila sam osmeh za Pami, klekla pored Adama i uzela je za ruku. – Ali svakako to nećemo obaviti dok vama ne bude bolje – sažaljivo sam se osmehnula. – Moramo da budemo sigurni da ste završili s lečenjem i da ste se oporavili.

– O, ti si divna devojka – rekla je, tapšući me po ruci. Naježila sam se od njenog dodira.

– Jeste – složio se Adam, privlačeći me k sebi i ljubeći me u obraz. Okrenula sam glavu tako da su nam se usne dotakle i blago razdvojila svoje mameći ga da uzme još. Odmakao se, ali to nije promaklo Pami, koja se zgroženo okrenula.

35.

Dve noći otkako se vratio kući, Adam je spavao u gostinskoj sobi, jer sam naivno verovala da ću ga uskraćujući mu seks naterati da shvati koliko je ozbiljno ono što je uradio i šta je rizikovao. Ali to je bilo detinjasto i nijedno od nas nije to želelo. Ipak, tek kad smo se vratili od Pami, shvatila sam da ovo ide tačno njoj naruku. Želela je da venčanje bude otkazano kako bi nas razdvojila, računala je na to, zato sam morala da se uverim da ono što je uradila ne ugrožava nas kao par. Već me je promenila kao ličnost, naterala me je da drugačije gledam na sebe. Urušila mi je samopouzdanje i nanela mi bol koji ću osećati dok sam živa, ali *neću* joj dozvoliti da mi uzme ono što je najviše želela. Nikad mi neće uzeti Adama. Upotrebiću jedino oružje u svom arsenalu kojim nikada neće moći da me nadjača.

Ulazna vrata se nisu još ni zatvorila, a ja sam ga gurnula leđima na njih i poljubila, pohotno tražeći njegov jezik. Nije rekao ni reč, ali osetila sam kako se osmehuje dok mi uzvraća poljubac, najpre nežno, a onda odlučnije. Oboje smo ovo dugo čekali, a pošto smo u međuvremenu proživeli mnogo toga, imala sam osećaj da smo eksplodirali. Otkopčala sam mu dugmad na košulji, nestrpljivo pokidavši poslednja dva. On je posegao pozadi da mi otkopča patent-zatvarač na haljini, a žestina našeg poljupca ni na sekund nije popuštala. Kad mi je haljina pala na pod, okrenuo me je i pribio uz vrata, prikovavši mi ruke iznad glave. Bila sam bespomoćna dok me je ljubio po vratu, a onda se spustio i zubima mi pomerio grudnjak u stranu, kružeći mi jezikom oko bradavica.

Htela sam da spustim ruke, ali on ih je čvrsto držao, uhvativši ih sada jednom rukom dok je drugom otkopčavao farmerke i stopalima mi razdvajao noge. Nije trajalo duže od tri minuta, ali bilo je neverovatno oslobađajuće. Stajali smo nepomično naslonjeni na vrata, oboje zadihani.

– Pa, ovo je bilo neočekivano – Adam je prvi progovorio. – Kao što si verovatno primetila. Izvini.

Osmehnula sam se i poljubila ga. – Možemo da ponovimo kasnije, sporije, ako želiš.

Poljubio me je. – Bože, koliko te volim, Emili Havistok.

Nisam mu rekla da ga volim. Ne znam zašto, jer volim ga. Možda je to deo tog usađenog odbrambenog mehanizma s kojim se žene izgleda rađaju, koji nas koči i sprečava da kažemo ono što zaista želimo. Da verujemo da smo, zadržavajući nešto za sebe, nekako korak ispred, bolje, jače. Zašto se onda, dok se pretvaram da sam nešto što nisam, osećam slabo i ucveljeno?

Čekala sam dok se nismo privili jedno uz drugo na sofi da pokrenem temu koja me je mučila.

– Mogu li da te pitam nešto o Rebeki? – rekla sam, pazeći da mi glas ostane smiren.

– Moraš li? – Adam je uzdahnuo. – Sad nam je divno. Hajde da to ne kvarimo.

– Nećemo – odgovorila sam. – Samo razgovaramo.

Pomireno je uzdahnuo, ali ja nisam popuštala.

– Da li si imao priliku da se oprostiš od nje? Da li je bila živa kad si je našao? Je li povratila svest dovoljno dugo da zna da si tamo?

Odmahnuo je glavom. – Ne. Već je bila mrtva. Bila je... hladna kad sam je dodirnuo, a usne su joj bile plave. Držao sam je i dozivao je, ali odgovora nije bilo. Ni tračka pulsa, ničega.

Oči su mu se punile suzama. – Da li si morao da prolaziš kroz pakao obdukcije ili sudske istrage? – pitala sam.

– Srećom, nisam. Imala je tako detaljnu istoriju astme – doduše, ne ozbiljan oblik, ili smo mi bar tako mislili – da je bilo očigledno da je to uzrok smrti.

– Tvoja mama je bila tamo s tobom?

Ozbiljno je klimnuo glavom. – Ona ju je našla. Ne smem da zamislim kako joj je bilo.

– Ko ju je poslednji video? Pre nego što joj je pozlilo?

– Šta je ovo – rekao je – Španska inkvizicija?

– Izvini, ne želim da zabadam nos, samo... ne znam. Želim da ti se približim, da znam šta se dešava u tvojoj glavi. To je važan deo tvog života i samo želim da znam šta osećaš, znaš, da mogu da shvatim kako ti je, čak i sada, posle toliko godina. Da li me razumeš?

Nabrala sam nos, a on ga je poljubio.

– Mama je ranije tokom dana donela nekoliko kutija i popile su zajedno čaj, između raspakivanja, i činilo se da joj je dobro.

– Šta, sve je bilo kao obično? – pitala sam.

– Da, ali uvek je bilo tako pred napad. Jednostavno se dešavalo iznenada.

– Znači, video si je ranije kada je imala napad astme? – upitala sam.

– Da, nekoliko puta. Ali oboje smo znali šta da radimo kad god bi osetila da se sprema napad, tako da nije bilo razloga za brigu, pod uslovom da je imala kod sebe inhalator, a uvek ga je nosila. Znala bi jednostavno da ostavi sve ma šta da je radila, sedne i teško diše dok se ne smiri. Samo jednom je bilo strašno, kad smo trčali da uhvatimo voz. Nismo čak mnogo pretrčali, ali ostala je bez daha pa sam morao da je položim na pod vagona dok sam očajnički tražio njenu pumpicu.

– Ali bilo joj je dobro? – pitala sam.

– Posle nekog vremena. Ali znaš kakve su vaše ženske tašne. – Pokušao je da se osmehne. – Čega tu nije bilo, kao da je sve što ima nosila u njoj. Morao sam da je celu izručim kako bih našao pumpicu. Prvo što je rekla, kad je opet mogla da govori, bilo je: „Ako mi se novi *Šanelov* ruž zagubio, ubiću te!". Ležala je na podu, nije mogla da diše, a jedino za šta je brinula bio je prokleti ruž.

Osmehnuo se prisećajući se. I ja sam se osmehnula. Sviđala mi se Rebeka.

– Da sam bio tamo, mogao sam da joj pomognem. Mogao sam da nađem inhalator i zaustavim napad. – Oborio je glavu, a grudi su mu se podigle. – Ali nikad ne znaš šta može da te snađe. U jednom trenutku si sasvim dobro, a onda *tras*! Osetiš simptome i ako ništa ne preduzmeš, nema te dok trepneš. – Pucnuo je prstima.

– Znači, mora da se mnogo naprezala? – blago sam rekla. – Možda je pomerala kutije ili nešto tako?

Klimnuo je glavom. – Jedna velika kutija puna knjiga bila je prevrnuta u hodniku. Bila je toliko teška da nikako nije trebalo da je podiže, ali izgleda da jeste. To bi bio velik napor za njena pluća, osim toga, ceo dan je trčala gore-dole po stepeništu. – Glas mu je zadrhtao. – Pretpostavljam da je htela da sredi stan dok se ne vratim kući.

– Razgovarao si s njom te večeri, zar ne? – pitala sam.

– Pozvao sam je čim sam izašao iz kancelarije i bila je dobro.

– Da li je tvoja mama bila tada s njom? – pitala sam. – Kada je otišla?

– Oh, ne znam – rekao je trljajući oči. – Možemo li da ne pričamo više o tome? Molim te.

– Izvini, jednostavno ne shvatam kako neko može tek tako da umre – rekla sam, a glas mi je sa svakom rečju postajao piskaviji. Upitno me je pogledao.

– Samo me plaši – rekla sam.

Kako ne vidi? Sigurno se i sam to zapitao. Bilo je tako očigledno. Pami je poslednja osoba koja je videla njegovu devojku živu i prva koja ju je našla mrtvu, na dan kada su se useljavali u zajednički stan, dan kada je otišao od kuće. Nema jačeg motiva za nju da uradi nešto užasno, da spreči ostvarenje svoje najveće noćne more. Imala je osećaj da gubi Adama, da nekom drugom prepušta kontrolu, a to nije mogla da podnese. Bog će znati kroz kakav je pakao Rebeka zbog nje prolazila dok je pokušavala da je otera iz Adamovog života. Koliko ju je pritiskala? Stresla sam se pri pomisli na to. Jadna Rebeka, koja je nekada, kao i ja, imala toliko toga čemu je mogla da se raduje. Životu sa čovekom koga voli. Svojoj porodici. Ali nije uzmakla. Suprotstavila se Pami i tako nesvesno podnela najveću žrtvu.

Da li se i sama izlažem takvoj opasnosti? Da li potpisujem sopstvenu smrtnu presudu?

Nisam želela da se sama borim s tom slutnjom. Ali nisam imala izbora. Jedno je reći Pipi i Sebu kako se osećam zbog Pami. Oni su i sami videli koliko okrutna ona ume da bude. Ali da je optužim za ubistvo? To je bilo nešto sasvim drugo i dok ne budem bila potpuno sigurna, bez trunke sumnje, da ona ima nešto sa Rebekinom smrću, moraću to da zadržim za sebe.

Pogledala sam u Adama i osmehnula se.

– O čemu razmišljaš? – pitao je.

Kad bi samo znao.

Narednih nekoliko nedelja posvetila sam se poslu, prihvatajući svaki sastanak koji sam mogla. To me je zaokupilo i nije dozvoljavalo strahu i panici da me svladaju. Bila sam slomljena i fizički i psihički svako veče kad bih se vratila s posla, ali nisam dozvolila da Adam to primeti. Činila sam sve što sam mogla da me želi više nego ikada ranije.

– Šta te je, dođavola, spopalo? – rekao je osmehujući se kad se vratio s posla i zatekao me u crnom čipkanom grudnjaku i gaćicama kako služim biftek sa domaćim sosom od bibera.

Osmehnula sam mu se najlepše što sam mogla. Nije morao da zna da bih najradije da se sklupčamo na sofi u pidžami, gledamo neku seriju i jedemo instant nudle. Umesto toga, vodili smo ljubav na trpezarijskom stolu pre nego što sam i stigla da spustim večeru, a posle jela sam, dok sam prala sudove, saosećajno slušala kako se žali na lenjog kolegu. Pored mene se oseća kao da mu se sreća konačno osmehnula i kada bude morao da bira, odabraće mene, jer nikada neće moći da me se odrekne.

36.

– Moram da te zamolim za veliku uslugu – rekao je Adam kad smo u subotu ujutro seli da doručkujemo.

Pogledala sam ga, iščekujući.

– Jesi li opet slobodna sledeće srede?

Klimnula sam glavom. – Znaš da sam slobodna svake srede – rekla sam, grickajući parče tosta od celog zrna.

Napravio je grimasu i znala sam da mi se neće dopasti ono što će reći. – Imam sastanak sa mnogo važnim klijentom...

Čekala sam. Šta god da se spremao da kaže, htela sam da se pomuči, bar malo.

– I pitao sam se da li bi... ma, mama ima zakazanu hemoterapiju, i već sam pričao sa Džejmsom, ali on je otputovao s novom devojkom...

– Stvarno? Kuda? – prekinula sam ga.

– Mislim u Pariz – rekao je, sležući ramenima. – Nego, ako si slobodna, da li bi htela da odvedeš mamu u bolnicu?

Tupo sam zurila u njega. – Jesi li pitao *nju*?

– Ne. Pitam prvo tebe. Da vidim šta ti misliš o tome.

Osmehnula sam se u sebi. Dobar znak.

– Treba samo da je pokupiš i odvezeš do bolnice. Možda bi mogla da prozujiš po gradu nekoliko sati pre nego što je vratiš kući. – Pogledao me je s puno nade.

Znala sam da bi ovo mogla da bude dobra prilika. Pružila bi mi se mogućnost da raskrinkam njenu prevaru, da bez trunke sumnje dokažem da je okrutno obmanula sve oko sebe, uključujući i svoja dva voljena sina. Ali znala sam koliko rizikujem i kakve bi mogle biti posledice. Da li je vredno toga? Nisam mogla da spasem Rebeku, ali mogla bih da spasem sebe. Čim sam to pomislila, odlučila sam.

– Naravno – bezbrižno sam rekla, iako mi je srce udaralo dvaput brže. – Biće lepo provesti malo vremena s njom. Nemoj da joj kažeš. Nek bude iznenađenje.

Sumnjičavo me je pogledao jer je kao i ja odlično znao da je to poslednje što želim.

Sve sam isplanirala i bila sam pribrana i samouverena dok sam se vozila do Sevenouksa, a moja želja da je raskrinkam izgleda je bila mnogo veća od straha koji me je mučio prethodnih nekoliko nedelja. Ali dok sam išla stazom ka kući, sva moja rešenost je iščezla i imala samo osećaj da mi neka ruka kopa po stomaku i izvlači utrobu. Odupirala sam se, odbijajući da izneverim samu sebe.

– Pamela! – uzviknula sam kad je otvorila vrata.

Pogledala je oko mene, očekujući da vidi Adama kako prilazi stazom.

– Iznenađenje! – oduševljeno sam rekla. – Kladim se da niste očekivali mene.

– Gde je Adam? Mislila sam da me on vodi danas. – I dalje je gledala pored mene.

– Ne, morao je da radi pa sam vam, bojim se, jedino ja ostala.

– Ma, nema potrebe. Otići ću sama.

– Ne budite smešni – zapevušila sam. – Kad sam već došla, idemo. Ne želimo da zakasnimo na terapiju.

Gledala sam je kako se upetljala kopajući po tašni, očigledno pometena mojim neočekivanim dolaskom. Nije mogla da nađe ključeve, ili da se seti koju knjigu čita. Smešila sam se dok sam je slušala kako trabunja.

Nije rekla ni reč dok nismo stigle na parking bolnice i kad sam krenula da izađem.

– Šta ćeš to? – rekla je. Osetila sam prestravljenost u njenom glasu. – Kuda ćeš?

– Samo ću da vas uvedem. Adam je rekao da se uverim da ste ušli i da je sve kako treba.

– Mogu to i sama – prezrivo je odgovorila. – Znam kuda treba da idem.

– Da, ali prošli put ste bili vrlo nesigurni na nogama – rekla sam glasno i polako, kao da pričam s čovekom oštećenog sluha.

– Ne treba mi tvoja pomoć – rekla je dureći se. – Odavde ću sama.

– Jeste li sigurni? – upitala sam. – Bila bih mirnija ako vas uvedem.

Smešila sam se kad je brzo iskočila iz kola i krenula preko parkinga.

– Znači, da se vratim po vas za nekoliko sati? – doviknula sam, ali nije se ni osvrnula. Gledala sam je kako prolazi kroz automatska vrata i ulazi na glavnu recepciju.

Skinula sam s interneta mapu ogromne bolničke zgrade i primetila da postoje još dva izlaza. Ne bi se jednostavno vratila i izašla ovuda, to bi bilo previše rizično. Otići će na jedan od ostalih izlaza – ja bih se opredelila za onaj najbliži tržnom centru. Ako uđe, satima je neću naći, zato sam morala da je uhvatim pre nego što stigne tamo. Okrenula sam kola i izašla na kružni put, preko naselja, pored *Sejnsberija* i do parkinga sa automatizovanim plaćanjem. Uspela sam to da izvedem za manje od dva minuta.

Parkirala sam se tako da između parkiranih automobila mogu da vidim izlaz iz bolnice i čekala. Usta su mi bila suva i bila sam sigurna da sam zaboravila da dišem. Kad sam ugledala blesak tamnocrvene boje, kakve je bio njen džemper, u grudima me je stezalo dok sam pokušavala da dođem do vazduha.

Udarila sam po volanu. – Sranje – rekla sam naglas kao da sam iznenađena što je vidim i najednom sam poželela da se to ne dešava. Iako sam znala da sam u pravu, otkriće da je lagala o tome da ima rak samo je sve još više zakomplikovalo. Kako ću da kažem Adamu? Kako će on reagovati? Da li će mi verovati? Kako da dokažem da sam u pravu?

Sedela sam ćutke u kolima. Nisam razmišljala šta ću dalje kad se ovo desi. Približavala se ulazu u ograđeni prostor i ako ne budem brzo reagovala, izgubiću je.

– Sranje – ponovila sam, zgrabila ključeve iz brave i otvorila vrata. Moraću da okušam sreću na parkingu sa automatskim plaćanjem. Nisam imala vremena da kupim kartu.

Držala sam se na pristojnoj udaljenosti od nje, prateći je u korak. Nisam znala šta radim, ali ispunila me je strepnja kad sam shvatila da ću morati da se suočim s njom. Ništa od ovoga neće imati smisla ako to ne uradim. Pokušavala sam da ubedim sebe da je dovoljno da se sa tim otkrićem vratim kući i onda vidim šta ću, ali znala sam, čim sam to pomislila, da time ništa ne bih postigla. Moram to da rešim ovde i sada.

Pratila sam je dvadeset minuta, utrčavajući i istrčavajući iz prodavnica, skrivajući se iza stubova. U grudima me je stezalo dok sam je gledala kako ulazi u *Kosta kofi*.

– Samo sedi i gledaj kako se sve rasplića – rekla sam sebi kad sam pet minuta kasnije ušla za njom.

Osetila sam olakšanje kad sam je ugledala kako sedi leđima okrenuta ka ulazu, dajući mi još jednu priliku da odustanem, još deset sekundi da se predomislim.

– Izvolite? – pitao je veseli barmen.

Prekasno. – Kapučino za poneti, hvala.

Pogledala sam u Pami, pretpostavljajući da me je čula, iako sam znala da je bilo bezmalo nemoguće bilo šta čuti od buke koju je pravio aparat za kapučino.

Iako ne pijem sa šećerom, otišla sam do pulta na kome stoji, tako da sam, dok sam se vraćala, naletela pravo na Pami. Moralo je da izgleda kao slučajnost.

– P... Pamela? – tobože sam zamucala kad sam prolazila pored njenog stola.

Podigla je pogled i u trenu prebledela.

– Emili? – izustila je, kao da se nadala da ću joj reći da to nisam ja.

– Bože, kakvo iznenađenje – rekla sam tobože iznenađena. – Tako brzo ste završili u bolnici?

Gledala sam je kako pokušava da se pribere, smišljajući šta da kaže. – Zakasnila sam – rekla je. – Izgleda da mi je terapija bila zakazana za ujutro.

– O, stvarno? – rekla sam. – Baš čudno.

– Da, sutra treba ponovo da dođem.

– Zar vas nisu unapred obavestili da je termin promenjen? – pitala sam.

– Navodno su poslali pismo... poštom – zamucala je. Osetila sam nekakvo bolesno zadovoljstvo jer joj je očigledno bilo nelagodno. Mislila sam da će biti bolje pripremljena za ovo, ako do toga ikada dođe.

– Stvarno? Baš čudno što ga niste dobili.

Koliko ću dugo nastaviti sa ovom šaradom? Izvukla sam stolicu naspram nje i sela. – Hoćete da vam kažem šta se ovde zapravo dešava?

Pogledala me je, očima poput čelika, čikajući me da to izgovorim.

Nagnula sam se preko stola. – Vi zapravo nemate rak, zar ne?

Kao da sam joj opalila šamar. – Šta? – rekla je. – To što si rekla je stvarno gnusno.

Ignorisala sam suze koje su joj navirale na oči. Navikla sam na njeno cmizdrenje. Mogla je da zaslini kad god poželi.

– Nećete valjda da nastavite sa ovim? – upitala sam u neverici.

– Ne znam na šta aludiraš – odvratila je. – Ne znam o čemu pričaš.

– Mislim da znate – rekla sam. – Nikad niste ni bili na odeljenju za hemoterapiju, zar ne?

– Naravno da jesam – rekla je povišenim tonom. – Sutra treba da dođem ponovo.

– Ne, niste, a znate kako znam? – rekla sam, čikajući je da prizna. – Zato što sam malopre bila gore i nisu nikad čuli za vas.

Obrisala je suzu i sarkastično se nasmejala. – Pričaj ti šta hoćeš.

– O, znam ja odlično šta pričam – rekla sam, osetivši se pomalo zatečeno. Ovo se nije odvijalo onako kako sam zamišljala. – Pitam se šta će Adam reći.

Suze su joj se kotrljale niz obraze. – On ne mora da zna – tiho je rekla.

E tako već može. – Nemate pojma koliko sam ovo čekala. Koliko sam čekala da vas razotkrijem i pokažem vaše pravo lice.

– Ne možeš da mu kažeš – rekla je i zažmurila. Vlažne trepavice slepile su joj se jedna za drugu. – To bi bio kraj...

– To bi bio kraj vaših laži i prevara. Saznaće kakvi ste, da niste savršena majka za kakvu se izdajete.

– Ne možeš da mu kažeš – ponovila je.

– Samo me gledajte – rekla sam, odmičući stolicu i ustajući. – Samo gledajte.

Htela sam da odem, u nov život bez nje. Usudila sam se da zamislim kakav će uskoro biti: bez stresa i pun ljubavi. Nisam još ni prošla pored nje kad je rekla: – A kako ćeš *ti* da objasniš Džejmsa?

Ukopala sam se u mestu. – Šta?

Fiksirala me je pogledom. – Kako ćeš svom vereniku da objasniš da si se tajno viđala s njegovim bratom?

Krv mi se sledila dok sam u glavi premotavala sve što se desilo sa Džejmsom: gde smo se sastajali, šta smo rekli. Niko nas nije video, zar ne? Šta ona zna? Pitala sam se da li je primetila da je svaki pokret trajao trenutak predugo, ili da je svaki put kad bismo se sreli, poljubac u obraz bio samo malčice nežniji. Sve je to bilo bezazleno, a opet mnogo je govorilo.

Dvostruko je blefirala, hvatala se za slamke. Pogledala sam je i uprkos prizorima koji su mi se munjevitom brzinom smenjivali pred očima, nisam odvraćala pogled.

– Zar stvarno želite da kažete da između mene i Džejmsa ima nečega? – pitala sam, gotovo kroz smeh.

Klimnula je glavom. – O, sigurna sam u to. A znaš kako znam? – rekla je napravivši preokret. – Ja sam mu naložila da to uradi.

37.

Cele noći nisam oka sklopila, naizmenično sam plakala na sofi i povraćala nad klozetskom šoljom. Kako je došlo do ovoga? Konačno sam našla način da je uništim, da je jednom zasvagda potučem, ali to će opet biti na moju štetu. Ne mogu da pobedim i ona je to znala.

Osim neizdrživog besa i gnušanja koje sam osećala prema Pami zbog onoga što je uradila Rebeki, bila sam duboko ožalošćena pri pomisli na Džejmsove nesrećne pokušaje da me zavede, trudeći se da me uhvati u grešci i umiri svoju izopačenu majku. Kako ga je naterala da izvršava njena naređenja? Zašto je pristao? Kao da je nekako oba sina držala u šaci, a nijedan od njih nije bio spreman da se oslobodi njenog uticaja.

Osećala sam se oskrnavljeno. Od same pomisli da mi je Džejms prišao po nalogu svoje majke osećala sam se prljavo i napadnuto. Nije prezala ni od čega da me otera iz njihovog života.

Adam je cele noći čvrsto spavao, a kad se probudio, ušao je u dnevnu sobu, pogledao me i rekao: – Grozno izgledaš.

Nisam imala snage da odgovorim.

– Hoćeš kafu? – pitao je.

Odmahnula sam glavom. Pripala mi je muka pri samoj pomisli na nju.

– Šta je bilo? – rekao je, sipajući toplu vodu u šolju. – Da nije grip ili nešto?

Protrljala sam oči; jučerašnja maskara još uvek se skidala čak i posle onolikih suza koje sam isplakala. – Stvarno ne znam – rekla sam. – Kao da sam se otrovala.

– Šta si juče jela? Jesi li jela nešto sa mamom?

Odmahnula sam glavom.

Prišao je i seo pored mene na sofu, glasno otpivši iz šolje. Kad mi je miris kafe prodro u nozdrve, stavila sam ruku preko usta bezuspešno pokušavši da zadržim povraćku koja je poletela preko stočića.

– Pobogu! – uzviknuo je Adam, skočivši sa sofe i prosuvši groznu tečnost po tepihu.

– O, bože, tako mi je žao – rekla sam, iako sam se, još dok sam to izgovarala, zapitala zašto mi je prva pomisao bila da se izvinjavam. – Daj mi minut. Idem u kupatilo, pa ću da počistim ovo.

Grlo mi je gorelo od vrele žuči koja mi je navirala iz utrobe, a iz očiju su mi lile suze dok sam pokušavala da zaustavim povraćanje. Kako je šezdesetogodišnja žena dovela do toga da me um i telo ovako iznevere? Bila sam jaka žena koja nikad nije trpela budale i koja je umela da se snađe u bilo kakvim okolnostima. Kako mi se ovo dogodilo? To nema nikakve logike.

Još uvek sam grlila šolju kada mi je palo na pamet da je možda osnovni uzrok mog fizičkog stanja zapravo nešto mnogo logičnije. Pri samoj pomisli na to, mozak je počeo da mi udara po lobanji.

Jedva sam skupila dovoljno hrabrosti da se odvučem do grada, ne samo zato što sam se osećala kao podgrejani leš, već zato što mi je u glavi tutnjala veoma realna mogućnost. Kupila sam preskup test u apoteci na stanici Čering Kros i potrošila još pedeset penija na kabinu toaleta da se popiškim na štapić. Razmišljala sam da se prošetam do posla dok hemikalije odrade svoje, ali nisam još ni navukla gaćice kad se na prozorčiću pojavila upadljiva plava linija. Zamutilo mi se pred očima dok sam pokušavala da ponovo pročitam uputstva i prokljuvim: „Da li linija znači da jesam ili nisam trudna?", uzalud se nadajući da je ovo drugo.

Pozvala sam Pipu dok sam neprestano udarala o okretnu rampu kako bih izašla iz toaleta u suterenu. Devojka sa kosom ofarbanom u plavo i žvakom u ustima tupo me je gledala kad sam to uradila i četvrti put, polako gubeći strpljenje sa svakim novim pokušajem.

– To je rampa za *ulazak.*

– Sjajno – sarkastično sam rekla.

– Šta je sjajno? – rekao je Pipin glas preko mog mobilnog, kad se konačno javila.

– Trudna sam – slabašno sam odgovorila.

– Jebote – rekla je – i šta je tu sjajno?

– Ne, to nije sjajno, pričala sam sa... ma, nema veze. Sranje, Pipa, trudna sam.

– To je baš neočekivano – polako je rekla.

– Mislim, kako, jebote? – Nikako nisam mogla da shvatim šta se dešava.

Pipa je ćutala dok nisam stigla do Stranda.

– Kako se to dogodilo? Da li ste planirali? – pitala je.

– Naravno da nismo – frknula sam, iako nisam znala zašto se istresam na njoj.

– Mislila sam da koristiš pilule – rekla je.

– Koristila sam. Jesam. Ali neko vreme sam zaboravila da ih uzimam, kad je počelo ono ludilo oko venčanja. Preskočila sam, ne znam, možda nedelju dana, možda više. Adam nije bio kod kuće i nisam nameravala da u skorije vreme spavam s njim, i...

– Dobro, šta je onda bilo? – pitala je. – Bezgrešno začeće?

– Samo nas je jedne noći malo iznenadilo, prve noći kad smo... znaš...

Prostenjala sam pri pomisli da sam rekla Pami kako sam možda zatrudnela prilikom žestokog seksa posle pomirenja. O, bože.

– Ali mislila sam da želiš da što pre ponovo zakažeš venčanje – rekla je.

– Želim, ali sada ne mogu, zar ne? Nema šanse da sve ponovo organizujem pre nego što počne da se primećuje. Neću da se gegam do oltara u sedmom mesecu trudnoće. O, bože, Pipa, ne mogu da verujem. Ovo je jednostavno previše. – Zaplakala sam, a vozač kamiona za dostavu koji se zaustavljao ispred pošte pitao me je da li sam dobro. Slabašno sam mu se osmehnula.

– Šta je Adam rekao? – pitala je.

– On ne zna. Upravo sam uradila test u Čering Krosu. Čekaj. Pozvaću te kasnije. – Odjurila sam do najbliže kante i zarila glavu u nju. Kad sam videla prevrnutu kutiju iz *KFC-a* sa oglodanim pilećim kostima, bilo mi je još deset puta gore. Ljudi su prolazili pored mene, ne znajući da li da se brzo udalje ili uspore i pilje, ali svi su delovali zgroženo.

– Jesi li dobro? – pitala je Pipa kad sam se javila na telefon.

Promumlala sam. – Samo sam se ispovraćala u kantu na ulici.

– O, baš otmeno – našalila se. – Ozbiljno, šta ćeš sad?

– Reći ću večeras Adamu pa ćemo razgovarati. Iskreno, Pipa, ne mogu da ti opišem koliko je sve ovo zajebano.

– Nije zajebano, to je blagoslov – rekla je.

– Mislim na sve ovo – rekla sam. – Sve oko mene je tako sjebano. Kako mogu da razmišljam o tome da imam bebu kad Adam i ja još nismo izgladili sve nesuglasice? Šta će on da pomisli? O, bože!

– Smiri se – rekla je. – Možda vam je ovo baš trebalo. Sad bar više neće moći da se poigrava tobom. Kao da si joj pokazala srednjak. – Zakikotala se.

Razumela sam taj osećaj, ali znala sam da bih, ako rodim Pamino unuče, to značilo da ćemo zauvek biti vezane. Ta pomisao me je prestravila.

– Stvarno ne mogu da verujem, Pip – rekla sam. – Šta da radim?

– Dobro, idemo korak po korak. Razgovaraj večeras sa Adamom i kad budemo znali njegovu reakciju, videćemo šta ćemo dalje. Važi?

Klimnula sam ćutke.

– Važi, Em?

– Da, zvaću te kasnije ako budem mogla, ili sutra ujutro.

– Važi se – rekla je. – Pozovi me kad budeš mogla.

Prekinula sam vezu i shvatila da ne idem čak ni u pravcu kancelarije. Promašila sam Old Kompton strit i produžila pravo.

Kad sam konačno stigla na posao, napravila sam toliko grešaka da me je šef Nejtan pitao da li bih htela da odem kući ranije. Tada mi je, dok smo razgovarali, sinulo da nisam uzimala slobodne dane još od otkazivanja venčanja. Imala sam redovna dva slobodna dana nedeljno, ali odbila sam Nejtanovu ponudu da uzmem nedelju dana odmora, što je trebalo da bude druga polovina mog medenog meseca, izjavivši da sam dobro i samo želim da se vratim na posao. Zatrpala sam se poslom kao nikada do tada, odbacivši dramu oko venčanja i sve ostalo što je uz to išlo kao manju neugodnost. Ali u tom trenutku, dok me je Nejtan nakrivivši glavu saosećajno gledao, konačno mi je sinulo. Trebala mi je pauza, odmor od jednoličnih odlazaka na posao, od zahtevnih klijenata koji su svi mislili da su važniji od ostalih tridesetoro s kojima sam morala da radim, čak i od svakodnevnog ćaskanja s kolegama i što moram da se pretvaram da sam odlično. A bila sam daleko od toga i sada sam imala još jednu brigu. I to veliku.

– Snaći ćemo se – rekao je Nejtan da me ohrabri, osetivši da oklevam.

Nisam želela da se snađu. Moj ego je želeo da se cela firma raspadne ako ja nisam tu.

– Idi – požurivao me je. – Predahni malo.

Morala sam da odem, ali nisam želela. – Zvučiš kao američki životni trener – rekla sam osmehujući se.

– Ako budem morao, lično ću te podići i izneti. – Nasmejao se. – Beži odavde.

Uzela sam balzam za usne, kartu za prevoz i kutiju čokoladnih keksa od integralnog brašna sa stola pa prebacila tašnu preko ramena.

– Jesi li siguran? – pitala sam ga još jednom dok sam išla ka vratima.

– Odlazi! – povikao je.

Pošto još nije bilo četiri sata, krenula sam u Siti Centralnom linijom metroa, nadajući se da ću uhvatiti Adama pre nego što izađe iz kancelarije. Nekako mi se činilo da će mi biti lakše da mu kažem za bebu na neutralnoj teritoriji, u nekom krcatom baru ili restoranu, a ne kad smo sami kod kuće. Nadala sam se da će ova ozbiljna okolnost delovati manje stvarno, manje zastrašujuće.

– Zdravo – javio se na telefon.

– Zdravo – neodlučno sam odgovorila. – Krećeš uskoro s posla?

– Samo još nešto da završim i krećem. Zašto? Šta je bilo?

– Ništa – rekla sam. Kada mi je postalo tako lako da slažem? – Ja sam u Benku, pa sam se pitala da li bi voleo da se nađemo na piću pre nego što odemo kući.

– Sjajno, prijalo bi mi pićence; imao sam užasan dan.

Lecnula sam se. Ako je već imao loš dan, možda bi ovu novost trebalo da mu saopštim neki drugi put. Kad bude bio raspoloženiji, opušteniji. Odmah sam prekorila sebe zbog toga što donosim odluku umesto njega i zaklela se da ću mu reći bez obzira na sve. *Ja* sam imala užasan mesec, ali to nikoga nije sprečilo da mi još više zagorča život.

– Sjajno – rekla sam. – Da se nađemo za deset minuta u *Kings hedu*?

– Odlično, vidimo se.

Stigla sam tamo šest minuta ranije, dovoljno da popijem piće i smirim živce.

– Mogu li, molim vas, da dobijem veliku čašu sovinjon blana? – rekla sam barmenu. Gledala sam ga kako uzima čašu s police iznad bara, prilazi frižideru ispod šanka i sipa punu čašu tamnožutog pića. Tek kad ga je stavio pred mene i kad mi je njegova slatka aroma zapahnula nozdrve, pogodilo me je poput groma da nosim bebu.

– Ovaj, mogu li uz to da dobijem i sok od paradajza? – pitala sam, gotovo izvinjavajući se.

Pogledao je oko mene, ispravno zaključivši da sam sama.

– Zanimljiva kombinacija – rekao je.

Osmehnula sam se i odmahnula glavom. Bože, zar će ovako biti narednih devet meseci? Hodaću naokolo sa stomakom poput veš-mašine kao u bunilu?

– Zdravo, lepotice – rekao je Adam prilazeći mi otpozadi i ljubeći me u obraz. – Jesi li bolje?

Odmahnula sam glavom, ali on je naručivao piće.

– Kriglu fostersa, druže.

Smeteno sam se smeškala dok smo čekali, zahvalna na još nekoliko minuta pre nego što bacim granatu na Adamov svet. Gledala sam ga kako otpija dva-tri velika gutljaja piva, kao da je voda. Možda će mu i skorije nego što misli dobro doći još jedno.

– Imam nešto da ti kažem – počela sam.

Adam se zagledao u mene i uhvatio me za ruke. – O, bože, nisi valjda bolesna? – pitao je, a na licu mu se videla prestravljenost. – Jer ako jesi, mislim da to neću podneti.

Čudno kako je odmah pomislio na sebe. Ranije to nisam primećivala.

Odmahnula sam glavom. – Ne, dobro sam. Dobro smo.

– Naravno da smo dobro, zar ne?

– Ne ti i ja – polako sam rekla, trljajući stomak. – Ja i *ono*.

– Izvini, ne razumem – namrštio se.

– Trudna sam – tiho sam rekla, mada sam imala osećaj da je odjeknulo celim pabom.

– Šta? – uzviknuo je.

Gledala sam kako mu se na licu smenjuju zbunjenost, bes, radost pa opet zbunjenost, sve u jednoj sekundi.

– Trudna si? Kako?

– Ovaj... da li stvarno moram da ti objašnjavam? – upitala sam.

– Ali mislio sam da si... Mislio sam da smo vodili računa.

– Jesmo, zapravo *ja* sam, ali preskočila sam nekoliko dana posle venčanja, uz sve što se izdešavalo. Jednostavno sam smetnula s uma.

– Koliko si preskočila? – pitao je kao da je bilo važno.

– Ne znam... možda deset dana, dve nedelje? Ne sećam se. Ali, bilo kako bilo, sada sam trudna.

– Zar nije trebalo da budeš pažljivija?

Ovo se nije odvijalo onako kako sam zamišljala. Ili sam možda, duboko u duši, baš to očekivala.

– I šta ćemo sad? – rekao je trljajući koren nosa.

Pogledala sam ga, ne shvatajući šta me zapravo pita. Nisam verovala da imamo izbora. On je, očigledno, imao.

– Ništa – kruto sam rekla. – Rodiću bebu.

Začkiljio je i ćutao, činilo se čitavu večnost.

– Dobro – najzad je rekao. – Znači, ovo je dobra vest?

– Ni sama još uvek nisam svesna. Tek sam jutros saznala, ali moglo bi da ispadne dobro, zar ne?

Oboje smo stajali i zbunjeno se gledali, ne znajući šta da kažemo ili uradimo. Provukao je prste kroz kosu, a ja sam čekala njegov sledeći potez. Zaista nisam znala da li će me zagrliti ili otići.

Nije uradio ni jedno ni drugo. – Dobro, šta ćemo s venčanjem?

Kao da smo oboje bili na oprezu. – Pošto ne želim da se udam trudna, pretpostavljam da će to morati da sačeka.

– Dobro, to je onda rešeno – malodušno je rekao i smeteno me privukao u zagrljaj. – To je sjajno.

Njegovo lice je govorilo nešto sasvim drugo, ali morala sam da mu dam vremena da shvati šta ovo znači za njega i za nas dvoje. Ja sam imala skoro osam sati da se pomirim sa ovom vešću koja će mi promeniti život, a on nije imao ni osam minuta, zato sam mu dala vremena, da pokažem da imam poverenja u njega.

– Da – odgovorila sam oklevajući. – Jeste.

38.

– Kako izgledam? – pitala sam, ne odvajajući pogled od svog odraza u ogledalu.

Adam mi je prišao s leđa, stavio ruke na moj nabrekli stomak i poljubio me u obraz. – Izgledaš baš seksi.

Nisam se osećala „seksi", ali bilo je očigledno da je Adamu moje telo koje se menjalo bilo privlačno, pošto me prethodnih nekoliko nedelja nije ostavljao na miru. Dok sam pokušavala da uguram ogromne grudi u nešto nalik na mrežu za ležanje, često bih ga zatekla kako sedi na ivici kreveta i gleda me zapanjeno i pohotno.

Trebalo nam je malo vremena da se naviknemo na moju trudnoću i naizmenično smo se svađali pa vodili ljubav, često sve to za jednu noć.

Pre samo nekoliko nedelja, žestoko smo se posvađali oko toga šta sam obukla. – Nećeš izaći tako obučena – rekao je Adam dok me je gledao kako ulazim u novu crnu haljinu, spremna za izlazak u grad sa Pipom i Sebom. Dopala mi se čim sam je ugledala u *Vislsu*, jer mi se njen kroj koji je pratio liniju tela pripijao uz uske bokove – stomak mi se još nije video.

– Otkad to? – zadirkivala sam ga. – Voliš kad obučem ovako usku haljinicu, a ova je super jer će rasti zajedno sa mnom. – Rastegla sam materijal od likre napred na stomaku, kao da želim da pokažem da sam u pravu.

– To je bilo nekad, sad je drugačije – ozbiljno je rekao. – Ne želim da izađeš tako obučena.

Okrenula sam se k njemu. – Jesi ozbiljan?

Klimnuo je glavom i odvratio pogled. – Sada nosiš moju bebu i treba da se oblačiš kako priliči.

– A šta mi „priliči”? – nasmejala sam se. – Da li treba da nosim šatorsko krilo iako mi se još uvek ne vidi stomak?

– Samo pokaži malo poštovanja – rekao je. – Prema meni i bebi.

– Ma hajde, Adame. Zvučiš kao tvoja majka. Kako ću se obući, to nema nikakve veze s tobom. – Pogledala sam se. – Pre nekoliko meseci bi zbog ove odeće odlepio. Ništa se nije promenilo, još uvek isto izgledam, a ti mi kažeš kako nemam poštovanja?

Nasrnuo je na mene i zgrabio me za ručni zglob. – Trudna si i ne smeta ti da izađeš obučena kao kurva? Privlačićeš pažnju a ja neću da ti se neka pijana budala nabacuje kad uopšte ne bi ni trebalo da izlaziš.

– E pa, sad si preterao! – povikala sam. – U drugom mesecu sam trudnoće i ne bi trebalo više nikad da izađem? Neću da se promenim.

Uzela sam tašnu i krenula ka vratima spavaće sobe. Stajao je u dovratku, preprečivši mi put svojim telom.

– Pomeri se – rekla sam smirenije nego što sam se zapravo osećala.

– Ne ideš ti nikud.

Srce je htelo da mi iskoči iz grudi, a grlo mi je bilo sprženo. U glavi mi je pulsiralo od glavobolje.

Preklinjala sam ga pogledom da se pomeri, ali on nije ni mrdnuo. Nijedno od nas nije htelo da popusti.

– Pomeri se – ponovila sam.

– Neću.

Udarala sam ga pesnicama o grudi. – Sklanjaj mi se s puta! – ogorčeno sam povikala, a niz lice su mi se slivale suze. – Kunem ti se, ako se ne pomeriš...

Uhvatio me je za ručne zglobove i gurnuo uza zid. Mislila sam da će ponovo da počne da me vređa, ili još gore, da me udari, pa sam ustuknula, pripremajući se za napad. Ali on me je poljubio, zavukavši mi jezik duboko u usta. Nisam htela da odgovorim. Htela sam da mu pokažem da sam još uvek besna, ali nisam mogla da se obuzdam. Strgao mi je čarape i pocepao ih, kao opsednut, i vrisnula sam kad je ušao u mene.

– Da li boli? – pitao je.

Odmahnula sam glavom. Pogledao me je kao da me prvi put vidi.

– Izvini – rekao je najednom popustljiv i pitom. – Ne znam šta me je spopalo. Jednostavno izgledaš fenomenalno i...

Zaurlao je i osetila sam kako ga noge izdaju dok mi pripija glavu uz vrat, tražeći oslonac. Dahtao je. – Da li i dalje želiš da izađeš? – uspeo je da izgovori između dahtaja.

– Da – rekla sam popravljajući haljinu. Nisam baš bila sigurna šta se upravo dogodilo. Da li je ovo normalno? Kako dvoje ljudi može da se svađa i breca jedno na drugo, a onda samo nekoliko minuta kasnije da vodi ljubav?

Izašla sam, ali nisam uživala. I nije neki provod kad ne piješ a dvoje tvojih ortaka se obeznanjuju od alkohola. Možda je Adam u pravu: sada je drugačije i zauvek će biti tako.

Dok sam se gledala u ogledalu, uvlačila sam i izvlačila bluzu. Samo što sam ušla u četvrti mesec i bilo je sve teže sakriti nabrekli stomačić, ali danas nije bilo važno. Danas sam prvi put mogla da ga pokažem, da budem trudna i ponosna, ali ja sam se samo osećala debelo.

– Nemam šta da obučem – zavapila sam dok sam prekopavala po garderobi, tražeći inspiraciju, ali ne nalazeći ništa. Iznervirala sam se i osećala sam stezanje u grudima.

– U tome izgledaš sjajno – ponovio je Adam dok me je gledao kako vršljam po vešalicama i bacam majice i pantalone na krevet. Može da ponavlja koliko hoće, ali nisam izgledala sjajno, nisam se osećala sjajno, ništa nije bilo sjajno. Htela sam samo da otkopčam dugmad na pantalonama koja me je sputavala, legnem na krevet i plačem.

– Da li moramo da idemo? – prostenjala sam kao dete.

– Odavno nisi videla moju majku i moramo da joj saopštimo novost – rekao je, a ja sam prostenjala u sebi.

– Zar ne možeš jednostavno da joj kažeš telefonom? – preklinjala sam.

– Em, dobićemo bebu i ona će prvi put postati baka. Tako nešto se ne saopštava telefonom. A i neće biti tako strašno, jer Džejms dolazi sa novom devojkom pa će to malo promeniti odnos snaga.

Došlo mi je da vrisnem. Kako ću, dođavola, ovo da preguram? Nisam videla Pami od onog debakla u bolnici i ignorisala sam njene poruke preko govorne pošte. Adam ju je odvezao na „poslednju hemoterapiju" i bio je oduševljen kad ga je nedelju dana kasnije pozvala da mu kaže da su lekari toliko zadovoljni njenim napretkom da će do daljeg prestati s terapijom. Kiselo sam se osmehivala dok mi je prenosio dobru vest, sve vreme obuzdavajući neizdrživu želju da uzviknem: „Laže!".

Zadrhtala sam pri samoj pomisli da ću je videti. Već nedeljama nisam osećala mučninu, ali osetila sam poznato grčenje u stomaku kao reakciju na pomisao da ću biti u istoj prostoriji s njom. Bila sam na ivici živaca.

Zamišljala sam njeno izobličeno lice dok me bude izazivala pred Džejmsom, a nisam sumnjala da hoće, čikajući me da je prekinem, spremna da zada završni udarac i uništi sve što sam imala s Adamom. Zapitala sam se, ne prvi put, šta je bio njegov motiv za tako nešto. Da kaže sve ono. Šta dobijaju time što udruženim snagama rade na tome da me slome i razdvoje mene i Adama? Da li joj je Džejms rekao istinu? Da sam ga odbila? Ili je lagao kao njegova majka i ispričao joj drugačiju verziju događaja? Bilo kako bilo, nije ni bilo važno. Ona može moj život da pretvori u pakao i ucenjuje me, no da li joj je to bio cilj? Svakako joj je bilo jasno da to ne bi bilo pametno jer je znala šta ću ja uraditi njoj, ali zar bi to onda bilo važno? Između Adama i mene bi bilo gotovo pre nego što bih uopšte dobila priliku da mu kažem kako je okrutno lagala da boluje od raka.

– Ne osećam se dovoljno dobro da bih išla – rekla sam Adamu. – Muka mi je. Što ne odeš sam i saopštiš im novost?

– Hajde, Em, saberi se. Trudna si, nisi bolesna. Provešćemo dva-tri sata u nekom finom restoranu, pa idemo. Toliko sigurno možeš da izdržiš?

Stvarno nisam mogla da zamislim sebe kako sedim sa Pami, Adamom, Džejmsom i njegovom devojkom, sve vreme strepeći, čekajući da bomba eksplodira. Mada, tek ćemo videti koja će od nas dve prva da izvuče osigurač.

– Ja ću te paziti – rekao je, kao da mi čita misli. – Neće biti tako strašno.

Suze su mi navrle na oči kad sam shvatila da bih svakog časa, kad god se Pami ćefne, mogla da izgubim jedinu osobu koja je na mojoj strani.

39.

Začudo, Pami je već bila u restoranu, sedela je za stolom i glasno se smejala sa Džejmsom i njegovom devojkom dok smo im prilazili. Već sam se osećala kao višak, kao ona kojoj se ostali smeju.

Pami je ustala da nas pozdravi. – Dušo – rekla je Adamu – baš mi je drago što te vidim.

Osmehnula sam se stisnutih usana.

– I Emili. Draga Emili, izgledaš... – Odlučno je udahnula dok me je odmeravala pogledom. – Zanosno.

Adam mi je pomogao da skinem kaput.

– Zdravo, Em, ovo je Kejt – smeteno je rekao Džejms. Nagnuo se da me poljubi i jedva sam se uzdržala da se ne odmaknem. Rukovala sam se sa Kejt kad se nagnula ka meni. Bila je visoka, plavokosa i vitka i osetila sam kako mi se srce pomalo slama.

Osmehnula sam se. – Drago mi je.

– I meni – odgovorila je – čula sam mnogo o tebi.

Došlo mi je da pitam: „Šta to?", ali umesto toga ponudila sam uobičajeni odgovor: – Nadam se samo dobro?

Niko na to ne odgovara, a ipak je to jedno od onih retoričkih pitanja na koja svi žele odgovor.

Osmehnule smo se jedna drugoj a Adam je otišao da potraži čiviluk. – Pa, šta ima? – konačno je pitao Džejms. – Gužva na poslu?

Nisam ga videla još od dana kada je trebalo da se održi moje venčanje. Kosa mu je bila malo duža i šiške su mu malčice padale preko oka, a od sunca je poprimila tamnu boju meda. Pretpostavila sam da je preplanuo negujući engleske bašte, ali primetila sam da je i Kejt dobila boju u licu. Srce mi se steglo pri pomisli da su bili na nekom romantičnom mestu, u nekoj vili ili malom prisnom hotelu, možda u

Italiji ili Francuskoj, gde su dane provodili ležeći pored bazena, a noći vodeći ljubav. Pokušala sam da izbacim tu misao iz glave, mrzeći sebe što mi je i dalje stalo, čak i posle svega što je uradio.

– Da, dobro je – odgovorila sam. – Kod vas? Rekla bih da ste putovali.

– Bili smo u Grčkoj – uzbuđeno je rekla Kejt. – Bilo je fenomenalno, zar ne? – Pogledala je u Džejmsa, koji joj je uzvratio pogled i uzeo je za ruku. Da li smo se Adam i ja tako gledali?

– Evo ljudine – rekao je Džejms dok nam je Adam prilazio osmehujući se.

Rukovali su se. Gledala sam kako upoznaju Adam i Kejt, njihov smeteni pokušaj da se poljube, jer je on krenuo da je poljubi dvaput, dok je ona očekivala samo jedan poljubac. Osetila sam da im je oboma bilo neprijatno.

Imala je predivne oči i zube i postiđeno sam vukla svoju neuglednu bluzu, zažalivši što nisam obukla haljinu oko koje smo se Adam i ja svađali pre nekoliko nedelja. Onda bih bar imala sa čim da se takmičim.

– Zar nije prelepa? – prošaputala je Pami dok je stajala pored mene i posmatrala ih. – Ima sve.

Nisam reagovala. Samo sam gledala njih dvojicu kako obigravaju oko nje. Ovo će biti gore nego što sam mogla i da zamislim.

– Dobro, šta ima novo? – pitao je Džejms, konačno me ponovo uvukavši u razgovor.

– Hajde najpre da naručimo bocu vina pa ćemo vam reći – rekao je Adam, pozivajući konobara.

– Zvuči zloslutno – nasmejao se Džejms.

– Nimalo – rekao je Adam. – Zapravo, imamo prilično važne vesti.

Gledala sam kako se mišići na Paminom licu grče dok se muči da ostane bezizrazno.

– Ma nije valjda? – uspela je da izgovori. – Jeste li odredili novi datum za venčanje?

– Ne baš – rekao je Adam. – Stvari su se malčice ubrzale. – Pogledao me je i uhvatio za ruku, a ja sam mu se osmehnula najdražesnije što sam mogla.

– Oho, zvuči uzbudljivo – zacičala je Kejt.

Adam je pogledao okupljene za stolom i osmehnuo se. – Dobićemo bebu – rekao je.

Džejms je zinuo, Kejt se ozarila i zapljeskala, a Pami je samo sedela skamenjenog lica, dok joj je vilica podrhtavala.

– Uh, narode, to je sjajno! – rekao je Džejms. – To je stvarno strava. Uh!

– U kom si mesecu? – pitala je Kejt. – Kada ti je termin? Da li znaš da li je dečak ili devojčica?

Odgovarala sam na pitanja brzo kao što ih je postavljala.

– Treći mesec. Na proleće. Ne.

Džejms se još jednom rukovao sa Adamom i obišao oko stola da me poljubi u obraz. – Čestitam – prošaputao je, a ja sam se ukočila.

– Mama? – rekao je Adam, čekajući njenu reakciju.

– Pa, samo sam iznenađena – rekla je kroz suze. – Prijatno, ali ipak iznenađena. – Pokušala je da se osmehne kroz suze, ali osmeh joj nije stigao do očiju.

– Divna vest, sine, zaista. – Nije pokušala da ustane, tako da je Adam obišao sto i prišao joj. Ja se nisam ni potrudila.

Privila se uz njega kao pijavica.

– Mama, trebalo bi da se raduješ, ne da plačeš. – Nasmejao se. – Niko nije umro.

– Dobro sam, sine – rekla je, šmrkćući. – Trebaće mi malo da se naviknem na to da ću biti baka. Drago mi je zbog vas, zaista.

Izvukla se iz Adamovog stiska i uhvatila moj pogled. Bezmalo nisam htela da je pogledam. Ali namestila sam ponovo onaj osmeh, kao da govorim da je sve sjajno i pogledala je u oči. U njima nije bilo besa i gneva koje sam očekivala. Videla sam samo strah.

– Kad smo kod dobrih vesti – rekla je odvajajući pogled od mog. – I Džejms ima nešto da nam saopšti, zar ne, dušo?

Smešio se, a ruka mu je ponovo potražila Kejtinu. – Da, pitao sam Kejt da se uda za mene i pristala je.

Krv mi je udarila u glavu.

– Zar to nije divno? – zagugutala je Pami, posežući preko stola i uzimajući Džejmsa i Kejt za ruku. – Već vidim da ćemo se lepo slagati.

Pogledala sam u Kejt, tražeći bilo kakvo prepoznavanje, znak da smo nas dve srodne duše koje se žestoko bore protiv Pamine nadmoći.

Ali u njenim očima bila je samo iskrena privrženost i pogrešno uverenje da Pami govori istinu.

Nisam znala koga više žalim. Nju, zbog njene bezazlene naivnosti, blaženo nesvesnu toga da će joj ova žena, koja tvrdi da joj je prijatelj, uskoro postati najveći neprijatelj, ili sebe, čiji se život već toliko potrudila da uništi. Bila sam senka nekadašnje sebe, nesigurna i paranoična, a držala me je još samo ljubav čoveka na koga ću, kako sam se nadala, moći da se oslonim kada se sve bude urušilo.

Posmatrala sam Kejt šćućurenu u Džejmsovom zagrljaju, zajapurenu od uzbuđenja i strasti. Pami je bila u pravu. Zaista je imala sve i poželela sam da sam kao ona. Setila sam se kada je, ne tako davno, i mene ponelo ushićenje zbog naše novopečene veze, kada sam uživala u njoj, takvoj kakva je, ni na trenutak ne pomišljajući da bi bilo ko, a ponajmanje Adamova rođena majka, mogao da prouzrokuje toliku patnju.

– Hajde da naručimo bocu šampanjca da proslavimo – oduševljeno je rekla Pami.

Zar niko neće da pita čemu tolika žurba? Kako mogu da znaju da ostatak života žele da provedu zajedno kad se poznaju samo nekoliko meseci? Pami će sigurno da uskoči i kaže šta ima, kao što je uradila sa mnom, ali ona se nije oglašavala.

Gledala sam je kako puni četiri čaše i pruža ih svima osim meni.

– Čestitam! – rekla je, podižući čašu. – Za Džejmsa i Kejt.

Pogledala sam u Džejmsa, koji je gledao čas u majku, čas u Adama, ali pogled mu se nijednom nije zaustavio između njih, na meni.

– Mama, može li Emili da dobije čašu? – pitao je Adam.

– Oh, izvini, mislila sam da ne pije – rekla je. – Ne bi trebalo da piješ kad si trudna. Pa bar je tako bilo u moje vreme.

– Vremena su se promenila – osorno sam rekla. – Hvala, popiću jednu malu čašu.

– Da nazdravimo bebi Benks! – rekao je Džejms.

Zatvorila sam oči i uživala u tom prvom gutljaju, osećajući kako mi tečnost penuša na jeziku.

– Jeste li već odredili datum? – uzbuđeno je pitala Pami.

– Razmišljali smo da to bude na proleće, ako budemo stigli sve da organizujemo – rekao je Džejms.

– Ah, taman kad se mališa rodi – rekla je, pokazavši glavom na moj stomak. Osmehnula sam se, znajući da ću do tada ili biti velika kao šifonjer ili imati bebu prikačenu za sisu.

Ni zbog jednog od ta dva scenarija nisam se osećala naročito glamurozno.

– Imam kod kuće spomenar pun raznih isečaka – rekla je Kejt. – Još od svoje devete ili desete godine. Neki misle da sam malo poremećena. – Zakikotala se.

Ponovo sam se trgla, očekujući Paminu podrugljivu primedbu, ali nije rekla ništa.

– To je baš slatko – rekla je umesto toga. – I ja sam ga pravila kao devojčurak. Kad sam ga pokazala svom Džimu, obećao mi je da ću dobiti sve što je u njemu.

Kejt joj se osmehnula.

– Dobro, pokaži nam prsten – rekla je Pami.

– Bila sam tako iznenađena – rekla je Kejt pružajući prema nama dijamant. – Nisam imala pojma.

– Stvarno mi je drago zbog tebe – srdačno je rekla Pami. – Dobro došla u porodicu.

Da li mi je nešto promaklo? Kao da sam ometala poseban trenutak između majke i ćerke. Da li je Pami, nekada davno, na samom početku, bila ovakva i prema meni?

Prisetila sam se našeg prvog susreta, u njenoj kući, kada je ostavila album sa fotografijama iz koga je Rebekina slika zurila u mene. Želela je da je vidim, već tada se poigravala mnome, izazivala me da postavim pitanja na koja nisam želela da znam odgovore. Bacila je udicu i čckala, nadajući se da ću u međuvremenu biti previše slaba da se borim s posledicama. Mislila je da će moći da me se reši, kao što je uradila s Rebekom, ali nije računala na moju ljubav prema Adamu. Volim ga više od svega i dok sedim ovde, a u stomaku mi raste nov život, znam da ne postoji ništa što ona može da uradi da mi to oduzme.

40.

– Obećavam da neću preterati – rekla je Pipa, videvši me kako se mrštim kad je pomenula darivanje bebe. – Samo prijatelji, nekoliko balona i mnogo proseka.

Prevrnula sam očima i pokazala na svoj ogromni stomak.

– O, naravno – rekla je, kao da je iznenada postala svesna neprilike u kojoj sam se našla. – Samo *nekoliko* prijatelja, *ti* ćeš biti balon, a *ja* ću piti proseko!

Dve nedelje kasnije, ona i Seb pojavili su se u stanu sa brdom ružičastih kapkejkova i dva metra dugom zastavom na kojoj je pisalo „Buduća mama". Za njima je došlo društvo s devojačke večeri, osim Pami, koja nije bila pozvana.

– Zar ne misliš da je ludo što baka tvoje bebe ne dolazi, a dolazi devojka koja je spavala sa tvojim bivšim? – primetila je Pipa nekoliko dana ranije. – I da si htela, ne bi to mogla da smisliš.

Morala sam da se složim s njom; nikad ne bih pomislila da će Šarlot ponovo biti deo mog života, ali okolnosti su se promenile. Dobiću bebu i u neku ruku želim to da podelim s njom.

– Hej, kako si? – rekla je dok je ulazila na vrata, natovarena ružičastim stvarčicama. Privukla me je k sebi i dugo držala, kao da ne želi da me pusti.

– Debelo! – Nasmejala sam se.

– Debelo i predivno – ubacio se Seb i progurao se pored nas na odmorištu.

Pili su šampanjac dok smo mama i ja umakale čajne kolače u čaj. – Neću više nikad da pijem – rekla je kad joj je Pipa ponudila proseko. – Ne posle onog vikenda za devojačko. – Svi smo se nasmejali setivši se mame kako izlazi iz spavaće sobe u jedanaest sati, jutro posle

BJ-a, žaleći se što smo je pustili da toliko dugo spava, a onda pita da li imamo od čega da napravimo sendvič sa slaninom. – Jao, šta li će Džerald da pomisli? – promrmljala je i krenula u potragu za grickalicama u nepoznatoj kuhinji.

– Pretpostavljam da se nisi čula sa Pami otkako si joj rekla da si trudna? – tiho je pitala dok su ostali igrali „Pogodi bebinu težinu".

Odmahnula sam glavom. – Zvala je nekoliko puta i ostavila poruke u govornoj pošti moleći me da joj se javim, ali osim toga...

– Nisi? – pitala je. – Mislim, nisi joj se javila.

– Ne. Nemam ja šta s njom da pričam – rekla sam.

Mama je klimala glavom. Ispričala sam joj sve o svađi u kafeteriji, osim onoga o Džejmsu. Nisam htela da misli loše o meni, a nisam mogla da joj objasnim a da ne rizikujem da se to dogodi. Ali Seb i Pipa su znali i ma koliko se trudili da me ubede da nisam uradila ništa loše, i dalje sam propadala u zemlju od stida.

Gledali smo *Imate li znanje za drugo stanje?*, šćućureni pod jorganima, kad je neko zalupio ulazna vrata. Srce mi se steglo kad sam čula teške korake kako se penju stepenicama. Po tim prvim koracima, mogla sam da nagađam koliko je Adam pijan, a retko sam grešila.

– Hej, hej, hej! Pa to je sastanak ženskog odbora – glasno je izjavio. Uhvatila sam blesak u njegovim očima dok je pogledom proučavao dnevnu sobu i zaustavio se na Sebu. Bila sam sigurna da sam videla kako je zgađeno iskrivio usne.

– Dame, da li se zabavljate? – nastavio je, naglasivši reč *dame*.

Svi su ga mrmljajući pozdravili, a odmah zatim dodali: „Vidi koliko je sati?" i „Trebalo bi da krenem".

Videla sam kako se Seb nakostrešio i opomenula ga pogledom odmahujući glavom.

– Adame, možemo li, molim te, da popričamo? – rekla sam ustajući sa sofe uz Pipinu pomoć.

– Jesi dobro? – tiho je upitala.

Klimnula sam glavom. Ušla sam u spavaću sobu bez reči, a Adam je ušao za mnom.

– Šta je tebi? – pitala sam ravnim, smirenim glasom.

– Šta je *meni*? – rekao je i nasmejao se. – Ti si nam napunila dnevnu sobu Zlatnim devojkama.* A vidim da je i *on* opet tu.

– Tiše malo.

– Ovo je moja kuća i govoriću kako želim.

– Ma daj, odrasti već jednom.

– I kada smo to odlučili da objavimo pol naše bebe? – upitao je. Očigledno nije bio previše pijan da primeti ružičaste detalje kojima je bila ukrašena dnevna soba. – Nisam još ni svojoj majci rekao, a ti si evo rastrubila na sve strane. Mada, da je moja majka bila pozvana na tvoju glupu malu čajanku, pretpostavljam da bi saznala zajedno sa ostalima. – Pogledao me je s iskrenim prezirom.

– Neću s tobom da igram glupe igre, Adame – rekla sam umorno. – Tvoja majka nije ovde jer ja tako želim, a pol naše bebe nikad nije bio tajna. Pretpostavljam da bi, da čekamo dečaka, bio spremniji da razglasiš tu vest?

Setila sam se našeg ultrazvuka u dvadesetoj nedelji pre nekoliko meseci i razočaranog izraza na Adamovom licu kada je doktorka rekla da bi se opkladila da će biti devojčica.

– Koliko često grešite? – upitao je, nasmejavši se.

– Trudim se da ne pogrešim – rekla je.

– Ali kakva je statistika? – navaljivao je Adam.

– Ako bih morala da dam neku brojku, rekla bih jednom u dvadeset slučajeva. Otprilike.

Samozadovoljno me je pogledao pre nego što je dodala: – Ali u vašem slučaju, prilično sam sigurna da možete da počnete da štrikate ružičaste benkice. – Videla sam kako su mu ramena ponovo klonula.

– Samo mislim da bi trebalo da imaš obzira prema meni i mojim osećanjima u... svemu ovome – rekao je sada, žustro mlatarajući rukama po spavaćoj sobi.

– Pobogu, Adame, ponašaš se kao dete – rekla sam i izašla.

---

* Engl.: *The Golden Girls* – američki televizijski sitkom originalno emitovan na stanici NBC. Humor u seriji se često zasnivao na do tada kontroverznom pristupu starijim ženama, koje su prikazane kao osobe još uvek opsednute seksom, spremne na „nekonvencionalno" ponašanje primerenije mlađim generacijama. (Prim. prev.)

Seb mi je išao u susret preko odmorišta, sevajući od besa. – Izvinjavam se – rekao je dok je prolazio.

– Sebe, molim te – rekla sam i posegnula da ga uhvatim za ruku, ali umesto da siđe niz stepenice i izađe iz stana, on je ušao pravo u našu spavaću sobu.

– Šta te muči? – rekao je i odlučno stao pred Adama.

– Sebe, nemoj – preklinjala sam dok sam gledala Adama kako se, u neverici, uspravlja do pune visine.

Povukla sam ga nazad, a Adam se usiljeno osmehnuo. – Mislio sam da nemaš petlje – prosiktao je, iako ne znam kome se od nas dvoje obraćao.

– Ona je previše dobra za tebe – rekao je Seb dok sam ga izvodila iz sobe.

41.

Posetioci su se neprestano smenjivali kad sam se vratila kući iz bolnice sa Popi. Moji roditelji, Pipa, Seb, pa čak i Džejms, svratili su sa ružičastom korpom punom đakonija. – Čestitam – nežno je rekao Džejms dok me je ljubio u čelo, baš kao što je Adam uradio u operacionoj sali kada su mi izvadili Popi iz stomaka. Naš plan da se porodim u vodi propao je nakon šesnaest sati porađanja, zbog čega je na kraju Popi doživela fetalni distres.

Dočekivala sam ih sve kao kroz maglu; sve vreme čekajući, strepeći od Pamine posete. Prva tri dana nije htela da dođe jer je imala prehladu i nije htela da zarazi bebu. Ali želela sam samo da već jednom dođe da završimo s tim, da mogu da se opustim i uživam sa Popi.

– Da li ti odgovara da mama navrati sutra? – upitao je Adam samo što je Pipa izašla. – Verovatno će prespavati, pa ću je preksutra vratiti kući.

Prostenjala sam. – Iscrpljena sam. Ne možeš da je vratiš sutra uveče posle čaja?

– Ma hajde, Em – rekao je. – Ovo joj je prvo unuče, a i ovako će je poslednja upoznati. Možda će čak biti od koristi.

Toga sam se i plašila. Pogledala sam u Popino savršeno lice, njene krupne oči uprte u mene i osetila kako mi kroz telo prolazi drhtaj. – Stvarno bih više volela da ode kući – rekla sam. – Molim te.

– Pozvaću je, videću kako će da prođe – rekao je. – Neću joj ništa predlagati ako ne bude pitala.

Znala sam i pre nego što se vratio u sobu da se razgovor nije završio u moju korist.

– Dakle, idem po nju oko podneva, a vratiću je preksutra ujutru.

– Baš si se potrudio – tiho sam rekla.

Ako me je i čuo, nije reagovao. – Svratiću kasnije do paba, da častim za bebu i tako to – rekao je. – Ne smeta ti, zar ne?

Da li me pita ili mi saopštava? U svakom slučaju, pitao je tako da bih, da sam rekla da mi smeta, izgledala posesivno i manipulativno.

– Što si se tako snuždila? – kruto je rekao. – Pobogu, to je samo pićence na brzaka.

Čudno, nisam čak ništa ni rekla, ali on je jedva čekao da započne raspravu sam sa sobom, samo kako bi opravdao što će izaći.

– Kad ste to dogovorili? – pitala sam.

Coknuo je. – Pre neki dan. Majk je predložio da idemo na piće a ostali su se samo pridružili. To je obred zrelosti.

Odlično sam znala kakva je tradicija, bog će znati zašto je onda pokušavao da se pred sobom opravda. Osećala sam kako se kostrešim, ne zato što on izlazi, već zato što se toliko brani zbog toga. Grizla ga je savest, ali pokušavao je to da prebaci na mene, da ja ispadnem negativac.

– Dobro, važi – ravnodušno sam rekla. – Ali gledaj da se ne zadržiš previše, mogao bi malo da mi pomogneš da sredim stan pošto ti dolazi mama.

Pošto se nije vratio do ponoći, mislila sam da je u redu da ga pozovem. Popi nikako nije htela da se smiri, a uz hranjenje, ljuljanje i kupanje jedva sam uspevala još nešto da uradim.

– Pozvaću te kasnije – rekao je zaplićući jezikom kad se javio posle četvrtog zvona. Iz pozadine je dopiralo mnogo buke, brbljanja, zveckanja čaša i glasne muzike.

– Adame? – Veza se prekinula.

Pošto ni nakon deset minuta nije pozvao, ja sam ponovo pozvala njega.

– Aha – bilo je sve što je uspeo da kaže kad se javio. Sada kao da je bilo tiše. Čula sam njegovo isprekidano disanje, kao da nešto uvlači a onda izdiše.

– Adame?

– Da? – nestrpljivo je rekao, kao da mora da ide. – Šta je bilo?

Trudila sam se da ostanem mirna, iako je Popi vrištala iz sveg glasa, a moj um novopečene majke mučio se da sve trezveno sagleda. – Samo sam se pitala koliko ćeš se još zadržati – rekla sam.

– Što? Jesam li nešto propustio?

Naterala sam sebe da dišem duboko. – Ne, samo sam htela da znam da li da idem u krevet.

– Pa, jesi li *umorna*? – po njegovom tonu osetila sam da pokušava da bude duhovit.

– Da, mrtva sam.

– Šta čekaš onda?

– Zaboravi – rekla sam, gubeći strpljenje. – Radi šta god hoćeš.

– Hvala, hoću – čula sam ga kako kaže pre nego što sam prekinula vezu.

Mogla sam da vičem i besnim, ali bio je previše pijan da bi mario i to bi me samo iznerviralo. Neka ostane koliko god hoće, ako će samo da smara. Pijan bi bio samo smetnja, a imala sam već dovoljno briga zbog Pamine predstojeće posete.

Ludo, ali prvo što mi je palo na pamet nakon što sam konačno spustila Popi, bilo je da se rastrčim po stanu i uverim da je sve kako treba pre nego što ona dođe. Nisam htela da joj pružim zadovoljstvo da mi oko bilo čega prigovara, da mi kaže šta ne radim kako treba i sve ono što radim pogrešno. Ali zatezanje u šavovima, dok sam se mučila da navučem navlaku na jorgan za gostinsku sobu, navelo me je da se zapitam zašto ja sve sve to radim. Nije joj bio potreban razlog da me omalovažava i kinji. Ako ga ne bude imala, jednostavno će ga izmisliti.

Adam je stigao kući malo posle tri ujutro i napravio toliku buku da je probudio Popi, koja je potom plakala sve do sledećeg hranjenja.

– Baš ti hvala – frknula sam dok sam je ljuljala, hodajući po spavaćoj sobi. Podrignuo je, progunđao i okrenuo se na leđa.

Nisam ga videla narednih osam sati, kada je ustao, popio dva aspirina i rekao: – Grozno se osećam – i vratio se u krevet. Ne mogu da se pretvaram da nisam osetila trunčicu zadovoljstva dok sam ga pratila u spavaću sobu, razmakla zavese i rekla: – Buđenje! Moraš da odeš po svoju majku. – Glasno je prostenjao i u tom trenutku učinilo mi se da strepi od njene posete i više nego ja.

Kad se vratio kući s njom, stan je bio besprekoran, Popi je spavala u prevoju mog lakta, a kafa je bila pristavljena. Osećala sam se kao zadovoljna superžena dok sam sedela u fotelji sa trouglastim jastukom za trudnice podmetnutim pod bolnu ruku i čekala svoju suparnicu.

– Oh, vidi ti pametnice – rekla je Pami dok je ulazila u dnevnu sobu. – Sjajno si se snašla.

Nije se ni potrudila da me poljubi, već se odmah usredsredila na Popi. – Prava lepotica – gugutala je. – Mnogo liči na tebe, Adame.

– Misliš? – ponosno je rekao, još uvek promuklim glasom.

Uzeo ju je od mene i stavio je Pami u ruke. Celo telo mi je zadrhtalo, govoreći mi da je uzmem nazad. Šetala se po sobi okrenuvši mi leđa dok je gledala kroz prozor na ulicu ispod. Ushodala sam se kao lavica, ne odvajajući pogled od njih. Pami je šaputala i cupkala, ali nisam videla Popi. Znala sam da je tu, naravno da je tu, samo sam želela da je vidim, da je držim.

– Uzeću je sada – rekla sam i krenula k njima. – Treba da je presvučem.

– Samo što sam je uzela! – Pami se nasmejala. – Šta je jedna prljava pelena za baku i unuku? – Pogledala je u Popi kao da od nje očekuje odgovor. – Ionako ništa ne osećam i sigurna sam da ću znati da joj promenim pelenu ako bude bilo potrebno.

Pogledala sam u Adama, preklinjući ga da mi vrati bebu, ali on mi je samo okrenuo leđa. – Jel' neko za čaj? – pitao je.

– Ja bih mogla, sine – rekla je Pami. – Da li je dojiš? – pitala me je.

– Da – odgovorila sam.

– Ako izmuzeš malo mleka, rado ću je ja noćas nahraniti. Da se malo odmoriš.

Odmahnula sam glavom. – Nema potrebe.

– Možda bih mogla da je izvedem u kolicima u šetnju? Da ti i Adam možete da ostanete malo sami? Sećam se kako je meni i Džimu bilo teško kad su se dečaci rodili. Sve se promeni i moraš da uložiš dvostruko više truda da bi funkcionisalo.

Osmehnula sam se stisnutih usana.

– O, kupila sam Popi nešto, nadam se da ti ne smeta.

– Zašto bi mi smetalo? – umorno sam pitala.

– Pa, neke mame su pomalo osetljive, zar ne? U vezi s tim šta žele da beba obuče i kako žele da beba izgleda.

Slegla sam ramenima.

– Ali morala sam ovo da kupim kad sam ga videla, jer toliko me je nasmejalo.

Pružila mi je ceger i gledala kako vadim majušne bele zeke. – Divno je – naterala sam se da kažem. – Hvala.

– Čekaj, nisi još sve videla – rekla je. – Vidi šta piše napred.

Okrenula sam ga i podigla. Na grudima je pisalo: *Ako mama kaže ne, ja onda pitam baku.* Trgla sam se. – Zar nije preslatko? – Pami se nasmejala.

Mogla je da kupi i pločicu za pse na kojoj piše: *Ako je nađete, vratite je baki.*

– Vidi šta je tvoja mama kupila Popi – rekla sam Adamu, podižući zeke i okrećući se ka njemu. – Zar nije preslatko? – Nadala sam se da joj nije promakao moj sarkazam.

Adam mi se osmehnuo.

– Uzeću je dok vi popijete čaj – rekla sam i krenula ka Pami.

Nasmejala se. – Ne zaboravi, i ja sam imala dvoje dece i to me nije ometalo da popijem čaj. Znaš, *mogu* da radim dve stvari u isto vreme.

Adam i ona su se nasmejali na moj račun. Zadržala sam dah dok je prinosila šolju vrelog čaja usnama, preklinjući je u sebi da ga ne prospe.

Čim je Popi zaplakala, skočila sam iz stolice i nadnela se nad Pami, želeći da mi je vrati. Ali ona je samo gurnula prst u Popina usta. – Bože, Emili, kao na iglama si. Dobro je, vidiš?

– Volela bih da to ne radite – rekla sam što sam staloženije mogla, a u stomaku mi je ključalo.

– To što plače ne znači da je gladna – rekla je. – Ponekad je samo treba utešiti, a ako je ovo smiruje, onda u tome nema ničeg lošeg, zar ne?

– Ne želim da se navikne na cuclu – tiho sam rekla. – Osim toga, nije baš higijenski.

– Stvarno, danas vlada potpuno ludilo – rekla je. – Govore vam da kupujete skupe sterilizatore i fensi kućne aparate, a u naše vreme ako si imao antibakterijske pilule i malo prokuvane vode, imao si sreće. Ako bi cucla pala na pod, jednostavno bi je podigao, stavio sebi u usta i odmah je vratio bebi. Pogledaj danas moja dva dečaka. Ništa im ne fali, zar ne?

– Za nas je sve ovo novo, mama – rekao je Adam, konačno ustajući u moju odbranu. – Učiš na greškama da vidiš šta može a šta ne može.

Zahvalno sam ga pogledala.

– Samo kažem da je ne štitiš previše. Izdržljiva su to stvorenjca i ne traže mnogo. Ako zaplače, ostavi je malo. Sama ćeš sebi natovariti muku na vrat ako svaki put budeš trčala da je nahraniš.

Pogledala sam na sat. Nema ni petnaest minuta kako je Pami došla.

Kasnije, posle usiljenog razgovora dok smo jeli Adamovu pastu s piletinom, izvinila sam se i otišla u krevet, ponevši Popi sa sobom. Poslednje što sam čula dok sam zatvarala vrata svog utočišta bio je Pamin glas kako kaže: – Ne jede dovoljno. Treba da jede nešto hranljivo zbog bebe.

Adam još uvek nije bio u krevetu kad se Popi probudila za ponoćno hranjenje, ali učinilo mi se da čujem televizor u dnevnoj sobi. Kao kroz maglu se sećam kad je kasnije ušao, ali nisam bila sigurna koliko je bilo sati jer kao da su se svi stopili u jedan. Ako je Popi spavala, onda sam i ja spavala, a kad sam se probudila u šest ujutro, vladala je potpuna tišina. Prvo što sam pomislila bilo je: *To! Spavala je duže od pet sati!* A onda: *Sranje, da li još uvek diše?*

Nagnula sam se nad njenu korpu i videla ružičasto ćebence i pamučnu pelenu. Osluškivala sam u polumraku da čujem njeno disanje, ali čuo se samo jutarnji cvrkut ptica. Čekala sam da mi se oči priviknu na mrak, trljajući ih dok mi se pogled još mutio. Videla sam ćebe i pelenu, ali delovali su poravnato, kao da leže na dušeku bez bebe između. Naglo sam se uspravila u krevetu i zavukla ruku u korpu, ali bila je hladna i nepomična.

Otrčala sam do prekidača pored vrata dok su mi noge klecale od navale adrenalina.

– Šta se...? – uzviknuo je Adam kad je sobu obasjalo svetlo.

Uzdahnula sam kad sam stigla do prazne korpe. – Beba. Gde je beba?

– Šta? – rekao je Adam, zbunjen i bunovan.

– Nema je. Popi nije tu. – Jecala sam i vrištala kad smo se sudarili pokušavajući da izađemo iz spavaće sobe. – Pami! Popi!

– Mama? – povikao je Adam kad je skočio na međusprat i u gostinsku sobu. Sa vrha stepeništa gde sam stajala videla sam da su zavese navučene a krevet namešten i prazan.

Srušila sam se na pod. – Uzela mi je bebu! – vrisnula sam.

Adam je projurio pored mene u dnevnu sobu i kuhinju, ali znala sam da ona nije tamo. Mogla sam to da osetim.

– Uzela je bebu – nisam prestajala da vrištim.

Adam mi je prišao i podigao me na noge, čvrsto me uhvativši za mišice. – Saberi se – frknuo je.

Poželela sam da me jednostavno ošamari i prekrati mi muke. Da mogu da se probudim kad ovaj košmar prođe i da je Popi ponovo bezbedna u mom naručju.

– Kučka! – vrisnula sam. – Znala sam da će ovo da uradi. Sve vreme je ovo planirala.

– Pobogu, saberi se! – urlao je Adam.

– Rekla sam ti. Rekla sam ti da je psihopata. Nisi hteo da mi veruješ, ali bila sam u pravu, zar ne?

– Smiri se i pazi šta pričaš – rekao je. – Upozoravam te.

Pozvao je Pami na telefon, ali veza se prekinula.

– Pozovi policiju – rekla sam promuklim glasom. – Dođavola, odmah pozovi policiju.

– Čuješ li ti sebe? – dreknuo je. – Nećemo zvati policiju. Naša ćerka je izašla sa svojom bakom. To nije zločin.

Sela sam na sofu i izbezumljeno jecala dok mi je iz grudi curilo mleko natapajući spavaćicu.

– Napraviće neku glupost, znam to. Ti ne znaš na šta je sve spremna. Kunem ti se, ako povredi Popi, ubiću je.

Sva potiskivana osećanja izronila su na površinu: mržnja, bol, ali najviše strah. Strah koji sam nosila u sebi otkako sam saznala šta je uradila Rebeki. Nikog nisam toliko mrzela i plašila ga se.

– Tako mi boga, Adame, moraš da je nađeš.

– Kome ti pretiš? – prosiktao je Adam, unevši mi se u lice. – Neću ni da slušam tvoje izbezumljeno trabunjanje dok se ne smiriš.

Gledala sam ga bespomoćno kako oblači farmerke i majicu. – Kuda ćeš? – rekla sam.

– Nije mogla daleko da ode, zar ne? Verovatno ju je samo odvela u šetnju. Zamisli da se na kraju ispostavi da je to u pitanju.

– Namerno je ovo uradila – vrisnula sam dok je silazio niz stepenište preskačući po dva stepenika. – Nadam se da si sad srećan. Ti i tvoja izopačena porodica.

Vrzmala sam se po stanu čekajući da Adam pozove. Što ga duže nije bilo, bila sam sve uverenija da je nešto napravila. Videla sam Pami kako drži Popi u naručju, govori joj da će sve biti u redu, iako je znala da neće biti. Kad mi se uključila Adamovo govorna pošta, zafrljačila sam telefon o zid, ogorčeno vrišteći.

– Gde si? – urliknula sam, srušivši se na kolena. Sklupčala sam se i ležala na tepihu. Užasniji bol nisam mogla da zamislim.

Ne znam koliko je vremena prošlo kad mi je zazvonio mobilni sa smrskanim ekranom. Poletela sam da ga dohvatim. – Da li je beba dobro? Da li je kod tebe? – pitala sam zadržavajući dah dok sam čekala odgovor.

– Naravno da je kod mene – rekla je Pami posle duže pauze.

Uspravila sam se u sedeći položaj, a srce mi je tuklo. Očekivala sam da ću čuti Adamov glas i imala sam osećaj da sam ostala bez vazduha.

– Vrati mi je – prosiktala sam kroz stisnute zube. – Odmah da si je vratila.

Pami se nehajno nasmejala. – Ili?

– Ili ću te ubiti, jebote! – rekla sam. – Imaš tri minuta da se vratiš ovamo sa mojom bebom ili zovem policiju. Moli boga da te nađu pre nego što te se ja dočepam.

– O bože – zacvrkutala je. – Ne razumem zašto si se toliko uznemirila. Zar nisi dobila moju poruku?

– Kakvu poruku? – dreknula sam.

– Sačekaj – rekla je. Čula sam kad mi je telefon zapištao. – Ovu.

Pogledala sam u smrskani ekran i jedva razabrala reči: Nisam htela da te budim. Popi se probudila pa ću je odvesti u Grinič park da bi mogla malo da odspavaš. Volim te, Pami x

– Sad si to poslala – prosiktala sam.

– Ne, dušo, poslala sam pre oko sat vremena, pre nego što sam izašla iz stana. Nisam htela da se uznemiriš. Možda nije odmah otišla.

Tupo sam zurila u telefon. Ostala sam bez reči.

– U svakom slučaju, krenuli smo nazad, trebalo bi da stignemo za desetak minuta. Sigurna sam da će do tada ogladneti.

Veza se prekinula, a ja sam obgrlila kolena i njihala se napred-nazad, pitajući se da li gubim razum.

Malo kasnije, čula sam Adama kako trupka uz stepenice. Nisam imala predstavu da li je prošlo deset minuta ili deset sati. – Nema ni traga od njih, ali siguran sam da postoji opravdan razlog.

Zatekao me je na podu kako se davim u mleku, suzama i ludilu. – Dolaze kući – tiho sam rekla.

Videla sam kako mu se ramena opuštaju, a napetost polako splašnjava, dokaz da nije bio baš toliko bezbrižan kao što se činilo. – Gde su? – pitao je bez daha.

– U Grinič parku. Izgleda da nam je Pami učinila uslugu. – Neveselo sam se nasmejala. – Ko bi rekao da bi tvoja majka mogla da bude toliko uviđavna? Da uzme našu bebu iz korpe pored našeg kreveta i nestane.

– Mislim da si dovoljno rekla – zarežao je. – Idi i sredi se.

– Obuzdaj se – ponavljala sam sebi dok sam hladnom vodom pljuskala podbulo lice. Ali dok sam se brisala, ponovo sam zaplakala. Koga ja to zavaravam? Nemam ja kontrolu, već ona, kao uvek. Ponovo sam zarila lice u peškir, pokušavajući da skupim potrebnu hrabrost. – Dosta, Emili – rekla sam naglas. – Dosta je bilo.

Čula sam Popin plač i pre nego što sam je videla pa sam pojurila niz stepenice. Pami je bezbrižno stajala tamo, sa Popi na ramenu. – Mislim da ova gospođica želi da je nahrane – rekla je sa smeškom na usnama.

– Napolje iz moje kuće – prosiktala sam.

– Molim? – rekla je, a onda glasno zajecala.

Adam se sjurio niz stepenice. – Šta se dešava?

– O, dušo, mnogo mi je žao – rekla je. – Nisam htela nikog da uznemirim. Mislila sam samo da pomognem...

Pogledala je u njega, preklinjući ga očima, ali ja sam već znala da joj veruje.

Otrgla sam joj Popi iz ruku i krenula nazad uz stepenice. – Ta kučka bolje da ne bude tu kad se vratim – rekla sam Adamu.

Odjurila sam u spavaću sobu i zalupila vrata, namestila Popi da doji i jecala dok nisam potpuno klonula.

42.

Adam i ja jedva da smo razmenili koju reč tokom dve nedelje između Pamine posete i Džejmsovog i Kejtinog venčanja. Htela sam da razgovaram s njim i sve mu kažem, ali dok sam u glavi premotavala šta se sve dogodilo, shvatila sam da se ona pobrinula da svaki put izgledam kao zla, paranoična lažljivica. Svaki put je bila moja reč protiv njene i ne samo da bih zbog svojih tvrdnji izgledala ogorčeno nego bih na kraju ja ispala psihopata.

– Ne idem danas – rekla sam dok je oblačio odelo.

– Dobro – rekao je. – Ali povešću Popi.

Noge su mi klecnule. Toga sam se najviše plašila.

– Ne treba ti tamo – tiho sam rekla. – Samo će ti smetati, danas bi trebalo da uživaš. Brat ti se ženi.

Odmahivao je glavom dok je zakopčavao gornje dugme na košulji. – Ti radi šta hoćeš, ali ja je vodim.

Nije bilo šanse da Popi ide bez mene. Polako sam otišla do garderobera i odabrala ljubičastu haljinu sa printom, još uvek u navlaci sa hemijskog čišćenja. Već sam je jednom nosila, na početku trudnoće, a zahvaljujući visokom struku uspešno sam mogla da prikrijem svoj postporođajni stomak, tako da ne izgledam predebelo.

– Može li ovo da prođe? – pitala sam, prislanjajući je uz sebe, svesna da ću morati da se potrudim. Ako ću morati da preživim dan s njegovom porodicom, moraću bar da ga navedem da razgovara sa mnom.

Klimnuo je glavom uz smešak, mada nisam znala da li zato što je bio zadovoljan sobom ili zato što mu je laknulo.

Dok smo se vozili, neobavezno smo ćaskali, komentarišući besmislene stvari kao što su vreme i cene nekretnina. Stajala sam na pločniku dok je uzimao Popi iz sedeljke. Potom me je uhvatio za ruku i krenuli smo ka crkvi. Osmehnula sam se pri pomisli da će nas Pami videti složne, pa makar ja sama ne verovala u to.

Naravno, lice joj se trznulo kad je videla kako prilazimo njoj i Džejmsu i već je pružala ruke da zagrli sina. Nismo se čak ni pozdravile.

– Džejmse – procedila sam. Nagnuo se i smeteno me poljubio u obraz.

– Hej, ljudino – rekao je Adamu, odmahujući glavom.

– Jesi li nervozan? – pitao je Adam.

– Prestravljen. – Džejms se nasmejao.

– Kako je Kejt? – pitao je Adam.

Nisam čula njegov odgovor. Pomislila sam na imejl koji mi je stajao u nedovršenim porukama.

Draga Kejt,

Izvini što mi je trebalo ovoliko da ti pišem, ali pokušavala sam da nađem prave reči.

Jedva da se poznajemo, ali već imamo toliko toga zajedničkog. Verovatno već znaš da ulazak u porodicu Benks sa sobom nosi problem koji nikad ne smeš da potceniš.

Tvoja ljubav prema Džejmsu biće iznova i iznova dovođena u pitanje, kako budeš nailazila na prepreke koje budu stavljane pred tebe. Uradiće sve da te otera iz njegovog života. Neće prezati ni od čega da te omalovaži, zastraši i natera te da se osetiš bezvredno.

Još nije kasno da uvidiš grešku koju praviš. Ja samo mislim na tebe. Izvuci se sada dok još možeš.

Emili x

Setila sam se koliko sam puta pozvala telefonom, samo da bih prekinula vezu kad bih čula njen glas. Želela sam da pomognem Kejt, kažem joj da razumem sve kroz šta prolazi, prekinem pakao kroz koji bez sumnje već proživljava. Ali bila sam previše slaba. Nisam želela da joj život bude uništen, kao moj. Nisam želela da se promeni do neprepoznatljivosti. Za mene i Rebeku je bilo kasno, ali mogla bih da spasem Kejt, samo kad bih smogla snage.

Sveštenikove reči vrtložile su mi se u glavi, kao da govori pod vodom. Ili sam možda ja bila ta koja se davi.

– Ako neko od prisutnih zna bilo kakve zakonske prepreke za ovaj brak, trebalo bi sada da ih iznese.

Pridržala sam se za Adama jer su noge pretile da me izdaju i naslanjala se na njegovo napeto telo pretvarajući se da je sve kako treba. Osetio je moju težinu i okrenuo se ka meni zabrinuto podigavši obrve, ali ja sam mu se samo slabašno osmehnula. On ne zna kakve mi se misli mahnito roje po glavi, očajnički pokušavajući da izađu, tražeći oduška ogorčenju i osećaju izneverenosti koji su me obuzeli.

Krv mi je udarila u glavu i toliko brzo se probijala kroz lavirint krvnih sudova da sam na vratu i licu iznenada osetila vrelinu.

Molila sam se da će neko, negde, ustati i izneti razlog zašto ovaj brak ne treba da bude sklopljen. Ali vladala je samo teška tišina.

Neko se nakašljao, bez sumnje neko od stotinu okupljenih kome je bilo neugodno zbog usiljene tišine, a onda je usledilo tiho kikotanje, koje je prigušilo damaranje u mojoj glavi.

Pogledala sam u program službe u svojim drhtavim rukama. U vrhu je ljupkim srebrnim italikom bilo ispisano *Kejt i Džejms*, ali njihova slika ispod igrala mi je pred očima, a njihova lica se mutila.

Sekunde su prolazile kao sati, a kapelom je odzvanjala zaglušujuća tišina. Sad ili nikad. Ovo mi je jedina prilika. Mogu da sprečim ovo pre nego što bude kasno. Telom mi je strujalo uzbuđenje kad sam krenula da istupim. Pogledala sam oko sebe, u čoveka pored sebe, našu bebu u njegovom naručju i prijatelje i porodicu okupljene zbog ove važne prilike, svi gledaju sa suzama u očima i ponosno se osmehuju.

Ispratila sam njihov pogled do Kejt, koja je širom otvorenih očiju u čudu gledala u čoveka pored sebe. Po njenom osmehu bilo je očigledno da gleda u svoju sopstvenu bajku. Ganulo me je kad sam videla Džejmsa kako tamnoplavim očima s divljenjem gleda svoju mladu.

Imala sam više nego dovoljno vremena da ovo sprečim. Da ne ode ovako daleko. Kejt zaslužuje da zna istinu. Dugujem joj toliko.

Ali ni tada ni sada nisam bila dovoljno hrabra.

Sveštenik se nakašljao da nastavi, a Kejt je sramežljivo pogledala oko sebe i glasno odahnula. Gosti su se nasmejali, a Džejmsova ramena primetno su se opustila. Pravi trenutak je prošao, a s njim i moja prilika.

Sopran je zapevao živahnu verziju himne „Jerusalim" i dok je sunce prodiralo kroz prozore od obojenog stakla, osetila sam kako je stotinu srca klonulo pri pomisli šta bi sve drugo mogli da rade na ovaj neobično topao i vedar aprilski dan. Jer uprkos nameštenim osmesima, na venčanjima je uvek prisutna ta mrvica ozlojeđenosti.

Svi pohrlimo da podržimo te izlive ljubavi i obavezivanja na vernost, a ipak, kad se zagrebe po površini, otkrijemo da to radim više zato što smo prinuđeni nego drage volje spremni. Uvek bismo mogli da radimo nešto lepše u sunčano subotnje popodne, umesto da sedimo pored dosadnog neznanca tokom duge, razvučene večere. Posebno ako se uzme u obzir da smo, kako bismo bili tu, potrošili novac koji nemamo, na odelo koje ćemo obući samo jednom i na najjeftiniji poklon koji smo mogli da nađemo na spisku vrlo skupih darova.

Bukvalno sam osećala kako ljubomora i nesigurnost izbijaju iz ljudi oko mene. Među prisutnima sigurno ima onih koji su još uvek prijatelji s mladoženjinom bivšom devojkom i koji se bore sa sopstvenom savešću pitajući se da li bi uopšte trebalo da budu ovde. A tu je uvek i neka žena koja se već toliko dugo zabavlja sa svojim partnerom i veruje da je već krajnje vreme da je ovaj zaprosi, ali zasad još uvek ništa. Biće tu i par koji čežnjivo gleda u nevestu, oboje žudeći za njenim telom, ali iz sasvim različitih razloga, kao i onih koji se prisećaju vremena kada je ovo bio *njihov* dan, početak *njihovog* srećnog života, i pitaju se gde je sve krenulo naopako.

Ali danas je tu bio neko ko je sve to osećao mnogo snažnije od svih ostalih. Ko je potiskivao sažižući bol u grudima dok je sveštenik proglašavao Kejt i Džejmsa za muža i ženu i ko se ljupko smešio dok su se ljubili.

Adam me je uhvatio za ruku i stegao je dok sam gutala suze koje su mi gorele u grlu. Pre godinu dana, ovo je trebalo da bude naš dan, početak našeg srećnog života, i znala sam tačno zašto je sve krenulo naopako.

Gledala sam Pami kako s nameštenim osmehom glumi savršenu svekrvu u satenskoj haljini boje fuksije i istom takvom sakou kratkih rukava. Želela sam da vidim njen bol, da znam da je ubija to što gleda kako se njen mlađi sin ženi, ali na licu je imala nepokolebljivu masku.

Poželela sam da sakrijem svoja osećanja, ali bila su previše blizu površine, previše sveža. Plakala sam dok su Džejms i Kejt odlazili od oltara, ljubomorna što je njihov brak sklopljen i strepeći za našu budućnost.

Ako je i imala nekih briga, Kejt to nije pokazivala dok je srdačno grlila Pami ispred crkve. – Bilo je divno – zajecala je Pami. – Ti si divna – dodala je, dotakavši Kejt po obrazu.

Kejt se osmehnula i još jednom je zagrlila. – Hajde da vas upoznam sa svima – rekla je, uzela Pami za ruku i uputila se ka najvećoj grupi među prisutnima.

U tom trenutku, nisam više u Kejt videla srodnu dušu, jedinu osobu koja može da me razume, već nekog na drugoj, njenoj strani i iznenada sam se osetila tako očajnički usamljeno.

Do kraja dana, Adam je tačno znao kad treba da mi se osmehne, ali kad god je mogao, držao se što dalje od mene. Nisam ispuštala Popi, svoju društvenu barijeru, i koristila sam je da se izvučem kad god bih zapala u nezgodan položaj. Adamove tetke i rođaci su prilazili da joj gugaču i pitaju da li smo odredili novi datum venčanja.

– Ne, ne još – neprestano sam ponavljala. – Nadajmo se uskoro, ali trenutno imamo pune ruke posla.

– Vala baš! – odgovorila je ljupka Linda, Pamina sestra. – Držimo fige da Pami u međuvremenu ozdravi. Onda ćemo zaista imati šta da proslavimo.

– Pre nekoliko meseci su joj rekli da je ozdravila – zbunjeno sam rekla.

Linda je napravila grimasu, kao da prebacuje sebi. – Izvini, pretpostavila sam da znaš...

– Da znam šta?

– Da se vratio. Nije trebalo ništa da kažem...

– Mora da se šalite. – Nasmejala sam se. Znači, okušala je sreću i izvela istu smicalicu kako bi sprečila Džejmsovo i Kejtino venčanje? Ispunilo me je neko izopačeno zadovoljstvo što ipak nije bilo lično, ali onda sam morala da se nasmejem sama sebi. Kako bi bilo šta što je ona radila moglo da *ne bude* lično?

Morala sam da odam priznanje Kejt, možda čak više Džejmsu, što nisu dozvolili njegovoj majci da okrutnim lažima upropasti njihov poseban dan. Bila sam dirnuta i da budem iskrena, pomalo ljubomorna što je Džejms ustao u Kejtinu odbranu i ignorisao Pamine zlobne pokušaje da pomuti njihovu sreću. Usprotivio joj se; uradio je ono što je Adam trebalo pre više meseci.

– I, šta je sada u pitanju? – pitala sam Lindu.

Delovala je malo iznenađeno. – Na plućima.

– Kakve su prognoze? – Nisam mogla da se uzdržim.

– Nisu ništa rekli – kruto je rekla. – Odredili su joj terapiju pa ćemo videti kako će da prođe. Izvini me...

– Naravno – rekla sam gledajući je kako se udaljava. Možda sam *zaista* ja u pitanju. Možda problem nije u Pami. Šta ako je problem u meni? Ili, još gore, šta ako me je Pami navela da poverujem da je problem u meni?

Prišla sam Kejt, koja je bila savršeno profesionalna nevesta, trudeći se da priđe svakom i zahvali na lepim željama. Pomislila sam kako je to čudno što, kao gost, ne želiš da nevesti oduzimaš previše vremena, imaš osećaj da je zadržavaš i odvlačiš od nečeg ili nekog mnogo važnijeg. S druge strane, ona sigurno ima osećaj da je neprestano odbacuju, dok se kreće od jednog do drugog, a svi joj govore da ne žele da je zadržavaju. Dotakla sam je po ramenu i ona se okrenula sa širokim osmehom na licu.

– Predivno izgledaš – rekla sam, svesna da je to verovatno danas čula već hiljadu puta i da je već počinjalo da zvuči kao izlizana fraza.

– Hvala – rekla je i pokazala mi savršene bele zube. – Da li je to mala Popi? Joj, prelepa je.

Sad kad je konačno bila preda mnom, nisam znala šta da joj kažem. Kako da sročim sve ono što je morala da zna. Zar sada i onako nije prekasno?

– Kejt... Izvini što se nisam javljala prethodnih nekoliko meseci. Mogla sam da ti priredim lepšu dobrodošlicu u veliku porodicu Benks.

Nasmejala se. – Ne budi smešna, imala si briga preko glave, a osim toga Pami je bila sjajna. Ne mogu da ti opišem koliko mi je pomogla, pogotovo pošto su moji roditelji u Irskoj.

Nisam bila svesna da pravim čudnu grimasu, ali mora da sam je napravila jer je rekla: – Šta? Šta je bilo?

– Izvini, da li pričamo o istoj ženi? – Nasmejala sam se.

– Ovaj, da, valjda – zbunjeno je rekla.

– Pami je bila sjajna, je li? – pitala sam. Osetila sam da je Kejt odjednom na oprezu.

– Da, jeste. Da budem iskrena, ne znam šta bih bez nje.

Jel' ovo neka šala? Zamišljala sam kako se dogovaramo da se nađemo kad se vrati sa medenog meseca, da popričamo šta ćemo da uradimo u vezi s Pami, kako ćemo da se izborimo s njom, zajedno, kao tim, ali sad kad slušam Kejt, možda će je još i povesti sa sobom.

– Šta, pomogla ti je bez ikakvih ispada? – upitala sam. Nisam to nikako mogla da shvatim.

– Ispada? – rekla je. – Nisam sigurna da razumem šta hoćeš da kažeš.

– Pami ti je pomogla, stvarno ti pomogla? Mislim, bez osude i opaski? Nije pokušavala da te navede da se osećaš kao da gubiš razum?

– Uh, znam o čemu pričaš! – Nasmejala se, kao da je konačno shvatila.

Uzdahnula sam. Hvala bogu.

– Stvarno sam mislila da sam odlepila – rekla je. – Kad sam išla da biram venčanicu...

Ohrabrujući sam klimala glavom, podstičući je. – Da?

– Kad sam dala svoju kreditnu karticu, u radnji su rekli da je već plaćena. Rekla sam: „Ovaj, ne, moram da platim", ali nisu hteli ni da čuju. Osećala sam se kao prevarant kad sam izašla odatle sa haljinom od hiljadu i po funti prebačenom preko ruke. Nije mi bilo jasno, ali kad sam tog popodneva pozvala Pami, rekla je da je to poklon od nje. Nisam mogla da verujem.

A nisam ni ja. Stajala sam otvorenih usta, a ona je nastavila.

– Trudimo se da se vidimo svake druge subote ujutro, na kafici i doručku. Zašto nam se ne pridružiš, ako imaš vremena? Znamo koliko si zauzeta.

Mi? Nisam mogla da zamislim da upotrebim reč „mi" u rečenici u kojoj se pominje Pami.

– Pa jel' kaže nešto? Mislim, o meni?

Kejt je delovala zbunjeno. – U kom smislu?

– Mislim, bilo šta. Da li pričate o meni? Šta ona kaže?

– Samo da se odlično snalaziš s bebom. Obožava Popi.

Klimnula sam glavom. – Sjajno. Pa, pozovi me kad se vratite pa ćemo se dogovoriti da se vidimo.

– Strava – rekla je, podigla donji deo šlepa venčanice i udaljila se.

Osvrnula sam se tražeći Adama. Pošto je već bilo kasno, morala sam da stavim Popi da spava. Rezervisali smo sobu u hotelu, odmah s druge strane dvorišta, ali pošto samo prethodne dve nedelje jedva izdržali zajedno u celom stanu, sumnjala sam da će biti mnogo zabavno deliti jednu sobu.

– Tražiš Adama? – pitao je Džejms prilazeći mi.

– Da – grubo sam rekla.

– Kad sam ga poslednji put video, krenuo je napolje – rekao je. – Verovatno da zapali jednu.

Ukopala sam se u mestu i pogledala ga kao da lupa gluposti. – Čudno, nisam znala da puši.

– Mnogo toga ti ne znaš o njemu – tiho je rekao.

Ignorišući ga, krenula sam ka vratima terase, prema bašti, ali i dalje sam ga osećala iza sebe. Pošto je bilo hladno, čvršće sam umotala Popi u ćebe. Dani su bili topli za april, ali večeri su i dalje bile sveže.

S leve strane stajala je grupica gostiju i pušila. Dvorište iza njih bilo je slabo osvetljeno, ali Adam nije bio među njima. Pošla sam desno, pored gargojla u vrhu stepenica, i krenula ka tami kad me je Džejms povukao za ruku. – Zašto se ne vratiš unutra? Hladno je.

Sklonila sam njegovu ruku i nastavila da hodam i ne gledajući kud idem. Morala sam da pobegnem što dalje od njega. Ugledala sam ulaz u lavirint od žive ograde gde su nešto ranije posetioci plaćali čitavo bogatstvo kako bi ušli. Dalje odatle, nisam znala kuda da krenem. Osetila sam kako mi suze naviru pa sam privila Popi uza se, uzalud se ponadavši da će ih ona sakriti.

– Sačekaj trenutak – doviknuo je za mnom.

Okrenula sam se k njemu. – Molim te, Džejmse.

Mislim da je čuo smeh koji je dopirao iza zidova lavirinta od žive ograde ispred mene.

– Slušaj, Em, hajde da se vratimo unutra – tiho je rekao. – Ovde je previše hladno za Popi.

Pogledala sam je kako čvrsto spava u mom naručju i znala da je on u pravu, ali nisam mogla da se otrgnem od zvuka.

– Psst! – ciknuo je ženski glas. – Izgubila sam cipelu.

Ponovo se začuo smeh.

– Našla sam je, našla sam je – pijano je rekla.

– Upristoji se – rekao je muški glas. – Ne bi valjalo da se vratiš tamo s gaćicama oko gležnjeva.

Sve se odvijalo kao na usporenom snimku. Osetila sam kako padam i nagonski se nadvila nad Popi da je zaštitim. Videla sam odbleske boje i svetla dok sam tonula sve dublje u nešto što je delovalo kao kaleidoskop koji se okreće. Čvrsto sam zatvorila oči i zamislila štitnik preko ušiju, koji me sprečava da čujem ono za šta sam znala da sam upravo čula. Naterala sam um da ispremeće reči kako ne bih mogla da ih rastumačim, da izmeni glas u neki koji ne poznajem. Još uvek sam padala, pripremajući se za dno, ali nisam ga dotakla. Otvorila sam oči i ugledala Džejmsa kako me gleda odozgo, obavivši ruke oko Popi i mene.

– Hajdemo unutra – rekao je.

– Ne – zadihano sam rekla. – Hoću da sačekam ovde. Da mu vidim lice.

– Molim te, Em – nastavio je. – Ne moraš ovo da radiš. Molim te, vrati se unutra.

– Da se nisi usudio da mi govoriš šta treba da radim – vrisnula sam. Hteo je da me obgrli, ali sam mu zbacila ruku.

Da li zbog mraka, ili zato što je bio toliko pijan, kad je izašao iz lavirinta, Adamu je trebalo malo vremena da me prepozna. Ukočeno sam posmatrala kako se muči dok pokušava da shvati.

– Em? – promrmljao je. Okrenuo se ka svojoj raspojasanoj i raščupanoj prijateljici, s bretelama grudnjaka na pola ruku. Setila sam se da sam je videla među svatovima ranije tog dana. Ali tada su njena satenska haljina i moderna frizura izgledali otmeno. Sada joj je haljina bila nabrana na bokovima, a ruž razmazan po licu.

– Šta radiš ovde? Popi će se prehladiti.

Da je nisam držala u naručju, udarila bih ga. – Baš si divan – rekla sam hladno. – Tako si pažljiv.

– Zdravo – rekla je žena pored njega, zateturavši se napred sa ispruženom rukom. – Ja sam...

– Začepi – frknuo je Adam na nju.

– Ne, u redu je – rekla sam. – Zašto me ne upoznaš sa svojom prijateljicom?

– Prekini, Em – rekao je Adam.

– Predstavi me svojoj prijateljici, jebote – prosiktala sam.

– Ovaj... ovo je... ovo je...

– O, nemoj da mi kažeš... – rekla je zaplićući jezikom. – Ovo su ti žena i dete. – Nasmejala se za sebe. – E to bi bilo ludo, a?

Samo sam ćutala.

– O, bože, stvarno?! – rekla je kad je konačno shvatila očigledno.

– Bojim se da je tako – procedila sam.

– Izvini – uspela je da izgovori i odbauljala. Gledala sam ukočeno kako ide ka hotelu, vijugajući preko travnjaka.

– Da li sve tvoje žene moraju da budu u takvom stanju? – hladno sam pitala.

– Em, hajdemo unutra – rekao je Džejms, uhvativši me za lakat i pokušavajući da me odvuče. Nisam se pomerila.

– Verovala ili ne, zapravo i neke trezne žene žele da se tucaju sa mnom. Za razliku od moje verenice. – Poslednju reč stavio je prstima pod navodnike.

– Dobro, sad je dosta, Adame – ubacio se Džejms. – Emili, idemo.

Zbacila sam njegovu ruku. – Znači, ima ih više?

Adam se nasmejao. – Šta si ti mislila? Mesecima mi ne dozvoljavaš da ti priđem. Šta ti misliš, da sam monah?

– Ma jebi se! – prasnula sam.

– Drage volje – doviknuo je kad sam mu okrenula leđa.

– Žao mi je što si morala ovo da vidiš – rekao je Džejms.

– Hoćeš li, molim te, da mi pozoveš taksi? – tupo sam rekla. – Volela bih da odvedem Popi kući.

43.

Narednih pet dana Pipa je bila uz mene dok sam presabirala šta je Adam uradio i šta je to značilo. Nekada sam ismevala žene koje bi, kad bi otkrile da ih partneri varaju, rekle nešto u stilu: „Jednostavno to nisam primetila. To nimalo ne liči na njega."

Sažaljevala sam ih jer nisu videle ono što im je bilo pred nosom. A evo, ja sam sada u istom položaju. Nisam nikako mogla da shvatim. U poslednje vreme smo prolazili kroz težak period, zbog Pami i bebe, ali nisam mislila da smo došli dotle da on spremno rizikuje da sve to izgubi.

– Šta ćeš sad? – po ko zna koji put je pitala Pipa. – Šta *želiš*?

– Ono što ja *želim* i ono što *bi trebalo* da uradim dve su potpuno različite stvari – rekla sam.

Znala je na šta mislim. Bezbroj puta smo vodile razgovor na temu „šta bi uradila kad bi te dečko prevario?". Samo što je, kad veruješ da on to ne bi uradio, bilo mnogo lakše postaviti se moralno superiorno i izjaviti da bi, ako bi to ikad uradio, to bio kraj; ostavila bih ga. Ali sada, pošto sam duboko zaglibila, volela tog čoveka i verovala da ću ostatak života provesti s njim, najednom ništa nije bilo tako jednostavno.

– Ne radi se o tome šta je uradio, već kako je uradio – rekla sam.

– Zar je važno? – pitala je Pipa. – Prevara je prevara.

– Stvar je u tome kako mi se obratio, kako je nagovestio da ih ima još. Mnogo njih. Zašto bi osećao potrebu da me tako povredi?

– Pa, zato što je pokvareno đubre?

– Kako je ovo moglo ponovo da mi se dogodi? – zavapila sam. – Kakva sam budala bila.

Pipa mi je ohrabrujući stavila ruku na leđa. – Nisi ti budala – rekla je. – Kad bi uvideo šta može da izgubi...

– Šta sada da radim? – pitala sam.

– Da li ga voliš?

– Naravno da ga volim, ali neću da pređem preko ovoga. Ako se bude vratio, to će biti pod mojim uslovima.

– Ne možeš da ga primiš nazad! – dreknula je. – Jednostavno ne možeš.

– Ali moram da mislim na Popi – rekla sam. – Sad više ne mogu da mislim samo na sebe. Njoj je potreban otac.

– Em, da budemo iskrene, mislim da on to radi već duže vreme – rekla je.

Klimnula sam glavom. Znala sam da je u pravu, ali sam odbijala da verujem u to. Pomislila sam na sve one izlaske četvrtkom s momcima u Sitiju.

– To je zakon – rekao je nedugo nakon što smo se upoznali. – Izlasci četvrtkom uveče su svetinja. Ne mogu da se pomeraju ni za šta na svetu.

Nasmejala sam se i nisam mnogo razmišljala o tome. Znala sam da tako to ide u Sitiju, no da li je on sve to vreme spavao s drugim ženama? Da li je postojala neka posebna kojoj je išao četvrtkom, s kojom bi se udobno smestio znajući da imaju jedan dan nedeljno da budu zajedno? Često se ne bi vratio pre tri ujutro, ali u najgorem slučaju zamišljala sam ga kako troši svoj divni novac u nekom klubu sa striptizetom u krilu, ne u zagrljaju nekoga do koga mu je stalo. Ali ako je tako, zašto me jednostavno nije ostavio? Mogao je lako da ode pre venčanja, pre Popi.

– Šta? Pa da ne dobije i jare i pare? – uzviknula je Pipa dok me je strpljivo slušala kako razmatram to pitanje. – Ne kažem da te ne voli, naravno da te voli. Zašto bi te inače zaprosio? I imao s tobom Popi?

– Da, ali zapravo nijedno od nas nije planiralo da dobije Popi – rekla sam, a kako su te reči izletele, osetila sam grižu savesti.

– Dobro – priznala je. – Ali znali ste šta rizikujete i imali ste izbora – na vama je bilo da odlučite.

Zavirila sam u korpu u kojoj je Popi čvrsto spavala, s ručicama nehajno položenim iznad glave. Nisam mogla da zamislim kako donosim odluku da je ne rodim.

– Ali ono što u svemu ovome zaboravljamo – rekla sam – jeste to što pretpostavljamo da on želi da se vrati. Ono što ja želim možda nimalo nije bitno.

– O, veruj mi, posle nekoliko dana van kuće, shvatiće da tamo trava ne samo što nije zelenija već u njoj ima i korova!

Morala sam da se nasmejem. Dosadilo mi je plakanje. Kad bolje razmislim, skoro celu godinu sam bila nesrećna i samo plakala: zbog otkazivanja venčanja, Paminog gnusnog ponašanja, što mi hormoni divljaju zbog Popi. – Hvala ti, Pip – rekla sam, privijajući je uza se kad je odlazila.

– Volim te – prošaputala mi je na uvo. – Nemoj mu dozvoliti da te gazi.

Kasnije te noći Adam se pojavio na vratima. Mogla sam da opsujem, ošamarim ga i zalupim mu vrata pred nosom, ali ja sam se samo pomerila i pustila ga da uđe. Čemu sva ta drama? Sada smo roditelji, navodno odgovorne odrasle osobe, i bilo je vreme da počnemo tako i da se ponašamo.

– Grozno izgledaš – primetila sam. Oči su mu bile upale u sivu kožu, a brada i obrazi obrasli čekinjama.

Sela sam naspram njega za sto. – Mogu li da vidim Popi? – pitao je.

– Ne, spava. Šta hoćeš?

– Hoću da se vratim kući.

Zavalila sam se u stolicu i prekrstila ruke. – Šta, to je sve? Ti stvarno očekuješ da možeš tek tako da se pojaviš i kažeš mi da želiš da se vratiš?

Klimnuo je glavom.

– Znači, jednostavno ćemo da zaobiđemo tu sitničicu da si spavao s drugom? – pitala sam. Bila sam svesna toga da sam povisila glas i naterala sam sebe da se smirim. Nisam htela da probudim Popi.

– Nije bilo onako kako je izgledalo – rekao je.

Nasmejala sam se. – Reci mi onda kako je bilo.

– Samo smo se zezali – ozbiljno je rekao. – Poljubili smo se, to je sve.

– To je sve? – prasnula sam.

– Znam, znam da to nije opravdanje, ali samo to se dogodilo. Kunem ti se.

Mora da misli da sam glupa. – I ti misliš da je to na mestu? Misliš da je prihvatljivo da se vaćariš s drugom ženom na venčanju svog brata, verenici i detetu ispred nosa? Misliš da je to *prihvatljivo*?

Čula sam sebe kako sa svakim slogom govorim sve glasnije, kao da mi stereo-uređaj odjekuje u glavi, ali iz zvučnika u pozadini dopirao je tihi zvuk, glas upozorenja. Prvo pogledaj sebe pa sudi o drugima.

– Koliko njih je još bilo? – upitala sam. Oborio je glavu i zurio u pod.

– Dakle? – pitala sam pošto nije odgovarao.

Pogledao je u mene. – Ona je jedina. Kunem ti se. Ne znam gde mi je bila pamet. Bilo je tako teško...

Podigla sam ruku da ga zaustavim.

– Ne, slušaj – ljutito je rekao. – Bilo mi je mnogo teško. Ne znam šta se dešava sa nama. Nešto nije kako treba, zar ne? I ti to znaš.

Prostrelila sam ga pogledom, čikajući ga da izgovori sledeću rečenicu.

– Već neko vreme nisi ona stara i baš sam se bedno osećao zbog toga. Bila si trudna i namučila si se dok si rađala Popi, a onda i ono s mamom. Nikad ne znam na čemu sam. Kao da ti više nisam bitan.

Ironično sam se osmehnula. – Jadan ti – podrugljivo sam rekla. – Jadni Adam, devojka mu je zatrudnela, pa je potom morala da hrani i čuva bebu i trpi njegovu izopačenu majku.

– Ne počinji, Emili – opomenuo me je.

– Ali uprkos svemu, ne radi se o meni, zar ne? – nastavila sam, ignorišući ga. – Uspeo si nekako da sve okreneš i da se opet ceo svet vrti oko tebe. *Ti* si povređen. *Ti* nešto propuštaš.

Oborio je pogled.

– I šta ti onda uradiš? Ideš i tucaš se s kim stigneš, da bi se opet osećao kao muško, da bi dokazao da si muškarčina. Jer o tome se zapravo radi, zar ne? Da dokažeš sebi da si još u formi.

– Osećao sam se odbačeno, kao da ti više nisam bio privlačan.

Nasmejala sam se. – Zar o tome ne bi trebalo ja da se izjasnim? Ali umesto da mi daš vremena ili razgovaraš sa mnom, odlučio si da to rešiš tako što ćeš da povališ nešto?

– Ne znaš kako sam se osećao zbog tebe.

– Pobogu, Adame, čuješ li sebe? A šta je sa mnom? Šta je s mojim potrebama? Pomisli kako se ja osećam, koliko je meni teško. Život mi se promenio iz korena: moje telo, svakodnevica, prioriteti... sve. Šta se za tebe promenilo? Malo manje seksa i slatka beba da te dočeka kad se vratiš kući, s kojom ćeš sat vremena da se poigraš, a onda odeš na spavanje.

Zaustio je da nešto kaže, ali sam ga prekinula.
– No da li se ja noću smucam ulicama tražeći s kim ću da se pojebem? Da li se išunjam na venčanju kako bih se krišom našla sa čovekom kome čak ni ime ne znam?
– Neće se ponoviti – rekao je, kao da bi trebalo da budem zahvalna na tome. – Bio sam pijan i usamljen, pogrešio sam.
– I to je sve? – pitala sam. – Zar stvarno očekuješ da ćeš se tek tako ponovo useliti ovde i da će sve ponovo biti bajno i sjajno?
– Nisam hteo da te povredim... Obećavam da te nikad više neću povrediti.
Njegove reči odjekivale su mi u glavi, ali kao da ih je izgovarao neko drugi. Zažmurila sam kad mi je pred očima proletelo sećanje na Džejmsa: kako stoji preda mnom i izgovora isto to. „Obećavam da te nikad neću povrediti", rekao je. Pozlilo mi je kad sam iznenada shvatila da mi tada nije obećavao da me *neće* povrediti. Upozoravao me je da će Adam to *učiniti*.
– Šta bi uradio da si na mom mestu? – upitala sam Adama. – Da si saznao da sam bila s nekim drugim?
Lice mu se zgrčilo, a mišić na vilici zadrhtao. – Ubio bih ga – rekao je.

44.

Adam se uselio dve nedelje posle Džejmsovog i Kejtinog venčanja. Njegove molbe da ga primim nazad bile su sve glasnije kako se bližio njihov povratak s medenog meseca, kada bi, bez sumnje, bio izbačen iz njihovog stana.

– Uvek možeš da živiš kod svoje majke – razmišljala sam.

– Šališ se? Ona je luda, jebote – rekao je.

Tu smo. Konačno smo došli do toga.

Pami je bila u vrhu mog spiska nekoliko osnovnih pravila koja sam postavila kada se vratio kući. Može da vidi Popi kad god Adam odluči da je odvede tamo, ali nikad ne sme da ostane sama s njom, bez nadzora.

– Ali šta kad...? – krenuo je da kaže.

– *Ni pod kojim* okolnostima – rekla sam odlučno.

Ozbiljno je klimnuo glavom.

Nema više izlazaka četvrtkom uveče s momcima i može da igra ragbi vikendom, ali posle pića na brzinu očekujem da se vrati kući, ne da se četiri sata kasnije još uvek opija.

Nekoliko noći je spavao u gostinskoj sobi, ali ako smo hteli da ovo uspe, ništa nećemo dobiti ako budemo spavali u odvojenim sobama. Nisam bila spremna da budem u njegovoj blizini, emotivno ili fizički, ali imala sam osećaj da sedim na tempiranoj bombi koja samo što ne eksplodira i pitala se koliko će sati i minuta proći dok ne oseti da ima pravo da to potraži negde drugde. Mrzela sam što se zbog njega tako osećam.

– Šta ćemo s venčanjem? – pitao je jednog dana dok smo večerali. Upravo se vratio od Pami. On i Džejms su je na smenu vodili na „drugi ciklus hemoterapije". Bila sam iznenađena što i dalje nastavlja s tom šaradom, pošto su Kejt i Džejms sada venčani. Njen pokušaj da ih spreči nije uspeo, pa sam se pitala zašto i dalje nastavlja s lažima.

– Mislim da to ne bi trebalo da bude u skorije vreme – rekla sam. – Ali volela bih da krstimo Popi.

Klimnuo je glavom. – Kako bi volela da to obavimo?

– Razmišljala sam o jednostavnoj ceremoniji u crkvi pa da posle toga odemo nekud da nešto pojedemo i popijemo.

– Voleo bih da to što pre obavimo – rekao je. – Želim da i mama prisustvuje.

Ignorisala sam njegove reči. – Dobro, pozabaviću se time kad budem našla vremena – rekla sam.

– Mislim da nam vreme ne ide naruku – rekao je drhtavim glasom. – Ne znam koliko joj je još ostalo.

– Oh, sigurna sam da će joj biti dobro – jednostavno sam rekla.

Odmahnuo je glavom. – Ovog puta baš teško podnosi. Misle da se širi. Nisam siguran da je dovoljno jaka da ovo izdrži... – zagrcnuo se kod poslednjih reči.

Neodlučno sam položila ruku preko njegove. Nisam mogla da pokažem saosećanje jer ga nisam osećala.

Pogledala sam u Popi u ljuljašci za bebe kod svojih nogu, kako me gleda nasmejanim očima punim poverenja, i zapitala se kako majka može svom detetu da priredi takav pakao. Koliko treba da budeš okrutan?

– Šta ću da radim? – zajecao je Adam. – Šta ću da radim kad nje ne bude bilo? – Ramena su mu se tresla i preko volje sam ustala i prišla mu. – Ona ne zaslužuje ovo. Već je dovoljno pretrpela.

Poljubila sam ga u glavu dok sam ga ljuljala u zagrljaju. – Žilava je ona – bilo je sve što sam mogla da kažem.

– Pravi se da jeste, ali zapravo nije – rekao je. – Morala je da očvrsne zbog onoga što joj je uradio, ali u dubini duše i dalje je uplašena kao što je uvek bila.

Odmakla sam ga da mu vidim lice.

– Šta joj je i *ko* uradio?

Odmahnuo je glavom i krenuo da se ponovo nasloni na mene, ali čvrsto sam ga zadržala. – O čemu pričaš?

Obrisao je nos nadlanicom, a ruka mu je drhtala.

– Hoćeš li, molim te, da mi kažeš o čemu pričaš? – nestrpljivo sam rekla.

– Džim – podrugljivo se nasmejao. – Ili tata, ako ćemo da se pretvaramo da smo ga ikad imali.

– Kakve veze tvoj tata ima sa bilo čime?

– Bio je đubre – frknuo je.

– Šta? Zašto? – Pitala sam bez razmišljanja.

– On ju je uništio. Ubijao ju je od batina.

Kao da mi je neko opalio šamar. Srušila sam se na sofu.

– O čemu pričaš? Volela ga je. On je voleo nju. Šta pokušavaš da kažeš?

Ponovo je zario lice u šake.

– Šta je uradio? – navaljivala sam.

– Došao bi kući i ubio boga u njoj, eto šta je radio. Iz noći u noć, kao da gledaš prelepi cvet kako polako vene.

– Ona ti je to rekla? – pitala sam zaprepašćena.

– Nije morala – rekao je. – Video sam svojim očima. Obojica smo videli, i Džejms i ja. Imao je običaj da nakon posla ode u pab, a majka mu je postavljala večeru na sto da jede kad se vrati. Ali gotovo svaki put bi joj našao zamerku, zafrljačio večeru o zid i tukao je.

Sedela sam nepomično. – Gledao sam kako mu ruka leti kroz vazduh, kao na usporenom snimku, pre nego što bi je udarila. Samo bi tiho jauknula i svu patnju zadržala u sebi, da nas ne probudi, ali mi smo sedeli na vrhu stepeništa i gledali kroz ogradu, moleći se da prestane.

– Jesi li siguran? Mislim, jesi li siguran da si dobro video? Bio si mali. Možda nije bilo onako kako je izgledalo. – Pokušavala sam da usred tog ludila nađem neko razborito objašnjenje.

– Video sam nešto što niko nikada ne bi trebalo da vidi, a kamoli tako mala deca kao što mi bili. Bili smo previše mali da bismo razumeli zašto naš tata tuče mamu i tera je na suze, ali znali smo da je to pogrešno. Potajno smo kovali planove da nas troje pobegnemo na primorje, nazad u Vitstabl, gde smo bili na odmoru leto pre nego što je tata umro. On tada nije bio pošao sa nama, otišli smo sa teta Lindom, Frejzerom i Juanom. Mama je izgledala mnogo srećno tamo, daleko od njega.

– Kako je umro? – nežno sam pitala.

Adam je pogledao u pod, kao da je odlutao u mislima. – Imao je infarkt kasno jedne noći pošto se vratio iz paba. Samo se srušio u kuhinji i to je bilo sve. Uz mamino odobrenje Džejms i ja sutradan nismo otišli u školu. Obukla nam je košulje i kravate, dok su kroz kuću vršljali policija i službenici preduzeća za pogrebne usluge. – Tužno se osmehnuo. – Te košulje su bile tako grube da mi je kragna iritirala vrat. Sećam se da sam više brinuo zbog toga nego što mi je otac umro i pomislio da sa mnom sigurno nešto nije kako treba. Ništa nisam osećao. Jednostavno sam otupeo.

– Da li je ikada tebe udario? – pitala sam.

– Ne, nikad nije pipnuo ni Džejmsa ni mene. Kad god smo mi bili tu, glumio je savršenog tatu i muža, ali ja sam sve znao. Znao sam šta će kasnije uraditi. I mama je znala, u očima joj se video strah, ali svim silama se trudila da to ne pokaže.

– Jesi li joj ikad rekao šta si video?

Odmahnuo je glavom. – Slomilo bi je kad bi saznala. Toliko se trudi da se pretvara da je on bio savršen muž i otac. Čak i tada, svi njihovi prijatelji mislili su da je on premija a ona prava srećnica. Ali niko od njih ga zapravo nije dobro poznavao. Nisu znali kakav je iza zatvorenih vrata. Kako su i mogli? Nije ga štitila samo tada već i dan-danas to radi.

Setila sam se svih onih fotografija zaljubljenog para koje sam videla. Njihovih prijatelja koji kao da su bili ljubomorni na njihovu sreću.

– Mnogo mi je žao – rekla sam, prišla mu i naslonila glavu na njegove grudi. – Nijedno dete ne bi nikad trebalo to da doživi.

Ništa od toga nije imalo smisla. Kako je to moguće? Pokušavala sam da nađem način da oslobodim Pami krivice za sve što je uradila. Mora da u svemu ovome postoji neki razlog, nekakvo objašnjenje zašto je takva, ali ma koliko se trudila, nisam mogla da ga nađem. Što sam više razmišljala o tome, to mi je bilo teže da razumem njene postupke. Ako su u prošlosti tako loše postupali prema njoj, zašto bi ona namerno povređivala druge?

45.

Do krštenja, načisto sam se izbezumila što ću videti Pami, Džejmsa, a iz nekog razloga i Kejt. U mojoj glavi, ona je od saveznice, jedine osobe koja je iole mogla da me razume, postala Pamina partnerka u zločinu. Pami je sada imala još više mogućnosti da me kinji i plašila me je pomisao da ću ih videti zajedno.

Kupila sam za tu priliku novu haljinu, da mi ulije malo samopouzdanja, u šta sam ubeđivala sebe kako bi me manje grizla savest dok sam pružala kreditnu karticu.

– Bokte, ala blešti – prokomentarisao je Adam. – Trebaće mi naočare za sunce.

– Preterano? – pitala sam, gledajući u jarkožuti šifon. Dobro sam se osećala u njoj. Zbog asimetričnog kroja izgledala sam kao pre porođaja – niko nije morao da zna da sam ispod pritegnuta pojasom za trudnice.

– Ne, sviđa mi se – rekao je Adam. – Samo mi je drago što je sezona narcisa prošla, jer bismo se inače dobro namučili da te nađemo.

Nasmejao se kad sam ga mlatnula tašnom.

Popi je gledala sa sredine našeg kreveta i zadovoljno gugutala dok su joj se roditelji prepirali.

– Dobro je što sam ti stavila portiklu, gospođice – rekla sam dok sam je uzimala u zamotuljku tafta boje ilovače. – Ne želimo da izbalaviš haljinu, zar ne?

– Jesi li sigurna da joj neće biti prijatnije u *GAP* odelcetu? – pitao je Adam dok se mučio da nju i njenu preveliku haljinu ugura u sedište u kolima.

Coknula sam i odgurnula njegovu nespretnu ruku. – Eto – nasmejala sam se i zavukla ruku u tkaninu kako bih izvukla kaiš. – Gde li je drugi?

– Trebalo je da joj nabavimo Pepeljuginu kočiju – našalio se. – U njoj bi se osećala kao svoj na svome.

Nisam htela da ureknem, ali konačno sam imala osećaj da smo ponovo uspostavili onaj nekadašnji odnos i da smo na putu da postanemo par kakav smo bili. Jedva sam čekala da stignemo u crkvu da nevernim Tomama pokažem da smo uspeli. Da im pokažem da smo, uprkos svemu sa čime smo morali da se suočimo, ipak opstali. Ne znam zašto razmišljam kao da su u pitanju *oni*, a zapravo je u pitanju samo *ona*, ali ponekad jednostavno imam osećaj da se ceo svet urotio protiv mene i teško mi je da sve sagledam racionalno. Ali ne danas, jer imam ono što ona želi. Pobedila sam.

Dočekivali smo goste, koji su jedan za drugim prolazili kroz crkvenu kapiju, a ja sam srećno odmahivala rukom na zadirkivanja Adamovih ortaka sa ragbija da ličim na bumbara. Čim sam videla Džejmsa i Kejt kako izlaze iz kola, malo dalje niz stazu, krenula sam sa svima redom da se pozdravljam. Raspilavila sam se kad sam videla dečačića svoje rođake Fren i sagla se sa Popi u naručju da je upoznam sa još jednom bebom u kolicima. Sve, samo da ne mislim na dolazak porodice Benks. Nesvesno sam okrenula leđa, ali čula sam ljude iza sebe kako ih pozdravljaju i pitaju Pami kako je.

Nakašljala sam se da se oslobodim knedle koja mi je zapela u grlu i počela u sebi da brojim unazad od deset, kako bih imala vremena da namestim izraz lica pre nego što se okrenem. *Samo se pretvaraj da je sve kao obično*, rekla sam sebi. *Možeš ti to.*

– Drago mi je što te vidim, Pamela – rekla sam okrećući se, već zauzimajući odbrambeni stav. – Izgledaš...

Usisala sam nazad reč „dobro". Ukopala sam se u mestu pred onim što me je dočekalo, zanemela. Pami je bila potpuno ćelava, nije imala obrve, a lice joj je bilo podbulo. Skamenila sam se od zaprepašćenja. Morala sam nešto da kažem, bilo šta, dok je njih troje stajalo i čekalo, ali jednostavno nisam pronalazila reči.

– Zdravo, Em – rekao je Džejms naginjući se da me poljubi. – Odavno se nismo videli. Jesi li dobro? – Bilo je to pitanje koje je zahtevalo odgovor.

– Em – uzviknula je Kejt. – Predivno izgledaš, a Popi – jao!

Promucala sam nekakav odgovor. Pami i ja stajale smo se delić sekunde odmeravale i nijedna nije znala kako da reaguje. Našle smo se nekako na pola puta i ruke su nam se smeteno dotakle. Privukla me je k sebi i zagrlila. – Mnogo mi je drago što te vidim – prošaptala je promuklim glasom. – Divno izgledaš.

Dah mi je zastao u grlu, a na oči su mi navirale suze. Ne znam zašto. Jednostavno su me pogodile njene reči. Ne ono što je rekla, već kako je rekla. Prvi put, bezmalo sam čula iskrenost u njenom glasu, kao da to zaista misli. Ali možda sam dozvolila da njen izgled utiče na mene. Namestila sam osmeh i očajnički tražila Adama. Želela sam da bude uz mene.

– Izvinite – rekla sam, izvlačeći se sa Popi. Krenula sam ka Adamu, ali me je mama uhvatila za ruku dok sam prolazila.

– Jel' ono Pami? – zbunjeno je pitala.

Ukočeno sam klimnula glavom.

– Ali kako...?

Odmahnula sam glavom. – Zaista ne znam – bilo je najbolje što sam mogla da ponudim. – Možeš li na trenutak da uzmeš Popi?

– Naravno – rekla je, a njeno zabrinuto lice odmah je ozario osmeh kad joj je unuka zadovoljno zagugutala.

Naterala sam um da se usredsredi, ali sam doslovce imala osećaj da se žice u njemu prespajaju i prašte uspostavljajući pogrešne veze. Morala sam ponovo da vidim Pami, samo da budem sigurna, ali nisam se usuđivala da se okrenem jer sam osećala tri para očiju na svojim leđima. Da li bi zaista išla toliko daleko kako bi ubedila ljude da govori istinu? Zamislila sam njeno lice, podbulih obraza i upalih očiju. Da li je to uopšte moguće?

Morala sam da smislim šta da kažem pre nego što stignem do Adama, znajući da bi nas pogrešne reči vratile nekoliko meseci unazad. – Nisi mi rekao da je tvoja mama... – Nisam znala kako da završim rečenicu.

– Bolesna? – rekao je.

Klimnula sam glavom.

– Nisi ni pitala – kruto je rekao. – Jer te nije bilo briga.

Setila sam se koliko je puta pokušavao da razgovara sa mnom, a ja sam ga svaki put prekidala. Obuzeo me grozan osećaj griže savesti.

Svaki put kad bih pogledala u Pami, ona je gledala u mene. Svaki put kad bih osetila da je krenula ka meni, izmislila bih neki razlog da odem. Ne znam da li sam se više plašila da razgovaram s njom za slučaj da mi kaže da je stvarno bolesna, ili zbog veoma velike mogućnosti da je otišla toliko daleko da bi nastavila sa svojom obmanom. Nisam znala kako da reagujem ni na jedno ni na drugo.

Džejms me je sustigao baš kad sam krenula ka ženskom toaletu.

– Divna služba, Em. Nisam imao priliku da ti zahvalim što si pozvala Kejt i mene da budemo Popini kumovi.

– Nisam ja o tome odlučivala – odgovorila sam ne zaustavljajući se.

– Kako si? – upitao je.

Okrenula sam se k njemu, tražeći u njegovim očima priznanje za ono što mi je uradio i odgovor zašto. Ali one su, kao uvek, bile blage i ljubazne.

– Dobro – kiselo sam rekla.

– Jesi li dobro? – pitao je. – Posle venčanja i svega?

– Radimo na tome – brecnula sam se.

– Zašto si ljuta na mene?

– Tvoja majka mi je sve ispričala – rekla sam. – Mislila sam da si na mojoj strani. Naivno sam verovala da je ono što smo imali...

– I bilo je – rekao je prekinuvši me.

Neveselo sam se nasmejala.

– Ja *jesam* na tvojoj strani... – rekao je. – I uvek ću biti, ali prilično si mi jasno stavila do znanja šta osećaš, sećaš se?

Začkiljila sam u njega. – Znači, ja sam ti se poveravala, a ti bi odmah odjurio nazad Pami i sve joj ispričao?

– Šta? Ne – oštro je rekao. – Nikad nisam nikom odao ništa od onoga što si rekla, osim kad si mi saopštila da od nas neće biti ništa.

– Znači, nije ti ona rekla da mi se nabacuješ? Nisi to radio po njenom nalogu?

– Šta?! – rekao je, mršteći se, kao da ne razume o čemu pričam. – Ne. Za kakvog me čoveka ti smatraš? Nikad to ne bih uradio. Rekao sam joj da osećam nešto prema tebi i koliko me zbog toga grize savest... Poverio sam joj se jer mi je majka.

Prevrnula sam očima i odmahnula glavom.

– Moraš da mi veruješ – rekao je.

– Hej, braco – uzviknuo je Adam prišunjavši mu se. – Šta mora da ti veruje?

Džejms je pocrveneo. – Ništa. Nije ništa.

– Ma, hajde, sav sam se pretvorio u uvo – nastavio je Adam malo zaplićući jezikom. – Zašto te moja ljupka dama naziva lažovom.

– Samo smo se šalili – neubedljivo je rekao Džejms.

– A ne, ne nasedam ja na to, drugar – rekao je Adam. I Džejms i ja smo ga dovoljno dobro poznavali da znamo da, uma pomućenog alkoholom i paranojom, postaje svadljiv.

Stavila sam mu ruke na grudi i pogledala ga, pokušavajući da mu skrenem pažnju.

– Samo se šalimo – rekla sam. – Džejms pokušava da me iznervira. I odlično mu ide. – Pljesnula sam ga po ruci.

Pokušala sam da odvučem Adama, ali on nije hteo da pređe preko toga. – Dakle, šta nisi verovala? – ponovo je pitao.

Teško sam uzdahnula. – Pobogu, samo smo se zezali. Nije bilo ništa.

– Nije mi tako delovalo – ljutito je rekao.

Zaustavila sam ga i obavila mu ruke oko struka dok se okretao ka meni. – Volim te – rekla sam, podigla se na prste i poljubila ga u usta. – A sad idi da se družiš sa svojim ortacima. Uživaj i vidimo se kasnije.

Poljubio me je. – I ja tebe volim.

Dok sam se vraćala unutra, Pami je bila na vratima, bezmalo spremna da me zaskoči. – Emili? – rekla je tobože iznenađeno, iako je očigledno stajala tamo i čekala me. Ignorisala sam je, ali kad me je drugi put pozvala, dovoljno glasno da i drugi čuju, morala sam da je primetim kako ne bih napravila scenu.

Stajala je preda mnom, kao da čeka, a ja nisam znala šta da kažem. U meni je ključao bes, ali kad sam je pogledala, dobro pogledala, bes je zamenila zbunjenost. Beonjače su joj bile žute a podbula koža, glatka i blistava, zategnuta preko jagodičnih kostiju. Od nje me ništa ne bi iznenadilo, ali ovo?

– Pamela – bilo je sve što sam uspela da izgovorim.

– Molim te, nemoj tako da me zoveš – tiho je rekla. – Znaš da to ne volim.

– Slušaj, ako ćeš opet da počinješ, stvarno nisam...

– Neću. Samo moram nešto da ti kažem.

– Šta god da je, ne zanima me. Od tebe me ništa ne bi iznenadilo. Pozvana si samo zato što si Adamova majka i nemoj ni na trenutak da pomisliš da je u pitanju išta više od toga. Možeš da vidiš Popi kad god Adam nađe za shodno da je odvede do tebe, ali iskreno, na tome se naša priča završava.

Prešla je rukom preko ćelavog temena i slabašno se osmehnula. – Žao mi je – rekla je. – Mnogo mi je žao.

Ne znam šta sam očekivala da će reći, ali „žao mi je" nije bilo na spisku, posebno ako se ima u vidu da u blizini nije bilo nikog drugog da čuje. Oborila je pogled, kao da ju je sramota, ali videla sam to već hiljadu puta do sada. Koristila je to svaki put kad bi bila priterana u ćošak i bila na ivici da bude razotkrivena. I mene je prevarila izigravajući nevinašce, ali to je bilo davno. Više me nikad neće prevariti.

– Stvarno nemam vremena – rekla sam. – Ovo je krštenje moje ćerke i čeka me mnogo ljudi koji zaslužuju moju pažnju više nego ti, sa kojima bih želela da razgovaram i družim se. Neću da gubim vreme s tobom.

– Razumem – rekla je. – I ne krivim te, ali želim samo da znaš da mi je zaista žao. Nikad nisam želela sve ono da ti priredim i znam da mi nećeš oprostiti, ali nije mi ostalo još mnogo vremena. Htela sam da bar pokušam da se izvinim pre nego što bude kasno. Molim te.

Uzmakla sam kad je pružila ruku ka meni, ali ona je nastavila napred, padajući.

Na delić sekunde oko nas je zavladala tišina, a onda su iznenada svi potrčali da je uhvate pre nego što padne na pod. Da je neko gledao na usporenom snimku, video bi kako uzmičem, s podignutim rukama. Jedino sam ja zapravo mogla da ublažim pad, ali dok su svi uzalud jurili napred, ja sam se odmicala.

Svi su uzdahnuli kad je tresnula o tvrd drveni pod.

– Mama! – uzviknuo je Džejms. – Pami! – uzviknuli su svi ostali.

– Šta se...? – viknuo je Adam trčeći i padajući na kolena. – Šta se, dođavola, dogodilo? – Okrenuo se ka meni tražeći odgovor, ali ja sam samo slegla ramenima. – A i našao sam koga ću da pitam!

Čula sam kako okupljeni naglo zadržavaju dah.

– Dosta – rekao je Džejms. – Mama...

– Dobro sam – uspela je da izgovori dok su joj pomagali da se uspravi u sedeći položaj. – Samo sam se saplela. Dobro sam.

Opet ista pesma.

Probijala sam se kroz gomilu pokušavajući da nađem Popi, koju sam poslednji put videla sa mamom. – Idem odavde – rekla sam kad sam stigla do nje.

– Šta se, za ime sveta, događa? – upitala je. – Ovo sigurno nije mogla da odglumi?

Odmahnula sam glavom. Nisam više znala šta da mislim.

– Možete li ti i tata da me odvezete kući? – pitala sam.

Tata je pogledao na sat. – Ionako je već kasno – rekao je, kao da mu je potreban izgovor. – Dovešću kola.

Pokupila sam poklone koje su doneli Popi i krišom se oprostila od Pipe i tete Bet. One su bile jedine među onima koji su još bili tu dok kojih mi je bilo stalo; ostatak su činili Adamovo društvo s ragbija i nekoliko njegovih kolega s posla. Niko od njih ne bi primetio ni da sam bila tamo, a kamoli da sam otišla.

– Jesi li dobro? – pitala je Pipa dok sam na brzinu sakupljala stvari. – Hoćeš da pođem s tobom?

Odmahnula sam glavom. – Samo želim da odem kući i obučem pidžamu – iskreno sam rekla.

Osmehnula se. – Znam taj osećaj. Pozvaću te ujutro.

Poljubila sam je i provukla se kroz vrata.

Mama je insistirala da pođe sa mnom. – Imam dvadeset sedam godina – gotovo sam se nasmejala.

– Nikad nisi previše stara da mama brine o tebi – rekla je. – Sigurna si da ćeš biti dobro?

Klimnula sam glavom. – Ne verujem da će se Adam dugo zadržati. Bar se zatvara za oko sat vremena.

– Šta god da je u pitanju, molim te, nemoj dozvoliti da te to pogađa – rekla je, ljubeći me u čelo. – Odlično se snalaziš i veoma smo ponosni na tebe. – Oči su mi bile pune suza dok sam je grlila i protiv volje ih terala da odu.

46.

Mora da sam zaspala na sofi jer je sledeće čega se sećam bilo lupanje na ulaznim vratima. Na trenutak sam bila zbunjena i mislila da još uvek sanjam. Kao iz daljine čula sam da mi je stigla poruka na telefon, ali nisam imala nikakvu predstavu koliko je sati, pa čak ni koji je dan. Nisam znala na šta prvo treba da reagujem, ali onda sam se setila Popi. Da li je vreme da je probudim? Da li sam je uopšte nahranila pre nego što sam je stavila na spavanje?

Previše naglo sam ustala i odmah ponovo pala nazad u krevet, osetivši vrtoglavicu. Uhvatila sam se za glavu, pokušavajući da je nateram da sklopi delove slagalice brže nego što je to sada radila. Treskanje u prizemlju se nastavljalo, poruke na telefonu i dalje su zahtevale da ih pročitam. Zavirila sam u Popinu sobu i videla da čvrsto spava. *Tik.* Samo što je prošla ponoć. *Tik.* Adam još uvek nije došao kući. *Tik*... gde je, dođavola? Ostavila sam ga pre tri sata. Potražila sam svoj telefon ispod jastuka kauča, pokušavajući da se usredsredim na obaveštenja kojima je načičkan ekran. Provrtela sam propuštene pozive, poruke na govornoj pošti i SMS poruke. Pami, Adam, Džejms, Pami, Adam, Džejms.

– Gospode – rekla sam naglas, pitajući se šta se dođavola događa.

Zbunjena, krenula sam ka vratima s telefonom u ruci. Samo što sam stigla do najnižeg stepenika, kad je ponovo zazvonio, a na ekranu se pojavilo Pamino ime. Htela sam da ga ignorišem, ali onda sam pomislila da možda neko drugi koristi njen telefon. Nešto očigledno nije bilo kako treba. Molila sam se samo da se ništa nije dogodilo.

– Da – frknula sam.

– Emili. Ja sam, Pami. Adam je krenuo tamo. Ne puštaj ga unutra.

– Šta? – prošaputala sam.

– Ne puštaj ga u kuću. Stvarno je besan. Saznao je, Emili. Mnogo mi je žao. Ne puštaj ga.

– O čemu, dođavola, pričaš?

– Saznao je za Džejmsa – procedila je.

Krv mi je udarila u uši pa nisam čula ništa od onoga što je govorila.

– Šta? – prasnula sam, a dah mi je zapeo u grlu.

– Potukli su se – zadihano je rekla. – Mnogo mi je žao.

Toliko sam se izbezumila da nisam mogla jasno da razmišljam. Prišla sam vratima, drhtavim rukama petljajući oko kvake, ali ne uspevajući da je uhvatim. Odskočila sam kad je pesnica udarila s druge strane, a jeftino drvo jedva izdržavalo udarce.

– Adame? – pozvala sam drhtavim glasom.

– Otvori vrata! – povikao je, sada toliko blizu da sam čula njegov dah.

– Neću – odgovorila sam. – Dok se ne smiriš.

– Tako mi boga, Emili, odmah da si otvorila ta vrata, jebote.

– Ne puštaj ga unutra – ponovo je upozorila Pami.

– Šta si *uradila*? – prosiktala sam u telefon, a onda ga bacila na pod. Neću dozvoliti njenim lažima da me unište. Da unište *nas*. Moram nekako da urazumim Adama.

– Plašiš me, Adame – doviknula sam mu kroz vrata. – Uplašićeš bebu.

Čula sam ga kako polako, smireno udiše i izdiše.

– Emili – rekao je, a glas mu je najednom postao odmeren. – Hoćeš li, molim te, da otvoriš vrata?

Navukla sam lanac. – Obećavaš da ćeš ostati miran?

– Da, obećavam.

Čim sam okrenula kvaku, vrata su poletela, a silina naleta istrgla je lanac iz ležišta. Pala sam na pod kad su se zanjihala ka meni, bespomoćno mlatarajući rukama dok sam se odupirala Adamovoj snazi s druge strane. Nasrtao je na mene i tada sam shvatila kakvu sam užasnu grešku napravila. Pokušavala sam da nateram sebe da ustanem, ali noge me nisu slušale. Zateturala sam se i gotovo puzala uz stepenice ka vrhu, iako sam bila svesna da tako uskraćujem sebi svaku mogućnost da izađem. Ali morala sam da zaštitim Popi. Nisam smela da mu dozvolim da joj priđe.

Tako četvoronoške, krenula sam da se uhvatim za najviši stepenik, kad me je cimnuo za gležanj i povukao. Imala sam osećaj da mi se teme odvaja od lobanje kad me je uhvatio za kosu. Jednom rukom sam pokušavala da otvorim njegovu pesnicu koja mi je bila duboko zarivena u kosu, a drugom da nađem bilo kakav oslonac na stepenicama. Moj bok je prošao najgore, jer je udarao o svaki neumoljivi stepenik dok me je Adam vukao naviše. Došlo mi je da vrisnem, ali morala sam da budem tiha zbog Popi. Nisam znala na šta je sve Adam spreman.

Dok me je vukao preko odmorišta, pokušala sam da ustanem, ali bio je previše jak. Što sam se više otimala, sve jače me je stezao.

– Molim te – vrisnula sam. – Molim te, prestani.

Bacio me je u dnevnu sobu i pogledao me. Bilo je to prvu put da mu vidim lice, izobličeno od gneva, s očima iskolačenim od besa.

– Hoćeš li, molim te, da me saslušaš? – preklinjala sam.

– Kurvo – frknuo je, a dah mu je zaudarao na alkohol. – Mene si našla da praviš budalom? – Iz usta mu je visila pljuvačka.

– Ne, nikad. Nikad to ne bih uradila.

Ruka mu je poletela i udarila me po licu, zakačivši čeonu kost. Koža me je zapekla i odmah sam osetila kako izbija čvoruga.

Hodao je tamo-amo, stežući i opuštajući pesnice dok sam drhtala pred njim.

– Nije kao što misliš – rekla sam. – Molim te, moraš da mi veruješ.

– Znam tačno šta je i kako je. Tucaš se s mojim bratom. – Zabacio je glavu i zlokobno se nasmejao. – Moja verenica, majka mog deteta, radila mi je iza leđa i tucala se s mojim bratom.

– Nije tako – preklinjala sam ga. – To su besmislice.

Ukopao se u mestu i divljački se zagledao u mene. – Da li je ona uopšte moja ćerka? – zaurlao je. – Da li je Popi uopšte moja?

Klekla sam kod njegovih nogu. – Naravno da jeste. Znaš da jeste. Nikad ti nisam bila neverna. Molim te, znaš da je tako.

Čučnuo je pored mene i čvrsto me uhvatio za lice. – Zašto je onda on toliko opsednut tobom?

– Ne znam o čemu pričaš – jedva sam izgovorila.

– Upravo me je odvukao od jedne devojke i raspalio me po licu jer te navodno ne poštujem.

Majušni deo mog srca koji još uvek nije bio slomljen raspao se na milion komadića. – Bio si s drugom? – pitala sam rešena da mi glas ostane miran. – Na krštenju naše ćerke?

– Da i baš smo se sjajno zabavljali.

– Đubre – frknula sam.

Pogledao me je i nasmejao se. – Šta, progutala si sve ono sranje prošli put?

Nisam rekla ni reč, samo sam ga gledala kako mi se smeje u lice.

– Jesi, zar ne? Uh, pa to je genijalno, jebote. Ali, odaću ti malu tajnu... – Nagnuo se ka meni, tako da sam osetila njegov vreli dah na obrazu. – Nikad ti nisam bio veran. Kako sam i mogao? Ne možeš da me napališ. Tako si dosadna – rekao je stresavši se. – A opet si kao neka jadnica toliko zahvalna svaki put kad ti se približim.

Pljunula sam ga, velika pljuvačka završila mu je na obrazu.

Njegova ruka je došla niotkuda, udarivši me postrance po glavi tako da sam poletela unazad. Imala sam osećaj da mi zubi, kao što mi se dešavalo u snovima, jedan po jedan ispadaju iz usta pa sam ih zatvorila pokušavajući da ih zaustavim.

Gurnuo me je na leđa i seo opkoračivši me prikucavši me za pod. – Ali to je u redu jer sada znam da si i ti švrljala.

Podsetio se zašto je bio toliko besan i navalio na mene, obavivši mi ruke oko grla.

Pogledala sam ga u oči, pokušavajući u njima da nađem izlaz iz ovog ludila, tražeći tračak svetla koji će sve ovo zaustaviti. Ali bile su crne kao noć, a zenice su mu bile toliko raširene da su mu se beonjače jedva videle. Pokušala sam da podvučem prste ispod njegovih ruku, ali držao me je za vrat previše čvrsto. Još uvek nije stiskao, samo je uživao u strahu koji je u meni izazivao.

– Nisam, nismo nikad... – Sa svakom rečju koju sam izgovarala, on me je sve jače stezao oko vrata. Osećala sam kako se gubim, nestajem, ali u daljini sam čula plač, najpre tih, a onda sve glasniji. Otvorila sam oči, shvativši da Popi plače. Adam, koga je trgao isti zvuk, počeo je da ustaje sa mene.

– Ne! – vrisnula sam i posegla ka njemu, vukući ga za kosu, kragnu košulje, bilo šta za šta sam mogla da ga uhvatim. Odgurnuo je moju ruku, ali kad je krenuo da ustane, svom snagom sam se bacila na njega. Nisam smela da mu dozvolim da priđe Popi. Skočila sam mu na leđa, urlajući i grebući ga gde god sam stigla. Posegla sam mu za licem, naslepo palčevima tražeći njegove oči. Pokušavao je da me zbaci, ali ja sam se držala. Neću mu dozvoliti da priđe mojoj devojčici.

Podigao se, zakucao me o dovratak dnevne sobe i krenuo ka Popinoj sobi. – Ne! – ponovo sam zavapila. Povukla sam ga svom snagom nazad tako da je izgubio oslonac i strovalio se na odmorište, preko mene. Kada je ustao, čvrsto sam ga uhvatila oko noge, pokušavajući da ga zadržim, ali se otrgao. Popin plač bio je sve glasniji, ili smo se mi sve više približavali, a moja čula su potpuno podivljala. Čula sam njen plač, svoje krike, ali bilo je još nečeg, što nisam mogla da odredim.

Zaslepljena krvlju i suzama, čekala sam da Popin plač prestane kad je tata uzme. Nije mogla da zna da je čovek koji je teši sve samo ne otac.

– Gotovo je – rekao je neko. Ženski glas.

Mozak mi je udarao o lobanju dok sam pokušavala da shvatim šta se događa. Pogledala sam naviše, kroz prorez na oku koje se gotovo zatvorilo i ugledala priliku koja je stajala na vratima Popine sobe. Polako sam se podigla u sedeći položaj i naterala sebe da se usredsredim. Prvo sam ugledala svoju bebu, ušuškanu u naručju te nepoznate osobe koja ju je nežno ljuljala. Presekao me je gotovo opipljiv strah kad sam prepoznala lice. Pami.

Nisam razumela šta se događa. Da li su u ovome zajedno? Da li su ovo sve vreme planirali?

– Daj mi moju bebu! – Pokušala sam da ustanem, ali me je Adam, koji je stajao između nas, gurnuo nazad na pod.

– Gotovo je – ponovila je Pami drhtavim glasom.

– Daj mi je – ponovo sam vrisnula, očajnički želeći da je osetim u svom naručju. Brzo sam zamislila Pami kako trči niz stepenice i izlazi na ulicu sa mojom bebom. Kuda, nisam znala. Imala sam osećaj da je srce prestalo da mi kuca – balast u mojim grudima.

– Molim te – preklinjala sam, pružajući ruke ka njoj.

– Mama – rekao je Adam, iznenada smireno. – Daj mi je.

– Znam šta si uradio – rekla je. – Videla sam te.

– Mama, ne budi glupa – rekao je, kao da je upozorava. – Daj mi Popi.

Ulazna vrata ponovo su tresnula. – Mama, Emili... stiže policija – doviknuo je Džejms, zadihan, dok se stepenicama penjao do odmorišta. Pogledao me je kroz ogradu i rekao: – Gospode.

Sve četvoro smo se zaledili, kao da držimo svoje pozicije i međusobno se odmeravamo. Pami je prva progovorila, ali ono što je izgovorila bilo je poslednje što sam očekivala da čujem.

– Emili, dođi i uzmi Popi – rekla je. Pogledala sam u nju pa u Džejmsa, a onda gore u Adama, koji se još uvek nadnosio nad mene. Počela sam da puzim ka Pami, a kad sam sela naslonivši se na zid pored nje, nežno mi je predala moju devojčicu. Privila sam je uz sebe i udahnula njen miris.

– Videla sam te, Adame – rekla je Pami. – I ti si video mene. Gotovo je.

– Šta se, dođavola, dešava? – rekao je Džejms.

– Bila sam kod kuće te noći – rekla je Adamu. – Kad je Rebeka umrla.

Pami je briznula u plač, a ramena su joj zadrhtala. – Čula sam kako je zadirkuješ dok se mučila da dođe do vazduha... Gledala sam te kako odbijaš da joj daš inhalator.

Uzdahnula sam kad je Džejms izgovorio: – Šta?

– Ne znam o čemu pričaš – prkosno je rekao Adam, uspravljajući se i stežući vilicu.

– Adame, bila sam tamo. Preklinjala te je da joj pomogneš, ali nisi iako si mogao. Njen život je bio u tvojim rukama. Trebalo je samo da joj daš inhalator. Ali ti si samo stajao nad njom i gledao je kako umire. Kako si mogao?

– Ti si luda – podrugljivo je rekao Adam, iako mu se u očima videla izbezumljenost.

– Onda si otišao na železničku stanicu da bi ponovo došao peške kući. Za to vreme ja sam očajnički pokušavala da joj spasem život. – Glas joj je zadrhtao dok je jecala. – Nikad sebi neću oprostiti što nisam uspela.

– O čemu trabunjaš? – zarežao je Adam. – Bio sam na poslu. *Ti* si *mene* pozvala, sećaš se? Prva si stigla tamo. Osim toga, bila si poslednja koja je Rebeku videla živu. Neki bi rekli da je to možda bila prevelika slučajnost.

– Da se nisi usudio – brecnula je Pami. – Dok sam živa, osećaću odgovornost za ulogu koju sam u ovome odigrala, za to kakav si ispao i sve strahote koje si počinio. Ali uradila sam sve što sam mogla da pomognem toj nesrećnoj devojci, baš kao što sam uradila i za Emili.

Okrenula se ka meni, preklinjući me pogledom da joj verujem. – Mnogo mi je žao što je moralo da dođe do ovoga da bih te konačno naterala da vidiš na šta je sve spreman.

Čula sam njene reči, ali ništa nisam razumela.

– Šta hoćeš da kažeš? – pitala sam.

– Pokušala sam da ti pomognem – rekla je kroz suze. – Uradila sam sve što sam mogla da te odvojim od njega, ali bezuspešno. Nisi odustajala. Kako nisi videla šta sam pokušavala?

– Ali ti me mrziš – rekla sam ne stigavši da razmislim. – Kakve si sve gadosti napravila.

– Morala sam, kako ne shvataš? – zajecala je. – Morala sam da te odvojim od njega i mislila sam da je to jedini način. Ali to nisam ja. Ja nisam takva. Pitaj bilo koga... Možda misliš da poznaješ Adama, ali nemaš pojma kakav je.

– Ovo je ludilo – rekao je, besno provlačeći prste kroz kosu, ushodavši se po odmorištu kao životinja u kavezu.

Dok sam ga gledala, kroz glavu mi je proleteo svaki razgovor koji smo ikada vodili, njegove reči u stereo-zvuku. *Nepristojna si. Nećeš izaći tako obučena. Zašto Seb ide? Otkazaću venčanje. Šta ti misliš, da sam monah?* Još uvek sam osećala bridenje od siline njegovih udaraca, ali najviše je peklo sećanje na njegove zlobne reči, saznanje koliku je moć imao nada mnom.

– Zaista mi je žao što sam te povredila – nastavila je Pami – ali bolje nisam umela. Smatrala sam da postupam ispravno. Znala sam da će, ako ostaneš, na kraju doći do ovoga.

– Ali zašto... zašto mi jednostavno nisi rekla? – promucala sam, okrećući se ka Pami. – Ako si znala šta je uradio Rebeki?

Odmahivala je glavom odbijajući da me pogleda u oči.

– Dušo, ona nema pojma o čemu priča – rekao je Adam preklinjući me pogledom. Bilo je jasno da tvrdi pazar, dok pokušava da prokljuvi koja od žena pred njim je na njegovoj strani. – Ona je luda, skrenula je pameću. Moraš da mi veruješ.

– Mislila sam da me voliš... – zaustila sam.

Lecnula sam se pri pomisli šta bi sledeće mogao da uradi. – Volim te, znaš da te volim – rekao je. Ruke su mu drhtale a vilica se trzala, dobro poznati znak da kroz njega struji uzbuđenje.

– Ali sada mi je sve jasno – tiho sam nastavila. – Nikad me nisi voleo. Samo si želeo da me kontrolišeš. – Privila sam Popi uz sebe kad je sanjivo zaplakala.

Krenula sam da ustanem, uzalud se nadajući da ću se tako osećati jače, ali taj pokret me je podsetio na bol u boku. Noge su mi poklekle. Džejms je požurio da me pridrži i pala sam mu u naručje.

Adam se bacio na nas. – Makni te prljave ruke s nje – povikao je. – Ona je moja.

Džejms je stao da me zaštiti pribivši me leđima uza zid, van opasnosti, dok se na skučenom prostoru rvao sa Adamom.

– Uvek si želeo ono što je bilo moje – podrugljivo je rekao Adam bratu. – Čak i kad smo bili mali. Ali uvek ćeš biti na drugom mestu – uvek ćeš biti slabija karika.

Dok sam klizila niza zid, zaštitnički obavijajući ruku oko Popi, kroz glavu mi je proletela čudna slika dva dečaka kako organizuju trke s račićima na plaži. Čula sam krckanje rakove ljušture i Džejmsov plač. Pitala sam se koliko su daleko u prošlost sezale Adamove ubilačke sklonosti.

– Dosta! – vrisnula je Pami, postavljajući svoje krhko telo između njih dvojice. – Ne mogu više ovo da podnesem. Ne mogu više da se pretvaram da je sve kako treba. Ništa nije kako treba otkako vam je otac umro. Od tada me ucenjuješ, svojim pretećim opaskama i okrutnim porukama. Samo da bi mi stavio do znanja da znaš. Dala sam ti i poslednju paru, sve što sam mogla da priuštim, ali ni to te nije zaustavilo. Žao mi je zbog onoga što sam uradila i što si zbog toga postao takav, ali sada je dosta.

Džejms je uhvatio majku za ruku. – Smiri se, mama, u redu je.

Pala je u njegovo naručje. – Ne mogu više ovako, sine. Previše sam slaba.

Adamovo lice zgrčilo se kada je video dva policajca kako trče uz stepenice ka nama. – Ne mora da se završi ovako – rekao je preklinjući me pogledom. – Treba da mislimo na Popi. Potrebni smo joj oboje. Možemo da budemo porodica, prava porodica.

– Adam Benks? – pitao je policajac.

Ponovo je pogledao u mene i krenuo da me uhvati za ruku. – Molim te – preklinjao je sa suzama u očima. – Nemoj.

Policajac je savio Adamu ruke iza leđa i stavio mu lisice. – Adame Benkse, imate prava da ćutite. Ako sada prećutite nešto na šta ćete se kasnije pozvati, naudićete sopstvenoj odbrani. Sve što kažete može biti upotrebljeno protiv vas na sudu.

– Upravo si napravila najveću grešku u životu – prasnuo je Adam na mene dok su ga vodili niz stepenice.

Kad su se vrata zatvorila za njim, nas troje smo nepomično stajali, skamenjeni od zaprepašćenja. Džejms je prvi progovorio.

– Ako si sve ovo znala, zašto nisi otišla u policiju onda kada se sve to dogodilo? – upitao je Pami. – Zašto si dovela Emili u opasnost?

– Našla sam inhalator u tvojoj kući – rekla sam, kao u zanosu, pokušavajući da povežem događaje i naglas se prisećajući. – Videla sam ga. Sakrila si Rebekin inhalator u svojoj kući.

– Nisam mogla da prijavim policiji – vrisnula je. – Morala sam da ga uzmem, kako bi inače objasnili zašto ga nije upotrebila? Ostavio ga je tu, pored nje. Kao i kod svih napada koje je imala, pomoglo bi joj samo nekoliko udisaja. Ljudi bi to znali, njeni roditelji bi znali i počeli bi da postavljaju pitanja. Morala sam da zaštitim Adama.

– Zašto, pobogu? – pitao je Džejms, naizgled zbunjen koliko i ja.

– Zato što me je video – tiho je rekla.

Zgledali smo se i Pami je oborila glavu, drhteći. Džejms joj je prišao i zagrlio je, ali ona je zbacila njegovu ruku. – Nemoj – rekla je. – Tako je samo još gore.

– Zar može gore odo ovoga? – pitao je Džejms.

– Mnogo mi je žao – zavapila je. – Nisam želela da ispadne tako.

– Reci mi. O čemu se radi? – pitao je, a u glasu mu se osećao strah.

– Tvoj otac... – zajecala je. – Nije bio onakav za kakvog si ga smatrao... zlostavljao me je.

– Mama... znam – tiho je rekao Džejms.

Zapanjeno ga je pogledala. – Ali kako...?

– Obojica smo znali. Adam i ja smo sedeli na vrhu stepeništa i smišljali kako da ga zaustavimo, ali bili smo previše uplašeni.

Uhvatila ga je za ruku. – Jedne noći, krenuo je na mene i... – Reči su joj zapele u grlu. – Bio je to nesrećan slučaj. Veruj mi. Bio je pijan i krenuo je na mene. Prestravila sam se. Uzmicala sam, ali priterao me je u ugao. Podigao je ruku, a ja sam ga gurnula, vrlo lagano, ali bilo je dovoljno da izgubi ravnotežu. Sapleo se, pao unazad i udario glavom o kamin.

Džejms se ugrizao za usnu a na oči su mu navirale suze.

– Bio je tako tih dok je ležao tamo – nastavila je Pami – nisam znala šta da radim. Znala sam da će me ubiti kad se bude osvestio i morala sam da pobegnem. Morala sam sve da nas odvedem odatle. Kad sam izjurila iz kuhinje, on je stajao tamo.

Oči su joj se zacaklile.

– Ko? – pitala sam.

– Adam! – povikala je. – Stajao je u vrhu stepeništa i gledao kroz ogradu. U jednom trenutku je bio tamo, a već sledećeg je nestao. Izbezumila sam se i potrčala uz stepenice, ali već je bio u krevetu i pretvarao se da spava. Krenula sam da ga dotaknem, ali on je stresao moju ruku i okrenuo se ka zidu.

– Bio je to nesrećan slučaj, mama – rekao je Džejms, privijajući je uza se. – Nisi ti kriva.

Uspela je slabašno da se osmehne. – Uvek si bio dobar dečak – rekla mu je. – Čak i te noći, kad sam ušla u tvoju sobu da vidim kako si, probudio si se i rekao: „Volim te, mama." Nikad neću saznati čime sam to zaslužila.

– Nisi ti kriva – tiho je ponovio.

– Kriva sam! – Zajecala je. – Pretvorila sam ga u čudovište. Nikad ni reč nije rekao, ali on zna šta sam uradila. Zato je uradio ono Rebeki. Zato sam se plašila da će to uraditi i Emili. Morala sam da je odvojim od njega.

Sedela sam otvorenih usta, zanemela dok mi je ono što je govorila dopiralo do svesti.

– Moram da kažem policiji – rekla je stresavši se. – Moram da im kažem šta sam uradila pre nego što čuju od Adama. Bio je veoma mlad, neće se jasno sećati onoga što se dogodilo. Reći će samo da sam ubila njegovog oca. Moram da budem tamo kako bih imala bilo kakve šanse da objasnim šta se desilo.

Džejms ju je uhvatio za ramena i naterao je da ga pogleda. – Adam neće ništa reći.

Pokušala je da se otrgne od njega. – Moram da idem – nestrpljivo je rekla. Najednom kao da joj se žurilo, kao da je osećala potrebu da otvori dušu.

– Adam neće ništa reći – ponovio je Džejms.
– Hoće, znam da hoće – izbezumljeno je rekla.
– Neće, zato što sam to bio ja – rekao je.
Zbunjeno ga je pogledala, a u grlu joj je zapeo jecaj.
– Ja sam sedeo u vrhu stepeništa, a ne Adam.
– Ali... ali to je nemoguće – promucala je.
– Video sam šta se dogodilo i nisi ti kriva.
– Ne... to je bio Adam. Mora da je bio on, jer si mi ti rekao da me voliš.
– I dalje te volim – rekao je Džejms, a Pami mu je pala u naručje.

Epilog

Narcisi cvetaju a Popi puzi između njih, na veliko negodovanje svoje majke. Uhvati moj pogled dok je uzima u naručje i smejemo se njenim blatnjavim kolenima. Popi se kikoće dok je Emili diže u vazduh i u šali joj duva u stomak. Kad se smeje, liči na majku, ima iste ljubazne oči i prćast nos.

– Tebe sve ovo čeka – kažem i dodirnem Kejt po ruci, a ona nagonski protrlja svoj zaobljeni stomak i osmehne se.

– Ja jedva čekam – kaže Džejms dok Emili vraća Popi u travu, a ona odmah ponovo kreće ka primamljivom žutom carstvu. Smejemo se kad Džejms tobože njišteći krene da puzi za njom i ona ubrzava.

– Biće divan tata – kažem gledajući za njim.

Pomislim na sva ona pisma od tate za koja Popi nikad neće saznati. Ne znam šta u njima piše jer ih nikad nisam otvorila, ali sigurno zna šta propušta. Biće tinejdžerka kad on bude izašao, a do tada će Emili nastaviti dalje, živeće život kakav zaslužuje.

Nadam se da će upoznati nekoga ko će voleti nju i Popi onako kako ih ja volim.

Ko će brinuti o njoj onako kako ona brine o meni.

Ne prođe ni dan a da ne dođe da me vidi, čak i dok je trajalo suđenje a ja sam bila preslaba da bih išla.

– Jesi li dobro? – pita i nežno mi stavlja ruku na rame.

Osmehnem se i uzmem je za ruku.

Da. Dobro sam.

Oslobodila sam se straha s kojim sam toliko dugo živela.

Volela bih samo da mi je ostalo malo više vremena.

Zahvalnost

Mnogo hvala mojoj agentkinji Taneri Simons, koja je morala da izdrži moje uzbuđenje kad mi je saopštila da je sklopljen ugovor sa izdavačem. Morala je takođe da me ubeđuje (više puta) da nije u pitanju šala. Hvala Taneri i svima u agenciji *Darli Anderson* – imala sam mnogo sreće što sam vas našla.

Mojim neverovatnim urednicama, Viki Melor iz *Pan Makmilana* i Ketrin Ričards iz *Minotaur buksa*, koje su obe od samog početka „ukapirale" *Između nas*. Bilo je zadovoljstvo raditi sa vama kako bi ova knjiga izašla u najboljem mogućem izdanju.

Neverovatnom Semu, koji mi je stalno davao savete i stalno tražio da čita dalje, pre nego što sam ih uopšte i napisala. I mojim posebnim prijateljima koji će bez sumnje svi pronaći deo sebe u romanu *Između nas* – bilo da je u pitanju zajednička uspomena, prepoznatljiva karakterna osobina ili neko skriveno značenje. Hvala vam na inspiraciji, podršci i ohrabrenju.

Mojoj svekrvi, koja mi mnogo nedostaje i koja je sušta suprotnost Pami. I mojoj mami – pa, moraćete da pitate mog muža zašto.

Mom divnom mužu i deci, koji nisu imali pojma da uopšte pišem knjigu – hvala vam što ste me jednostavno pustili da nastavim sa tim, šta god da sam radila. Evo ovo sam radila!

I na kraju, svima kojima su pročitali *Između nas* – hvala vam od srca. Nadam se da ste uživali.

Beleška o autoru

Sendi Džouns je frilens novinar i pisala je, između ostalih, za *Sandej tajms*, *Dejli mejl*, *Vumans vikli* i časopis *Helou*. Da ne piše romane, bavila bi se dizajnom jer je opsednuta tapetama i jastučićima. Živi u Londonu sa suprugom i troje dece.

Sendi Džouns
IZMEĐU NAS
2018

Izdavač
Evro Book
Beograd, Dimitrija Tucovića 41

Za izdavača
Novica Jevtić, generalni direktor

Veleprodaja
Tel: 011/30-77-771, 26-19-551
E-mail: prodaja@evrobook.com

Tiraž
2.000 primeraka

Štampa
Pi pres, Pirot

ISBN 978-86-505-3097-9

CIP - Каталогизација у публикацији
Народна библиотека Србије, Београд

821.111-31

ЏОУНС, Сенди, 1972-
Između nas / Sendi Džouns ; s engleskog prevela Vesna Stojković. - 1. izd. - Beograd : Evro Book, 2018 (Pirot : Pi press). - 282 str. ; 21 cm. - (Edicija Savremena svetska proza / [Evro Book] ; knj. br. 357)

Prevod dela: The Other Woman / Sandie Jones. - Tiraž 2.000. - Beleška o autoru: str. [287].

ISBN 978-86-505-3097-9
COBISS.SR-ID 267536908